AKIF PIRINÇCI

Der Rumpf

D1282421

Die Geschichte des Rumpfes beginnt in einer stürmischen Regennacht: Auf den Stufen seiner Kirche findet Pfarrer Jupiter ein plärrendes Bündel. Als er die Decken und Windeln löst, entfährt ihm ein Schrei: Vor ihm liegt ein Säugling, der weder Arme noch Beine hat. Der Gottesmann beschließt, sich des Findelkindes anzunehmen, und bereits in diesem Moment beginnt sich die ganz besondere Bestimmung des Rumpfes zu vollziehen.

Daniel, wie das Kind getauft wird, erlebt eine glückliche Kindheit und Jugend in der Atmosphäre des Pfarrhauses, die geprägt ist von Orgelmusik und nach Kernseife duftenden Gutenachtküssen der schönen Haushälterin Maria, von technischen Finessen des Prothesenbaus und von erotischen Ausschweifungen der Phantasie, auf die der Rumpf mangels besserer anatomischer Möglichkeiten zurückgeworfen ist.

Doch die paradiesischen Zustände finden ein jähes Ende, als sich der Pfarrer aus Altersgründen von Daniel trennen muß. Der Rumpf kommt in das Heim »Zu den verzauberten Jägern« und trifft hier auf den Menschen, der ihm zum großen Widersacher und unentrinnbaren Schicksal werden soll. Daniel erkennt sein großes Lebensziel: Er will den perfekten Mord begehen. Und so klein die körperlichen Möglichkeiten des Rumpfes auch sind, so schier unerschöpflich ist sein geistiges Potential, das er ganz in den Dienst eines teuflischen Plans stellt.

AKIF PIRINÇCI

Der Rumpf

Roman

GOLDMANN

Umwelthinweis:
Alle bedruckten Materialien dieses Taschenbuches
sind chlorfrei und umweltschonend.

Der Goldmann Verlag
ist ein Unternehmen der Verlagsgruppe Bertelsmann

Genehmigte Taschenbuchausgabe
© 1992 by Wilhelm Goldmann Verlag
Umschlaggestaltung: Design Team München
Satz: Uhl + Massopust, Aalen
Druck: Pressedruck, Augsburg
Verlagsnummer 42366
Lektorat: Ge
Herstellung: Sebastian Strohmaier
Made in Germany
ISBN 3-442-42366-X

*Meiner Mutter, meinem Vater
und Gülseren gewidmet.*

Vom Himmel her blickt Gott auf die Menschen,
zu sehen, ob einer verständig, ob einer Gott suche.
Doch alle sind abgewichen, alle verderbt;
nicht einer, der Gutes täte, nicht einer.

Das Buch der Psalmen,
Psalm 53, Der Mensch ohne Gott

1. KAPITEL

»Was meint ihr? Wenn jemand hundert
Schafe hat und eines davon verirrt sich, wird
er dann nicht die neunundneunzig auf den
Bergen lassen und hingehen und das verirrte
suchen? Und glückt es ihm, es zu finden –
wahrlich, ich sage euch, er freut sich mehr
darüber als über die neunundneunzig, die
sich nicht verirrt haben. So ist es auch nicht
der Wille bei eurem Vater im Himmel, daß
eines von den Kleinen verlorengehe.«

Matthäusevangelium, Das verirrte Schaf

Eher reißen die Katzen eines Tages die Weltherrschaft an sich, als daß ein Mensch ohne Arme und Beine den perfekten Mord begeht. Nun, mir, dem Rumpf, ist dieses Kunststück trotzdem gelungen, was zugegebenermaßen Professor Sladeks These vom »Triumph des Willens« bestätigt. So dämlich, wie ich dachte, war der gute alte Professor also doch nicht. Ganz und gar nicht sogar. Leider!

Wer Sladek war? Und wie ich dazu kam, ihn umzubringen? Und auf welche Weise es geschah? Geduld, Geduld, die ihr da draußen allesamt zur Nachahmung aufgefordert seid, ihr werdet es noch früh genug erfahren. Ich gelobe, kein noch so unbedeutendes Detail zu verschweigen, und zwar nicht nur, damit man alles logisch nachvollziehen kann, sondern weil ich mein Abenteuer durch das Erzählen selbst noch einmal erleben möchte und mir so ein doppeltes, wenn auch fragwürdiges Vergnügen erhoffe. Natürlich wird mir niemand Glauben schenken, da ja, wie es sich für einen perfekten Mord gehört, keine Beweise existieren – und auch keine Zeugen mehr.

Ich spreche dies in mein geliebtes Diktaphon, das aus der Steinzeit stammt und ein pausenloses Quietschen von sich gibt. Beim Abhören des Bandes entstellt das Gerät meine Stimme so stark, daß ich manchmal das Gefühl habe, als lausche ich der Beichte eines Ungeheuers, was ja der Wahrheit auch verdammt nahe kommt.

Bevor ich aber zum spaßigen Teil der Geschichte komme, halte ich es für angebracht, zunächst ein paar Fakten preiszugeben. Was ich vorhin sagte, war nämlich kein Witz. Ich gehöre tatsächlich einer Art von Lebewesen an, bei deren Erschaffung

Mutter Natur so ziemlich einen in der Krone gehabt haben muß. Allerdings muß sie, was speziell meinen Fall anbelangt, bei dieser Tätigkeit nicht nur besoffen, sondern obendrein auf einem LSD-Trip gewesen sein. Kurz, ich wurde vor einigen Jahrzehnten mit einer sogenannten Gliedmaßenfehlbildung geboren – oder sagen wir besser mit vier Gliedmaßenfehlbildungen. Diese Fehlbildung trägt den wunderschönen Namen Amelie und läßt garantiert jede Hebamme auf diesem Planeten nach der Vollendung ihrer Arbeit in Ohnmacht fallen. Auch meine Mutter muß wohl nicht gerade in Freudentränen ausgebrochen sein, als sie das Produkt ihrer neunmonatigen Mühsal zum ersten Mal zu Gesicht bekam. O nein, wahrscheinlich fiel die Gute vor Schreck rückwärts aus ihrem Wochenbett. Ein menschliches Geschöpf ohne Arme und Beine sieht für Augen, die diesen Anblick nicht gewohnt sind, grotesk aus, doch um wie vieles mag sich der Eindruck potenzieren, wenn es sich dabei um einen Säugling handelt? Jedenfalls hatte meine geliebte Mutter nach unserer ersten Begegnung wenig Lust, einen Wickelkurs zu absolvieren und ging statt dessen in die Kirche. Genauer gesagt ging sie nicht in, sondern vor die Kirche und postierte den Neugeborenen in einem Weidenkorb – ganz Fräulein Melodrama – vor deren Pforte. Nachdem sie ihren arm- und beinlosen Sohn so ausgesetzt hatte, verschwand sie auf Nimmerwiedersehen und lebt vermutlich glücklich bis ans Ende ihrer Tage.

Der zuständige Pfarrer der Kirche – ein elefantenschwerer, pausbäckiger, beständig ganze Weltmeere transpirierender Seelenhirt, der, unglaublich, aber wahr, Jupiter hieß und Anno 1984 per Magenmetastasenexpreß in das Land fuhr, wo sein Brötchengeber höchstselbst residiert – hat mir diese Schmonzette etwa einemillionmal erzählt. Und seitdem ich mich erinnern kann, erscheint sie vor meinem geistigen Auge in solcher Regelmäßigkeit, daß sie mittlerweile den Status eines Kultfilmes besitzt.

Es war eine Regennacht, so fabulierte Jupiter immer wieder in seiner dramatischen Art, ja, es goß in Strömen. Jupiter, damals ein vor Energie und missionarischem Eifer strotzendes junges Faß, hatte sich wie jeden Abend vor dem Altar mit den zahllosen brennenden Kerzen niedergekniet und ratterte gerade sein letztes Nachtgebet herunter, bevor er das Portal des Gotteshauses abschließen wollte. Doch da – plötzlich ein zaghaftes Klopfen: Tock! Tock! Tock! Jupiter unterbrach sein Gebet, schaute zum finsteren Mittelgang und wartete ab. Da sich nichts rührte, stand er auf und ging zur Pforte. Er wollte »Herein mit Gottes Segen!« rufen, hielt jedoch aus einem unbestimmten Grund inne. Kurz danach öffnete er die kleine Tür am rechten Portalflügel.

Nichts, niemand . . .

Jupiter blickte irritiert in die Sintflut hinaus und versuchte darin eine weglaufende Gestalt oder zumindest einen Schatten auszumachen. Vergebens, er sah nichts, und außer dem lauten Prasseln des Regens hörte er auch nichts. Überzeugt davon, daß seine Ohren ihm einen Streich gespielt hatten, wollte er gerade wieder die Tür schließen, als er mit einem Mal wohlbekannte Laute vernahm. Es war das Geplärre eines Säuglings, und der Säugling in diesem ziemlich zerfransten Korb vor Jupiters Füßen war kein geringerer als euer ergebener Erzähler, der da, eine unangenehme Nässe an seinem Hintern verspürend, energisch nach einer Generalreinigung verlangte.

Nun verstand Jupiter, denn es war ein klassischer Fall: eine junge Frau, ein sogenannter »Betriebsunfall« und ein Kind, das dringend verschwinden mußte. Jupiter seufzte, gedachte des unveränderlichen Laufes der Welt, trug den Korb in sein Pfarrhaus und untersuchte dessen Inhalt bei Licht etwas genauer. Als er aber das brüllende Gottesgeschöpf von seiner nassen Montur befreite, entfuhr ihm jäh ein Schrei des Schreckens. Voller Entsetzen wurde er gewahr, daß sein Chef bei der Genesis des neuen Gemeindemitglieds unvollständige Arbeit geleistet hatte. Jetzt erkannte er auch die wahren Motive, weshalb die Mutter den Bengel ausgesetzt hatte.

Tränen traten Jupiter in die Augen, und während er über die – im doppelten Sinne des Wortes – Unvollkommenheit des Menschen trauerte, versuchte er gleichzeitig, sich vorzustellen, wie der Wechselbalg vor ihm wohl heißen mochte. Insgeheim aber spürte Jupiter sofort, daß angesichts des kleinen Körpers Namen nur Schall und Rauch waren. Der Findling verdiente eigentlich nur eine Bezeichnung: *der Rumpf*. Gewiß, da wuchs noch ein stattliches Haupt aus diesem Rumpf, und auch das Rumpfende war mit Gerätschaften ausgestattet, die mehr als vielversprechend wirkten. Doch sonst . . . Jupiter weigerte sich, weiterzugrübeln. Wer konnte schon wissen, was die Bestimmung dieses so traurig entstellten Erdensohnes war? Im bunten Teppich des Oberwebers gab es keinen Webfehler, durfte es keinen geben. Amen.

Nachdem Jupiter den Säugling gesäubert und mit einem Brei aus Milch und Haferflocken versorgt hatte, nahm er ihn in dieser schicksalsschwangeren Nacht mit in sein priesterliches Gemach. Der Sturm war inzwischen schwächer geworden, und durch das Fenster neben dem Bett in der fast kahlen, weißgekalkten Schlafkammer sah man sogar die leuchtende Mondsichel zwischen den sich auflösenden, dunkelblauen Wolken. Doch weder das herrliche Himmelsbild noch das zufriedene Atmen des winzigen Rumpfes neben sich wirkten beruhigend auf den jungen Geistlichen. Er zerbrach sich den Schädel darüber, wie der weitere Werdegang seines Gastes zu gestalten sei. Obgleich in jenen Zeiten das Unterbringungsangebot für derartige Kreaturen knapper als heutzutage war, wußte Jupiter genau, daß das Kind einer staatlichen Einrichtung anvertraut werden mußte. Andererseits sträubte sich etwas in ihm, solcherlei trübe Pläne weiterzuschmieden. Berufung und Beruf verwehrten ihm, in einem bestimmten Zweig der Biologie persönliche Forschungen anzustellen und so das »Erbgut Jupiter« zu vervielfältigen. Aber obwohl er als Soldat in der Armee Gottes seine Erfüllung fand, war der Wunsch nach eigenen Kindern nie richtig erloschen. War seine heimliche Sehnsucht auf diese merkwürdige Art und Weise endlich erhört worden? Sollte der Himmel ihm mit diesem Wesen ein Geschenk machen wollen? Jupiter wußte es nicht, doch er stellte plötzlich voller Scham, Gewissensbisse und Wut fest, daß er sich schon insgeheim wünschte, die Rabenmutter möge nie gefunden werden.

In den folgenden Monaten leiteten mehrere Behörden Fahndungen nach der Mutter ein, während der Findling die routinierte Pflege eines Schwesternordens in der Vorstadt genoß. Alles Forschen und Fahnden war jedoch vergebens, und so mußten sich am Ende alle Beteiligten mit der erstaunlichen Tatsache abfinden, daß selbst in einem bürokratisierten Staat eine Geburt ein Mysterium bleiben konnte.

Oft habe ich über meine Mutter nachgedacht und versucht, sie mir anhand meiner eigenen Gesichtszüge vorzustellen. Häufig erschien sie mir auch im Traum und verhieß Wiederkehr. In einer anderen Welt, in einer anderen Zeit, in einem anderen Leben . . . Ich sah sie in diesen Träumen meist in einem weißen, wallenden Gewand vor einem astralen Hintergrund schweben. Gleich einem dieser verkitschten Weihnachtsengel, den man als Spitze auf den Christbaum plaziert, flimmerte ihre Erscheinung vor den funkelnden Sternen, und sie lächelte mir mit ihrem außerirdisch schönen Antlitz voller Liebe und Güte zu. Und sie sprach mit ihrer Engelsstimme, die in diesem Märchenweltall unendlich weitererchote: »Ich kehre eines Tages wieder zu dir zurück, mein Sohn, oh, mein einziger Sohn! Ich werde kommen, und alles wird dann anders sein. Nichts ist vergebens auf dieser Welt, nichts vergeht, alles bleibt. Habe Geduld, mein Sohn, warte, hoffe, oh, mein über alles geliebter Sohn!«

Solches und ähnliches gab die Gute von sich und hielt doch nicht Wort und kehrte nie zurück. Aber es ist seltsam, denn noch heute, da ich ein reputierlicher, erwachsener Rumpf geworden bin, stelle ich mir meine Mutter – falls sie diese Titulierung je verdient hat – genauso vor wie in meinen galaktischen Träumen: als einen Engel, voller süßer Versprechen. Wie sie wohl geheißen haben mag? Für mich jedenfalls hieß sie immer »Amelie«.

Jupiter träumte nicht, er handelte. Ein Jahr lang kämpfte der bibelfeste Energiebolzen um das Sorgerecht für den Rumpf, überzeugte Gott und die Welt, ja mehr noch, sogar den Vatikan, daß einzig und allein er als Adoptivvater in Frage käme, und konnte schließlich triumphieren. Er entriß seinen Schützling den kaltherzigen Ordensschwestern und brachte ihn in dem zum Kinderzimmer umgebauten Dachgeschoß des Pfarrhauses unter.

Meine ersten Erinnerungen an Vater Jupiter reichen bis zu meinem vierten Lebensjahr zurück. Ich sehe diesen ballongestaltigen Mann noch genau vor mir, wie er unermüdlich schmissige Sonntagspredigten verfaßte, an seiner unterbezahlten, siebzigjährigen Haushälterin herumnörgelte, weil ihren faden Speisen angeblich die für den Buben nötigen Vitamine fehlten, und wie er in jeder freien Minute an obskuren Apparaturen tüftelte, mit deren Hilfe, so träumte er, der Rumpf eines fernen Tages sogar an der Olympiade teilnehmen würde. Mit gespenstischer Geschwindigkeit brachte er sich elementare Kenntnisse der Elektronik, Feinmechanik und der Orthopädie bei, entwarf, verwarf und begann von neuem. Revolutionäre Maschinen, die den Rumpf in die Lage versetzen sollten, jede Bewegung eines gesunden Menschen nachzuvollziehen, entstanden auf dem Reißbrett, mußten aber, was ihre Realisierung anbelangte, am Stand der Technik scheitern. Das Prunkstück war ein Gefährt mit Panzerketten und acht insektenhaften Roboterarmen, welches von einem Zweitaktmotor betrieben werden sollte. Jupiter spielte kurz mit dem Gedanken, ob er auch noch eine Kanone »gegen Feinde« installieren sollte, befürchtete jedoch Proteste aus der Gemeinde und ließ die Idee fallen. Überlegungen in Richtung Luftkissen wurden wegen technischer Undurchführbarkeit ebenfalls verworfen. Es ist halt bitter, seiner Zeit voraus zu sein.

Irgendwann gelang es ihm, einen Spezialstuhl zu schreinern, auf dem der Junge ohne Gurte aufrecht sitzen konnte. Der Stuhl hatte seitlich jeweils zwei gutgepolsterte Holzstützen, so daß eine gerade Haltung der Wirbelsäule gewährleistet war. Jupiter visionierte jedoch weiter, und mit seinen kühnen Vorstellungen nahm er schon all das vorweg, was heute in der orthopädischen Welt Wirklichkeit geworden ist. Er erkannte, daß das beweglichste Glied des Rumpfes der Kopf ist, und so konzentrierte er sein ganzes Konstruktionsgenie auf diesen Körperteil. Schließlich entstand ein elektrisch betriebener Rollstuhl – ohne Panzerketten und Kanone –, dessen Steuerung über das Ansaugen einer Membran in einem dünnen Schlauch vor dem Mund des Fahrers besorgt wurde.

Ich sehe Jupiter noch deutlich vor mir, wie er mich rastlos und detailliert in die Geheimnisse des Saugens einweihte. Es war schwer für einen Vierjährigen, der Saugkapitän dieses Monstrums zu sein, doch mit den ersten Erfolgen kam die Begeisterung, und so saugte ich mich schließlich mit einem Affenzahn durch das ganze Pfarrhaus hin und her, bis die alte Schreckschraube von Haushälterin kreischend die Flucht ergriff und durch ein junges Ding ersetzt werden mußte.

Sie hieß Maria und hatte auch sonst viele Ähnlichkeiten mit ihrer berühmten Namensvetterin. Aus einem wundersamen Grund war ich von lauter Heiligen umgeben. Sie war neunzehn, hauptberuflich eine gute Christin und mit der extremsten Form von Dummheit geschlagen, so daß sie keinen Beruf erlernen konnte und von ihrer Tante zu dieser schlichten Arbeit geschickt wurde. Was die Sache jedoch interessant, um nicht zu sagen brisant machte, war die Tatsache, daß sie äußerlich einer Kreuzung aus Marilyn Monroe und Brigitte Bardot glich. Ein »Playmate« in Lumpen und mit den Moralbegriffen und der Lebensführung einer Nonne. Den Unterschied zwischen Männchen und Weibchen lernte sie wahrscheinlich erst kennen, als sich ihr mein Ehrwürdigster beim Baden entgegenstemmte. Ach, was für ein Weib! Sie war die zweitschönste Frau, die ich je gesehen und umhalst habe. (Die Schönste wird an späterer Stelle des Berichtes noch ausführliche Erwähnung finden.)

In der Stadt munkelte man bald Häßliches über Jupiter und seine arme, unwissende Magd. Und was soll ich sagen, auch ich habe mich oft gefragt, ob er's ihr nicht heimlich besorgt hat; ob er es eines schwülen Sommerabends nicht vielleicht satt gehabt hat, einsam und allein in seinem Bett zu liegen und komplizierte Rechenaufgaben zu lösen oder die Bibel rauf und runter zu rezitieren, um sich von sündig schönen Marienerscheinungen abzulenken; ob nicht plötzlich eine Sicherung unter seiner Schädeldecke explodierte und er mit einem Brunftschrei aufsprang, in Marias Gemach rannte und ihr so richtig, ich meine, so richtig richtig einen verpaßte. Falls es denn tatsächlich so gewesen sein sollte – meinen Segen hatte er, der arme Wicht.

Was ist aus ihr geworden, aus Maria, meiner atombusigen, güldenhaarigen Ersatzmama, der sakralen Venus in geflickten Strumpfhosen, die jeden Tag errötete, wenn sie mein Hörnchen polierte? Ich würde auch noch meinen Kopf hergeben, um dies zu erfahren. Irgendwann verschwand sie aus meinem Leben, so unspektakulär, wie sie aufgetaucht war. Wie ich schon sagte, litt sie an fortgeschrittenem Schwachsinn, als ich ihre Bekanntschaft machte. Vermutlich ist sie diesem Leiden inzwischen erlegen und geht Jupiter in einer besseren Welt zur Hand.

Doch zurück zu Jupiter und dem Saugtraining, welches im Lauf der Zeit durch Pusten ergänzt wurde. Nach und nach verwandelte der tüchtige Gottesmann, dessen Orthopädiewunderwerke ein solches Aufsehen erregten, daß ihm sogar kahlköpfige Professoren aus den Vereinigten Staaten Besuche abstatteten, das Pfarrhaus in eine Art Raumschiff Enterprise. Während man in der Presse im Zuge der Raumfahrthysterie von einem künftigen Leben schwafelte, das vollends von der Elektronik beherrscht sein werde, fand die Zukunft im Hause Jupiter längst statt. Durch Sensoren, die auf leisen Luftdruck reagierten und in winzigen Löchern an den Türpfosten angebracht waren, ließen sich nun alle Türen im Gebäude mittels Pusten automatisch öffnen. Der kleine Rumpf saugte und pustete und floh so problemlos vor Marias fürchterlichem Spinat, ihren unaufhörlichen Bemutterungsanstrengungen und ihren sattsam bekannten, langweiligen Märchen. Aufgrund der Pusterei kam der Bub in den Genuß von Erlebnissen, die ihm sein Leben lang in Erinnerung bleiben sollten und ihn auch heute noch richtiggehend verfolgen. Ein zartes Pusten genügte, und man überraschte eine Zeter und Mordio schreiende Maria im Klo oder beim Umziehen oder unter der Dusche oder wo auch immer. Der Voyeurismus als Lebensstil wurde dem Jungen durch den technischen Fortschritt geradezu aufgezwungen. Nach derartigen Vorfällen beschwichtigte Maria den Hausherrn mit der phantasielosen Erklärung, der Bub sei wieder einmal unartig gewesen – unartig, die einzige Vokabel, die Maria für das Böse kannte. Jupiter jedoch durchschaute allmählich das Satanische im Rumpf, wollte zunächst den Rohrstock pfeifen lassen, begnügte sich aber letztlich mit der Strafe, den Akku für sechs Stunden aus dem Rollstuhl zu entfernen: Rumpf ohne Saft!

Ja, ich erinnere mich noch gut an die Tage der Glückseligkeit, an Marias Gutenachtküsse, nach Kernseife duftend, nach unschuldiger Liebe schmeckend, an die Orgelmusik, die aus der

Kirche zu hören war und deren Zauber ich bereits mit fünf Jahren verfiel. An einen verschwitzten, wattebärtigen Weihnachtsmann, der mir eine riesigen Insektenbeinen gleichende Apparatur zum Aufblättern von Büchern bescherte. An heiße Sommertage am Baggersee, in einem mit Gurten präparierten Lastwagenschlauch in der lauen Brühe treibend und zwischen Marias tadellose Beine starrend, die der ausnahmsweise hochgezogene Rock entblößte. An pittoreske Wolkenbrüche im Herbst, die ich durch das Dachkammerfenster betrachtete und in deren wilden Regenschleiern ich stets meine Mutter zu erblicken wähnte, welche mich ihrerseits heimlich zu beobachten schien. Ich erinnere mich an Messen, Taufen, Trauungen, Begräbnisse und an die zahlreichen Abenteuer aus dem Buch der Bücher, die mich mein Leben lang faszinieren sollten.

Das Glück aber gleicht einem scheuen Kaiser, der immer nur für Augenblicke Audienz gewährt, und die Kindheit ist ein süßer Traum, der dem Träumenden erst bewußt wird, nachdem er aus dem Schlaf erwacht ist. Ehe ich's mich versah, verflüchtigte sich das Glück, und raus mußte der Rumpf aus dem Paradies.

Das goldene Zeitalter der Pubertät brach für mich an, während Jupiters kometenhafter Aufstieg als Prothesen-Einstein endete. Bezeichnenderweise fielen meine Flegeljahre mit Jupiters Niedergang zusammen. Es zeigte sich nämlich, daß der gute Mann sich mit seinen Rekordleistungen in Rumpffürsorge innerhalb weniger Jahre vollständig verausgabt hatte. Alle Kraft- und Geistesreserven, so schien es mit einem Mal, waren verbraucht. Und während ich allmählich anfing, einen Teil meines Taschengeldes für eine sogenannte Röntgenbrille beiseite zu legen, mit der man angeblich durch Kleider hindursehen konnte und für die seinerzeit auf Rückumschlägen von Illustrierten geworben wurde, begann das Lebensfeuer meines grandiosen Ersatzvaters herunterzubrennen. Es fing damit an, daß er in unregelmäßigen Intervallen irgendein alkoholisches Naß probierte, während er mich wie üblich privat zu Hause unterrichtete. Zwischen Nigerias Uranvorkommen und dem Untergang des Römischen Reiches genehmigte er sich dann einige Gläser Riesling, den ihm ein Winzer geschenkt hatte, und zwischen Ellipse und Hyperbel galt es, den scharfen Selbstgebrannten wegzuputzen, der noch vom Erntedankfest übriggeblieben war. Parallel zu dieser Entwicklung hörte das Konstruieren der Rumpfmaschinen allmählich auf. Dies bemerkte niemand, da meine Bewegungsfreiheit dank Jupiterschem High-Tech inzwischen voll gewährleistet und eine Steigerung unter den gegebenen Umständen unmöglich geworden war. Keine dramatische Wendung in seinem Leben war also die Ursache für Jupiters Hineinschlittern in den feuchten Müßiggang, sondern der graue Alltag und die Tatsache, daß er seinen Zenit überschritten hatte. Kurz, der Mann war ausgebrannt.

Düstere, unheilverkündende Wolken brauten sich über unserem Gotteshaus zusammen, während meine Jugend ihren Lauf nahm: Ich, der verzweifelt versuchte, das Wunder zu vollbringen, ohne Arme und Beine, sozusagen ganz aus dem Rumpf heraus zu masturbieren; Jupiter, der jede Nacht die Wunder aus verschiedenfarbigen Flaschen empfing und sich so seinem Dienstherrn auf spirituell-spirituosem Wege näherte; und Maria, die an Wunder glaubte und Pilgerwanderungen zu allerlei Heiligenstätten unternahm, wo sie meistens die Aufmerksamkeit von sündigen männlichen Pilgern erregte. In unseren Bestrebungen scheiterten wir letzten Endes alle. Ich bekam nie die 45 Mark 80 für die geheimnisvollen Röntgengläser zusammen und sollte zeit meines Lebens in der öden Welt der Textilträger gefangen bleiben. Jupiter erreichte trotz seines gigantischen Alkoholkonsums nie die mystische Verschmelzung mit welchem Gott auch immer. Und Maria glitt von Tag zu Tag immer schlimmer in die Debilität und betete mir doch keine Arme und

Beine an den Körper, obwohl sie so unendlich viele Heilige ankniete.

Unterdessen hatte die Rumpfologie überall auf der Welt große Fortschritte gemacht, und es waren kostspielige Stätten entstanden, in denen meinesgleichen artgerecht hausen konnten. So ergab es sich, daß mich eines trüben Herbstnachmittages mein ausnahmsweise nur leicht angetrunkener Adoptivvater im Dachgeschoß aufsuchte und ein Gespräch begann, das mir zunächst Rätsel aufgab. Er war der Ansicht, der Privatunterricht würde mich nur unzulänglich auf den Konkurrenzkampf im Erwachsenenleben vorbereiten, und ich müsse deshalb entweder ein ernsthaftes Studium beginnen oder einen Beruf erlernen. Meinen Einwand, ich sei ein künstlerisch veranlagter Typ und gedenke auf autodidaktische Weise Bildhauerei zu lernen, wollte er nicht hören und redete statt dessen langatmig davon, wie wunderbar es sich doch füge, daß der Staat jetzt solche Anstrengungen für Rümpfe unternehme. Dann geriet er richtig in Fahrt und hielt Lobgesänge auf all die staatlichen Einrichtungen und die fleißigen Bienen und Hummeln darin, die angeblich besessen davon waren, unsereins das Himmelreich auf Erden zu bescheren. Ich wollte ihm antworten, daß mehr irdische Zuwendung als in der hiesigen Diakonie mein Fassungsvermögen übersteigen würde, daß ich durch Körperbeschaffenheit, Naturell und nicht zuletzt durch meine absonderliche Erziehung dafür prädestiniert sei, mein Leben als eine Art Quasimodo der Neuzeit zwischen den Mauern dieses Gotteshauses zu verbringen und daß jede Verpflanzung mich eben das Schicksal der erwähnten Romanfigur teilen lassen würde, daß ich, wenn ich schon als ein außergewöhnlicher Mensch das Licht der Welt erblickt hatte, verflucht noch mal auch als ein solcher leben und eben keinen Beruf erlernen wollen würde wie all die Milliarden Schwachstromgehirne dieser Milchstraße, sondern nur ein universeller Zuschauer sein wolle, dessen wahre Abenteuer sich im Kopf abspielen, und daß ich einen unüberwindbaren Abscheu für alles Veränderliche im Leben empfände . . . All das wollte ich Jupiter in diesem Moment sagen, tat es aber nicht, weil ich die wahren Beweggründe für sein Drängen, mich aus dem Paradies zu vertreiben, zu kennen glaubte. Aufgrund der Sauferei stand er nämlich kurz vor dem Zusammenbruch und traf nun letzte Vorbereitungen für das weitere Wohlergehen seines geliebten Rumpfes. Desillusioniert und verbittert fügte ich mich schließlich in mein Schicksal und stimmte einem Ortswechsel zu.

Ade Maria, du ins falsche Fach geratenes Pin-up! Lebe wohl, Jupiter, du Schutzpatron allen Rumpfanatentums! Ich nahm also Abschied von meinen Lieben und der Kirche und übersiedelte in ein hypermodernes Rehabilitationszentrum für Körperbehinderte mit angeschlossener Schule und Ausbildungswerkstätte. Mein Ersatzvater und meine Ersatzmutter a. D. statteten mir jeden Sonntagnachmittag einen zweistündigen Besuch ab, wobei sie sich, wie mir schien, von Sonntag zu Sonntag mehr in ihre Atome auflösten. Von der Aufgabe entbunden, mich zu pflegen, und ohne den Kontakt zu einem hellen Geist wie dem meinigen verlor sich Maria vollends in der Idiotie und machte bisweilen den Eindruck, als könne sie sich nicht einmal an ihren eigenen Namen erinnern. Ihr Sprachschatz schrumpfte auf etwa zehn Wörter zusammen, und ihr betörendes Äußeres wich langsam einer schmuddeligen, kärglichen Erscheinung. Jupiter ging es nicht besser. Er schien jetzt reinen Alkohol statt Schweiß zu transpirieren; seine Arbeit vollzog er widerwillig und schlampig. Das Schlimmste war jedoch, daß er seine gottgefällige Lebenssicht gegen einen häßlichen Zynismus ausgetauscht hatte.

Ach, lieber Gott, fragte ich mich immer, wenn ich die beiden Elendsgestalten an diesen grauenhaften Sonntagen sah, warum mußte das nur sein? Warum mußte uns all das geschehen? Ich hätte mir gern geantwortet, daß wir für die Sünden unserer Vorfahren büßen oder wie bei den alten Griechen ein Orakel erfüllen müßten. Doch im tiefsten Innern ahnte ich die wahre Antwort: Jupiter, Maria und der Rumpf waren Verdammte, die durch Zufall zueinander gefunden hatten. Als der allmächtige Dramatiker das Universum schuf, hatte er ihnen die Rolle der Verdammten zugedacht. Absichtslos und ohne Hintergedanken. Nachdem ich dies erkannt hatte, schwor ich Rache. Gegen wen oder was, wußte ich damals noch nicht, und es war mir auch gleichgültig. Aber von einem war ich felsenfest überzeugt: Der Tag der Rache würde kommen!

Im Heim hatte ein Edeldepp mittels eines Intelligenztestes herausgefunden, daß mein geistiges Potential im umgekehrten Verhältnis zum körperlichen stand. Deshalb halluzinierte man, daß ich innerhalb kurzer Zeit meine Liebe für irgendwelche Wissenschaften oder die schönen Künste entdecken, mit überdurchschnittlichen Leistungen aufwarten, sogar die Normalsterblichen überflügeln und so ein leuchtendes Beispiel für die Behinderten abgeben würde. Wie einfältig und phantasielos sie doch alle waren. In der Tat, ich entdeckte eine große Leidenschaft – für Waffen!

Ich hatte von jeher ein Faible für Präzisionswerkzeuge gehabt, mit deren Hilfe die rein materielle Existenz in eine universell spirituelle umgewandelt werden kann. Aus der anfänglich infantilen Faszination für das Zielen, Schießen, Töten war jedoch inzwischen eine regelrechte Besessenheit geworden. Ich konnte mich einfach nicht satt sehen an den Abbildungen von Thomsons, Uzis, Brownings, Smith & Wessons, Heckler & Kochs und wie die tapferen Brüder sonst noch alle heißen . . . Manchmal ertappte ich mich sogar dabei, wie ich bei der andächtigen Betrachtung dieser Hochglanzfotos vor lauter Glückseligkeit richtig sabberte. Als nächstes kamen die bluttriefenden Horror- und Actionfilme, die ich mir mit Hilfe des Videorecorders stapelweise einverleibte. Durch die Wucht dieser orgiastischen Zerstörungsphantasien abgehärtet, übersprang ich bald den Pistolenkleinkram und nahm es mit mächtigeren Kalibern auf. Ich ließ mir aus aller Herren Länder Werbe- und Informationsmaterial über Militärs schicken und studierte es mit seligem Lächeln. Es war etwas problematisch, an Fotos von A-Bomben heranzukommen und an Bilder, die ihre erlösende Wirkung dokumentierten. Doch einige Militärarchive in den USA zeigten sich auch in dieser Beziehung ungeheuer großzügig und bedachten mich mit wahren Schätzen. Alsbald ging mein von der christlichen Bilderwelt geprägtes Vorstellungsvermögen mit der gigantischen Prospektflut von allem, was schießt, explodiert und zerstört, eine glückliche Ehe ein und gebar unfaßbar schöne Tagträume. Sobald vom Plattenteller Bachs »Musikalisches Opfer« erklang, liefen auf der Leinwand in meinem Schädel die wirklich scharfen Streifen ab, die noch ihrer Verfilmung harrten.

In der Zwischenzeit hatten es meine Erzieher aufgegeben, mich zu einem Krüppel-Leonardo-da-Vinci zu trimmen, und versuchten nun mit aller Macht, mein Interesse für einen praktischen Beruf zu wecken. Aus verständlichen Gründen hatte man sich in den Kopf gesetzt, daß meine berufliche Zukunft in der Datenverarbeitung liege. Diesem Vorhaben entzog ich mich jedoch durch Totalverweigerung. Ich lehnte alle Ausbildungsangebote strikt ab und beschloß, mein künftiges Leben mit Videokonsum, Lesen, Musikhören und mit dem Schwelgen in den eben beschriebenen Visionen zu verjuxen. Kurzum, ich beschloß, nichts zu tun. Das war leichter gesagt als getan, denn diese akademischen Teufel brannten geradezu darauf, mich auf den rechten Pfad der Tugend zurückzuführen. Zunächst probierten sie es mit primitiven Verlockungen, indem sie mir zum Beispiel einen Computer ins Zimmer stellten und mit klammheimlicher Freude erst einmal abwarteten. Innerhalb von vier

24

Tagen brachte ich mir die Funktionsweise des Kastens selbst bei und schaffte es, daß er sich selbst zerstörte, als einer meiner Bedränger ihn einschaltete. Nach diesem explosiven Vorfall wurden sie rabiater und ließen mir mysteriöse Drohungen zukommen, aus denen hervorging, daß man Mittel und Wege wüßte, mich zur Ausübung einer Tätigkeit zu zwingen. Als die offensive Kriegführung ebenfalls nichts fruchtete, verfielen diese Narren auf einen noch mieseren Dreh: Sie schickten mir alle naselang einen Hirnklempner ins Zimmer, der meine angeschlagene Seele sezieren sollte. Ich verband das Unvermeidliche mit dem Angenehmen und machte mir einen Scherz daraus, die Doctores durch genau die Antworten, die sie hören wollten, hinters Licht zu führen, bis sie mir eine diffuse, allgemeine Blockade im vorderen Stirnlappenbereich bestätigten.

Der langen Rede kurzer Sinn: Man sah sich außerstande, mich zu kurieren, und ich hätte den Rest meines Lebens hochzufrieden in diesem Heim leben, mir Bachs Georgel anhören, die umfangreichste Waffenbuchbibliothek der Welt aufbauen und mit meinen schaurig-schönen Visionen verschmelzen können, wenn diesen Idioten von der Rumpfforschung nicht wieder etwas Neues eingefallen wäre. Erst war es nur ein Gerücht. Ein revolutionäres Heimmodell sei irgendwo im Norden verwirklicht worden, so erzählte man sich, wo Geistig- und Körperbehinderte, ja sogar vollkommen Intakte zusammenhausten, arbeiteten und wahrscheinlich vor lauter Erfüllung und Freude ganz aus dem Häuschen waren. Wahnsinnig aufregend sei es dort, weil man wie ein pensionierter Seebär auf den Klippen eines phantastischen Meeresufers lebe, sein eigenes Zimmerchen und Bettchen und Klobürstchen besitze, richtige wissenschaftliche Arbeit betreibe, selbst bei der Auswahl des Monatspornos mitreden dürfe und weil es dort überhaupt wie in einem perfekten Club Robinson zuginge. Nun, es widersprach meinem Naturell, mich an der Gerüchteküche zu ergötzen, doch tatsächlich sollte ich der einzige aus diesem Rehabilitationszentrum sein, der in das Gelobte Land deportiert wurde. Eines schönen Tages erklärte man mir, daß ich für die hiesige Einrichtung zu alt geworden sei und meinen Platz für jüngere Rümpfe räumen müsse. Das neuartige Heim im Norden mit dem absonderlichen Namen »Zu den verzauberten Jägern« sei genau das Richtige für einen alten Buckel wie mich, und ehe ich Protest einlegen konnte, saß ich bereits in einem Wagen und war, wüste Flüche und Speichelsalven ausstoßend, nordwärts unterwegs.

Und hier soll meine Geschichte beginnen. Eine verdammt verzwickte Geschichte voller Dramatik und Blut. Eine Geschichte über gefährliche Waffen in Händen von gefährlichen Leuten. Über das Weltall und die Sternlein darin mit ihren zahllosen Mysterien. Über atemberaubende, aber falsche Göttinnen und über die Geheimnisse in unserer Vergangenheit. Und natürlich über sie, über die verzauberten Jäger...

2. KAPITEL

»Während er redete, lud ihn ein Pharisäer
zum Mahle ein. Er trat ein und ließ sich
nieder. Als der Pharisäer dies sah, wunderte
er sich, daß er sich vor der Mahlzeit nicht
(die Hände) wusch. Der Herr aber sprach zu
ihm: ›Ja, ihr Pharisäer, das Äußere von Becher und Schüssel reinigt ihr; euer Inneres
aber ist voll von Raub und Bosheit. Ihr Toren! Hat nicht der, der das Äußere schuf,
auch das Innere geschaffen? . . .‹«

Lukasevangelium,
Gegen die Pharisäer und die Gesetzeslehrer

Er sah aus wie Bryan Ferry. Der gleiche pathetische Zeitlupen-Lidaufschlag, der gleiche Weltschmerzblick, das gleiche gequälte Lächeln, die gleiche pomadisierte Strähnenfrisur mit den spitzen Haifischkoteletten und die gleichen schmachtenden Bewegungen und Gebärden. Ich wäre kaum verblüfft gewesen, wenn er auch noch so schön gesungen hätte wie der gute alte Bryan. Denn Professor Sladek war in der Tat ein Ausbund an Begabung. Doch was heißt Begabung – der Kerl war das perfekte menschliche Wesen! In seinem stets modischen Outfit und der aufdringlichen Zurschaustellung exquisiter Accessoires wie Golduhren ohne Zifferblatt oder den unvermeidlichen Krokostiefeletten stand er dem englischen Rockstar in nichts nach, und auch seine feinen Manieren und seine ausgewählte Sprechweise waren eines englischen Dandys würdig. Professor Sladek, der so gar nichts von einem Professor im landläufigen Sinne an sich hatte, war jedoch mehr als ein gut angezogener Mittvierziger. Als Fünfundzwanzigjähriger hatte er bereits mit der Arbeit »Steigerung der Effektivität von Oberarmprothesen durch Winkelosteotomie« seinen Doktor kassiert und fünf Jahre später den »Prof« für seine messerscharfe Analyse über »die Rehabilitation der Dysmelie-Kinder«.

Fürwahr, eine widersprüchliche Gestalt war unser schmucker Professor, und ich sollte über ihn weitere und absonderlichere Paradoxien in Erfahrung bringen, bis alles Mutmaßen und Rätseln in dieser einen bestimmten, noch in weiter Ferne liegenden Nacht einen grausamen Sinn ergab ...

Das befremdliche Gefühl, welches ich empfand, als ich Sladek zum ersten Mal begegnete, läßt sich am trefflichsten mit der

Abwandlung der John-Lennon-Liedzeile beschreiben, die in meiner Version lautet: »*I saw* him *standing there.*« Ja, ich sah ihn dort stehen, als ich aus dem Rümpfemobil auf mein künftiges Domizil linste, während ich gleichzeitig mit den abstoßend dicht behaarten Gorillaarmen zweier Krankenpfleger kämpfte. Sladek hatte sich am Rande des roten Aschenweges, der zur Hauptpforte des Heimes führte, aufgebaut und fixierte mit seinem unnachahmlichen Depressivfernblick den eintreffenden Wagen. Er befand sich inmitten einer postmodernen Szenerie, die geradezu eine Art Anschauungsmaterial für ambitionierte Architekturstudenten hätte sein können. Gleich hinter seinem Rücken thronte ein opulent verglastes Gebäude, welches einem zur Realität gewordenen Gemeinschaftswahn von Walter Gropius und Albert Speer ähnelte. Denn obwohl es in seiner fast klinischen Kastenarchitektur eher das Bauhaus imitierte, besaß es an der Frontseite einen klassizistischen, aus Basalt gehauenen Risalit mit imposantem Säulenbeiwerk. An den Flanken des Treppenaufgangs erhoben sich zwei Statuen realistisch geformter Jägergestalten in Robin-Hood-Tracht, welche beim Spannen ihrer Bögen wie durch einen Fluch zu Stein verwandelt schienen. Über der Pforte prunkte in goldenen Lettern: ZU DEN VERZAUBERTEN JÄGERN. Wie angekündigt, lag der Bau tatsächlich an der Küste eines malerisch aufgewühlten Meeres auf einer etwa hundert Meter hohen Felsterrasse, die das abrupte Ende einer aus saftigen Wiesen und vereinzelten Gesteinshöckern bestehenden Landschaft bildete. Gut hundertfünfzig Schritt vom Heim entfernt und über einen schmalen, asphaltierten Weg erreichbar, ragte ein arg verrosteter, riesiger, augenscheinlich stillgelegter Leuchtturm gen Himmel. Die klassisch maritimen Rot-Weiß-Streifen des Kolosses waren im Laufe der Jahre abgeblättert, so daß man sie nur noch erahnen konnte. Eine grotesk grelle Herbstsonne verschwendete ihr ganzes Talent an diesen idealen Set für After-shave-Werbespots, als habe

Helmut Newton höchstpersönlich die Blende der Kamera bis zum Anschlag aufgedreht.

Sladek, dessen melancholische Miene allmählich von einem bittersüßen Lächeln heimgesucht wurde, stand immer noch an derselben Stelle, als der Transporter vor ihm zum Stehen kam. Meine beiden Bändiger und ich waren von der Reise ziemlich zermürbt. Bei mir lag der Grund in den Tobsuchtsanfällen, die ich wegen der würdelosen Verschleppung immer wieder inszeniert hatte. Und die Krankenpfleger waren zutiefst erschöpft, weil sie sich auf meinen Widerstand hin zu beachtenswerten Ringerkunststückchen genötigt gesehen hatten, teils, damit ich nicht vom Rollstuhl kippte, teils, weil sie bei derart rabiater Gegenwehr – Rumpf hin, Rumpf her – von der nackten Wut gepackt wurden. Tapfere Burschen! Und so mußten wir uns jetzt, ineinandergekeilt wie wir waren, wie eine Zirkusattraktion von Schlangenmenschen ausnehmen, als die Seitentür des Wagens vom Fahrer aufgeschoben wurde. Das Beschimpfungsgebrüll und die beständige Rüttelei auf dem Transport hatten zusätzlich an meinen Kräften gezehrt. Zu guter Letzt verpaßte mir der entnervtere der beiden Pfleger – ein schwergewichtiger Hotzenplotztyp mit Atembeschwerden – in dem Moment, in dem sein Kollege ihm den Rücken zudrehte und er sich unbeobachtet fühlte, einen Boxhieb in den Bauch. Ich lächelte anerkennend, konstatierte gleichwohl, wie mein Magen zu rebellieren begann, als hätte ich irgendeine Substanz gelöffelt, die bei Voodoozeremonien zum Einsatz kommt.

Sladek trat an die geöffnete Tür, zog den Rollstuhl bis zur Schwelle und legte mir salbungsvoll eine Hand auf die Schulter. In seinen Augen las ich das verschämte Aufflackern orgiastischer Erfüllung.

»Ich habe so viel von dir gehört, Daniel«, sang er beinahe. »Und ich habe schon so lange auf dich gewartet.«

»Was lange währt, wird endlich gut!« entgegnete ich und

entleerte den Inhalt meines Magens auf seinen beigefarbenen italienischen Kaschmirdoppelreiher.

Während Sladek noch mit der Deutung dieser Geste beschäftigt war, sprang der Hotzenplotz aus dem Wagen, stemmte den Rollstuhl auf den Aschenweg und schob mich in Richtung des Glaskastens. Ich hatte die Absicht, über die Schulter einen Blick auf mein Opfer zu werfen, aber meine Aufmerksamkeit wurde jäh von einem jungen Mann abgelenkt, der durch die Glastüren der Eingangspforte auf die Betonplattform oberhalb des Treppenaufgangs trat. Während der Rollstuhl die schmale Teerrampe parallel zu den Stufen nahm, registrierte ich, daß er in seinem rotglänzenden Jogginganzug aus Fliegerseide und den exquisitesten Turnschuhen von Adidas wie ein Sportler wirkte, der sich durch Productplacement ein paar Groschen extra verdient. Aus seiner Gesäßtasche lugte ein fetter Organizer hervor.

Als mein Gefährt schließlich oben angelangt war, grinste er verlegen und legte genau wie sein Vorgänger theatralisch eine Hand auf meine Schulter, offensichtlich ein standardisierter Gruß in der hiesigen Anstalt. Bedauerlicherweise war die Rebellion in meinem Magen inzwischen zum Stillstand gekommen, so daß mir keine andere Wahl blieb, als ihm meinerseits ein dümmliches Grinsen zu offerieren.

»Herzlich willkommen, Daniel! Ich heiße Hans und bin dein ganz persönlicher Pfleger. Doch viel lieber möchte ich dein Freund sein«, tönte er.

»Warum, zum Teufel, das?« wollte ich wissen.

»Warum?« wiederholte er philosophisch, als sei die Frage unbeantwortbar.

»Vergiß es«, sagte ich. »Wir wollen besser eine Führung durch die neue Heimat unternehmen.«

»Mit Vergnügen!« jubilierte er, zog ein Taschentuch aus seiner Hosentasche und wischte mir als seine erste gute Tat die Restkotze aus den Mundwinkeln. Dann löste er seinen unsensiblen Kollegen ab, der sich mit einem obszönen Handzeichen von mir verabschiedete, riß die Griffe des Rollstuhls routiniert an sich und rollte mich endlich in das Innere der »Verzauberten Jäger«. Durch Glastüren, die sich mit einem monotonen Schlurfen öffneten, gelangten wir in einen endlos anmutenden Korridor, der mit Leichtigkeit einem Fünfsternehotel zur Ehre gereicht hätte. Ein hellbrauner Teppichboden, Wandlüster aus Messing, aus denen sich dezent-dämmriges Licht in den Raum ergoß, großformatige, moderne Gemälde an den Wänden sowie erlesene Jugendstil-Standaschenbecher ließen darauf schließen, daß der Professor seine Rumpfherberge mit der Farbe und Fasson seiner Krawatten abgestimmt hatte.

»Alles, was du nun sehen und kennenlernen wirst, lieber Daniel, basiert auf den Ideen und dem beharrlichen Schaffensdrang unseres hochverehrten Professors«, betete Hans hinter meinem Rücken in einem derart ehrerbietigen Tonfall, als besichtigten wir das Geburtshaus Gottes. »Grundgedanke und Konzeption dieses revolutionären Heimmodells entsprangen dem Geist des Professors bereits in dessen Studienjahren, und es gleicht einem Wunder, daß er sein Ziel, das anfangs aussichtslos schien, in so kurzer Zeit erreichen konnte.«

»Etwa vergleichbar mit der Erschaffung der Welt«, ergänzte ich. Hans schien ein Mann des Humors zu sein, deshalb lachte er maßvoll.

»Der Professor vertritt nämlich die Ansicht, daß alle Geschöpfe des Universums eine harmonische Einheit bilden und Behinderte lediglich die bizarren Glieder dieser vitalen Kette darstellen wie ein besonders kniffliges Detail einer Arabeske oder eine kunstvolle Asymmetrie an einer Kathedrale.«

»Riecht nach einem Riesenschwindel. Bist du sicher, daß der Kerl keine Gelder unterschlägt, die ursprünglich für meinesgleichen bestimmt waren?«

»Aber keine Spur, Daniel. Im Gegenteil, Professor Sladek ist

Tag und Nacht damit beschäftigt, immer neue Finanzquellen für unser Heim ausfindig zu machen, damit wir mit dem höchsten Komfort im Wohn-, Arbeits- und Freizeitbereich ausgestattet werden. Du wirst es nicht für möglich halten, doch letztes Jahr verbrachten wir sogar unseren Urlaub in Acapulco!«

»Ach, und wie vollbringt er jene Mirakel? Vermietet er euch als Dressmen an Harper's Bazaar?«

»Beinahe! Selbstverständlich werden wir vom Staat unterstützt. Aber ich kann dir versichern, daß dieses Geld nur einen geringen Teil unserer Kosten deckt. Die Schlüsselwörter lauten Werbung und Wissenschaft.«

»Ihr beliefert also nicht die umwohnenden Bauern mit Crack?«

Er ignorierte meinen Verdacht wie ein schlitzohriger Diplomat, den bei Unmutsäußerungen gegen die eigene Regierung augenblicklich die Taubheit befällt.

»Ist dir vielleicht aufgefallen, daß die Architektur dieses Gebäudes und unsere Aufmachung einem Mischmasch aller gegenwärtigen Modetrends entsprechen? Sponsoring! Warum den Steuerzahler zur Kasse bitten, wenn Sony sämtliche Krücken bis ins nächste Jahrhundert bezahlt!«

»Warum auf Krücken humpeln, wenn Lamborghini so atemberaubende Autos baut!«

»Bingo, Daniel!«

»Bingo, Hansi!«

Durch all die Verfremdungen erkannte ich in den Motiven der modernen Gemälde, die ein Spalier um uns bildeten, allmählich eine Gemeinsamkeit. So unterschiedlich diese Bilder in ihrer Machart und Qualität auch waren, alle hatten sie die Astronomie und die Astrologie zum Thema. Da tummelten sich frei vor Spiralgalaxien schwebende Astronauten, festgehalten im fotorealistischen Stil; Planeten unseres Sonnensystems, aus denen bedrohliche Visagen durchschienen; und eine Supernova, zu einer farbenfrohen Momentaufnahme erstarrt im Augenblick ihres Auseinanderberstens. Hans folgte meinem entrückten Blick und hielt sein nächstes Stichwort für gekommen.

»Du wunderst dich über die Gemälde? Ja wirklich, lieber Daniel, unser Heim ist ausgesprochen extravagant. Deshalb kleben wir hier keine Tüten zusammen oder montieren Fahrradventile, sondern betreiben hochwertige wissenschaftliche Arbeit. Sie hat ihren Ursprung in der Passion unseres hochgeschätzten Professors, ist jedoch mittlerweile zu einem sehr gewinnbringenden Projekt herangereift.«

»Nun sag bloß, ihr steckt solche armen Teufel wie mich in Raketen und schießt sie als Testaffen auf den Mond!«

Ich reckte den Kopf bis zum äußersten nach oben und schaute furchtsam zu ihm auf. Schelmisch lächelnd bewegte Hans den emporgestreckten Zeigefinger und brachte mit der anderen Hand den Rollstuhl am Ende des Korridors vor einer doppelflügeligen Tür zum Stehen.

»Falsch geraten, Daniel. Doch auf eine andere Weise sind die Sterne in der Tat unser aller Schicksal. Auch deins, mein Freund.«

Er stieß die Türen auf, und ich starrte geradewegs in einen atelierartigen Saal, in dem zahllose Rümpfe und ihresgleichen vor Computern, Sternenkarten und undefinierbarem Meßinstrumentarium brüteten, im fachkundigen Ton miteinander schnatterten und einander aufforderten, in die Okulare von kleinen Teleskopen zu luchsen. Durch die links gelegene, abgeschrägte Glasfront wurden sie von der grellen Sonne beschienen, was die Absurdität des sich mir bietenden Anblicks nur erhöhte. Gegen das flirrende Azurblau des Meeres sah man draußen den altersschwachen Leuchtturm als ein weiteres groteskes Requisit in den Himmel ragen, so daß ich mich angesichts so massiver Irrealität benommen fragte, in wessen blöden Traum ich geraten war.

»Wir betreiben Astronomie, vermessen das All, zählen die Sterne, spüren bisweilen welche auf, registrieren meteorologische Aktivitäten auf Planeten, berechnen Satellitenlaufbahnen, erfassen und analysieren all diese Daten und erzielen damit auf dem freien Forschungsmarkt ein Umsatzvolumen von etwa achtzehnmillionen Mark jährlich. Dort oben auf dem Wärterhäuschen des stillgelegten Leuchtturms ist ein Eins-Komma-zwei-Meter-Spiegelteleskop installiert, das uns im hiesigen Raum zum bedeutendsten Observatorium macht.« Hans' Gesicht strahlte voller Stolz, als habe er soeben die Jahresbilanz von BMW verkündet.

»Ich bin in eine Horde von verdammten Sternenguckern geraten!« seufzte ich, derweil mein selbsternannter Freund mich in die surreale Sternwarte hineinschob. Wir streiften einen Spastiker, der mit einem zwischen den bloßen Zehen eingeklemmten Lötstab in den offengelegten Innereien einer Videokamera fuhrwerkte. Auf seinem vor Elektronikschrott überbordenden Arbeitstisch war eine im Stehrahmen befindliche Fotografie von Reinhard Furrer mit Autogramm plaziert. Wie ich rasch erkannte, ragte auf jedem der Tische ein zackig signierter, forsch grinsender Furrer empor, als sei er so eine Art großer Bruder. Ein Mongoloider am Nebentisch entgegnete dem Grinsen des Astronautenkonterfeis keck und anhaltend, woraus ich schlußfolgerte, daß man diesen Mitarbeiter offensichtlich nicht für das Berechnen von Satellitenlaufbahnen einsetzte. Neben dem Planetensystemmodell auf dem Arbeitstisch eines Querschnittsgelähmten entdeckte ich eine Furrer-Variation, nämlich ein Foto von Furrer und Sladek in Siegerpose, ganz lachende Gebisse, wie sie sich im hiesigen Observatorium mit Champagner zuprosteten. Im Hintergrund zollten ihnen Rümpfe Beifall, teils unter Zuhilfenahme ihrer Füße.

Wir hielten neben einem Mann, der so apathisch aussah wie ein Umgewandelter aus dem Don-Siegel-Film »Invasion der

Körperfresser«. Es bereitete mir Mühe, genauer zu bestimmen, was mir an ihm eine gewisse Beklemmung einflößte. Sicher lag es nicht allein an seiner merkwürdigen Erscheinung. Obgleich das blasse Gesicht fast knabenhaft wirkte, so hatte er doch schlohweiße Haare. Und auch seine gekrümmte Haltung deutete auf sein hohes Alter hin. Seine Finger huschten mit Turbotempo über die Tastatur eines Computers; sein Gesicht indes zeigte keinerlei Regung, sondern er stierte lediglich mit milchigen Augen auf den Monitor, der fortlaufend technische Hieroglyphen produzierte. Die Vermutung lag nahe, daß man sein Hirn mit einem Spezialkorkenzieher entfernt und durch ein paar billige Chips aus Taiwan ersetzt hatte.

»Trotz der Gefahr einer Wiederholung, unser Heim ist eines ganz extravaganter Art«, sagte Hans und vertiefte sich demonstrativ in die Betrachtung des greisenhaften Teenagers. »Geistig- und Körperbehinderte leben und wirken hier zusammen und vollbringen schier Unglaubliches. Früher leisteten uns auch Gesunde Gesellschaft, aber sie verließen uns wieder, weil ihnen unser Lebensstil etwas, ähm, skurril erschien.«

In diesem Augenblick unterbrach der Weißhaarige seine Hackerei und wandte sich mit eckigen Bewegungen uns zu.

»Hallo!« sagte er. »Freut mich, daß Sie meiner Arbeit Aufmerksamkeit schenken. Aber wollen wir einander nicht erst bekannt machen?« Dann schaute er plötzlich verwundert um sich, als habe man ihn von seinem Raumschiff wider Willen auf den fremden Planeten gebeamt. »Ach, und noch eine Frage: Wo bin ich hier?«

Hans lächelte wissend, wobei er einen verschwörerischen Seitenblick auf mich warf.

»Sie sind in einem Heim für Geistig- und Körperbehinderte. Für Ihr Wohlergehen wird gesorgt.«

»So?« fragte der Computermann vollkommen perplex. »Bin ich denn krank?«

»Halb so schlimm«, tröstete Hans. »Sie haben nur einige Gedächtnislücken. Lassen Sie sich nicht irritieren und fahren Sie ruhig mit Ihrer Arbeit fort.«

Er schob mich weiter, während ich meinen Kopf nach hinten verrenkte, um den Zurückgelassenen noch ein wenig im Auge zu behalten. Dieser starrte konsterniert ins Leere wie ein Kind, das zum ersten Mal in seinem Leben hinter dem Bart des Weihnachtsmannes seinen Vater erkannt hat.

»Korsakow-Syndrom«, sagte Hans trocken. »Durch übermäßigen Alkoholgenuß hervorgerufene Zerstörung von Neuronen in den winzigen, aber überaus wichtigen Mammillarkörpern, von der der Rest des Gehirns völlig unberührt bleibt. Er kann sich weder Ereignisse noch Personen über einen Zeitraum von fünf Minuten hinweg merken. In seinem Langzeitgedächtnis, so scheint es, hat ein furchtbarer Orkan getobt und es schließlich vernichtet.«

»Du meinst, wenn wir zu ihm zurückkehrten, würde er uns nicht wiedererkennen?«

»Viel schlimmer. Er weiß nicht einmal, daß er kein Langzeitgedächtnis besitzt, daß er krank ist. Denn wenn jemand ein Bein oder ein Auge verloren hat, so weiß er das. Aber wenn er sich selbst verloren hat, dann kann er das nicht wissen, weil nichts mehr da ist, das den Verlust empfinden kann. Er befindet sich gewissermaßen ständig in der Isolation eines einzigen Augenblicks, umgeben von einem tiefen Graben des Vergessens. Er ist ein Mann ohne Vergangenheit und ohne Zukunft, der in einer sich fortwährend wandelnden, bedeutungslosen Gegenwart gefangen ist. Wir nennen ihn einfach VS, die verlorene Seele. Doch um mit den Worten unseres verehrungswürdigen Professors zu sprechen: Auch in Krankheiten verbergen sich oft Wunder. Obgleich VS kein sogenanntes Episodengedächtnis mehr besitzt, ist das prozedurale Gedächtnis intakt. Eindrücke aus der unmittelbaren Vergangenheit werden bei ihm als erste getilgt, während solche, die aus früherer Zeit stammen, genau erinnerlich sind, so daß seine Auffassungsgabe, sein Scharfsinn und seine geistige Beweglichkeit unbeeinträchtigt bleiben. VS ist ein Computergenie. Sämtliche Programme, mit denen wir arbeiten, sind sein Werk. Ohne ihn müßten wir Konkurs anmelden.«

»Gibt es irgend jemanden in diesem Laden, der keine Anwartschaft auf den Nobelpreis hat? Ich meine, arbeiten hier auch Blinde, die nicht den Lüscher-Farbtest erfunden haben oder so?«

»Selbstverständlich, lieber Daniel. Zum Beispiel du«, sagte Hans und steuerte mich geradewegs auf eine Conterganfrau in einem Rollstuhl zu, die auf den ersten Blick mit dem Gesicht ihren Schreibtisch abzuwischen schien. Dann jedoch stellte ich fest, daß sie mittels eines Stiftes, der an einem helmartigen Metallgestell auf ihrem Kopf befestigt war, Linien über irgendwelche vor ihr aufgereihten, kreisförmigen Diagramme zog. Sie war fett, häßlich und trug auf ihrer Knollennase eine Brille, deren Gläser derart voluminös waren, daß ein Neunmillimetergeschoß todsicher an ihnen abgeprallt wäre. Statt Arme waren ihr aus den Schultern jeweils drei Finger gewachsen, welche wie verdorrte Äste eines toten Baumes aussahen. Nichtsdestotrotz umspielte ein ewig verblüfftes Lächeln ihr Gesicht, so als staune sie immer noch über die Ungereimtheiten ihrer Existenz und der Existenzen um sie herum.

»Ich gehe davon aus, daß du kein gesteigertes Interesse für unsere Aktivitäten aufbringen möchtest«, schaltete sich Hans erneut ein und riß mich jäh aus meiner philosophischen Rumpfanschauung heraus. »Man unterrichtete uns, du seist eher ein Mann der Phantasie.«

»Auch in der Waffenkunde bin ich leidlich bewandert. Wollen wir nicht zusammen eine Atombombe bauen und damit die Regierung erpressen? Scheiß auf die Sponsorengelder!«

»Ich wette, daß bei deiner Geburt Mars und Merkur in einer Konjunktion und beide im Quadrat zu Saturn gestanden haben, Daniel«, meldete sich die Conterganherbstzeitlose zu Wort. »Und der Mond hatte bestimmt gleich drei Spannungsaspekte von 150 Grad zu Merkur, Mars und zum Aszendenten sowie ein Quadrat mit Uranus.«

»Erraten!« sagte ich. »Aber wer hätte gedacht, daß ausgerechnet diese Konstellation ein so exzessives Triebleben verursachen würde.«

Sie errötete höflich, während ich wieder zu Hans aufschaute, in der Erwartung, das Kopfleiden dieser ohnehin armseligen Kreatur erklärt zu bekommen.

»Das ist Gertie«, stellte Hans mir die Frau vor und schlüpfte erneut in seine favorisierte Rolle des Conférenciers. »Damals, als wir in die Schlagzeilen gerieten, verwechselten diese Presseidioten Astronomie mit Astrologie und fragten uns, ob wir keine Horoskope für die Rubriken in ihren Käseblättern erstellen wollten. Dank Gertie hat sich dieses Mißverständnis zu einem recht lukrativen Nebengeschäft entwickelt. Wir beliefern mittlerweile acht Illustrierte. Da wir aber auch auf diesem Feld expandieren möchten, Gertie jedoch die Arbeit über den Kopf wächst, benötigen wir deine Hilfe.«

»Wenn ich die Zukunft vorhersagen könnte, wäre ich kaum bei dieser NASA für Doofe gelandet, sondern hätte längst einen Antrag auf Einweisung in Hugh Heffners Bunny-Club gestellt.«

»Nein, nein«, beschwichtigte Hans. »Du sollst lediglich die simple Illustriertenarbeit übernehmen, damit Gertie sich ganz ihren individuell angefertigten Horoskopen widmen kann. An denen finden nämlich sogar wohlhabende Damen aus der Oberschicht Gefallen. Es ist sowieso unmöglich, ohne den Zeitpunkt der Geburt und den Stand der Gestirne ein seriöses Horoskop zu erstellen, falls ein Horoskop überhaupt als seriös bezeichnet werden kann.«

»Ich verbitte mir das!« protestierte Gertie. »Könige machten das Schicksal ihrer Reiche von Horoskopen abhängig; Feldherren befehligten ihre Heere nach Befragung der Gestirne ...«

»Schon gut, Gertie, ich wollte dir nicht zu nahe treten. Wie dem auch sei, Daniel, alles, was du zustande bringen mußt, ist ein möglichst allgemein gehaltener Ratschlag, das Hervorkitzeln von Wünschen und Befürchtungen und das Verkünden von mannigfach interpretierbaren Schicksalswendungen. Die Prophezeiung mag ruhig danebengehen, weil sich der Leser spätestens nach zwei Minuten ohnehin nicht mehr an den ganzen Sternenhokuspokus erinnern kann. Laß einfach deiner Phantasie freien Lauf. Aber werde bitte nicht schweinisch dabei, ja?«

»Sterndeutung ist kein Hokuspokus, Hans«, sagte Gertie angestrengt beherrscht. Ihre Schamröte von vorhin hatte sich in ein alarmierendes Ziegelrot des Zorns verwandelt. Eine weitere zynische Bemerkung über ihren Lebensinhalt, so schien es, würde sie vor entfesselter Wut explodieren lassen und in einen gleißenden Stern transformieren. Sie neigte ihren Kopf an die linke Schulter, nahm mit den drei Fingern beschwerlich und zitternd die bleischwere Brille ab und richtete den Blick auf den ungläubigen Hans.

»Es verstößt gegen die ehernen Regeln der Astrologie, das Verhängnisvolle zu prophezeien. Doch du bist so durchseucht von Unwissen und Zweifeln, daß ich der Versuchung nicht widerstehen kann, dir eine Lehre zu erteilen. Ich habe deine Direktionen für die folgenden acht Monate ausgerechnet und bin auf die grausigste Konstellation meiner Laufbahn gestoßen. In dieser Zeit geht der rückläufige Aszendent in Opposition zum Pluto im achten Haus. Gleichzeitig steht die progressive Sonne im zwölften Haus in Opposition zum Mars im sechsten und im Quadrat zu Saturn. Um das Maß voll zu machen, gerät die direkte Direktion des MC im Quadrat zum ohnehin schwachgestellten Mond, und über den Aszendenten läuft ein Saturntransit im eineinhalb Quadrat zum Mond. Das bedeutet Tod, Hans. Hundertprozentig und ohne den kleinsten Zweifel!«

Nachdem Hans mich noch eine Weile durch den astralen Zoo gerollt und mir diesen und jenen armlosen Teleskopartisten oder Kalenderidioten, der zwar die Flugbahn von Voyager 2 bis aufs Komma genau vorbeten konnte, doch unfähig war, das große Einmaleins zu begreifen, vorgestellt hatte, fühlte er sich von dem Bedürfnis beseelt, ein wenig über sich selbst zu plaudern. Er war während seines Musikstudiums als Ferienjobber zu den »Verzauberten Jägern« gestoßen und hatte sich damals – das Schlimmste befürchtend – lediglich mit der Einsicht trösten können, daß alle Bedrängnis im Leben früher oder später überwunden sein würde. Doch dann verfiel er dem Charme und der verschrobenen Philosophie Sladeks so selbstverständlich und unweigerlich, als sei er nach einem gründlichen Hirnwaschgang von einer Art Scientology Church en miniature übernommen worden. Daraufhin beschloß er, das Musizieren aufzugeben und fortan ausschließlich für den verehrungswürdigen Professor die erste Geige zu spielen.

Der treue Hans zeigte mir noch die im Kellergeschoß gelegenen Therapieräume und führte mich dann in mein Gemach im dritten Stockwerk, welches, ganz entgegen der Maxime des Hauses, ausnahmsweise keiner Kreuzung zwischen der Waldorf-Astoria-Präsidentensuite und den Wahnvorstellungen von Modedesignern glich. Man hatte auf meine Bedürfnisse die größte Rücksicht genommen und den Raum mit diversen technischen Hilfsgeräten ausgestattet. Darüber hinaus aber entdeckte ich darin zwei Objekte, die mir Rätsel aufgaben. Außer dem obligatorischen Furrer-Bild direkt gegenüber dem Bett hing an der Wand noch die vergilbte Fotografie einer blonden

Eva aus den Vierzigern oder Fünfzigern. Ganz den damaligen fototechnischen Gepflogenheiten entsprechend war die Schöne wie eine Filmdiva in opulentes Licht getaucht, das sie engelsgleich erscheinen ließ, wobei im Hintergrund pittoreske Schlagschatten zu sehen waren. Halb in die Kamera, halb in eine himmlische Ewigkeit lächelnd, scheinbar alterslos, entrückt jedweder Wirklichkeit, wurde sie umfaßt von einem schwarzen Rahmen mit Rissen und abgeblätterter Farbe, der augenscheinlich genauso betagt war wie die Fotografie selbst. Wie sie so von dort oben auf mich oder durch mich hindurchschaute, erinnerte sie mich irgendwie an den UFA-Star Lilian Harvey.

Ferner lag auf dem Bett ein etwa faustgroßer Globus, welcher sich am Äquator auseinanderklappen ließ und bei dem es sich offenkundig um eine Schmuckdose handelte. Hans öffnete die kostbare Erdkugel für mich, und siehe da, die Innenwände illustrierten den nördlichen und südlichen Sternenhimmel, stilvoll gearbeitet und handgemalt. Auch dieses gute Stück hatten die Jahrzehnte altern und verblassen lassen; bedauerlicherweise war die Farbschicht an einigen Stellen aufgesprungen und gewährte Einblicke auf das Edelholz.

Waren diese beiden Gegenstände vom Vorbewohner des Zimmers einfach vergessen worden, oder hatte sie jemand anläßlich meines Einzuges als verschlüsselte Botschaft bewußt hinterlegt? Wenn die zweite Möglichkeit zutraf, dann konnte ich mir zu diesem Zeitpunkt beim besten Willen nicht vorstellen, was man damit hatte andeuten wollen.

Das Beste an der neuen Behausung war eine gewaltige Glaswand, die eine ungehinderte Sicht auf die Bucht und das Meer bis zum Horizont erlaubte, wohl auch auf ein atemberaubendes Sternenzelt an klaren Nächten. Linker Hand konnte man sogar den verschimmelten Leuchtturm sehen, der alles und jeden in dieser öden Gegend zu bewachen schien.

Kurz vor Mitternacht, als ich gerade versuchte, meine durch

Hans' Lobgesänge auf das Rumpf-Eldorado hervorgerufenen Kopfschmerzen zu kurieren, indem ich mir im Bett liegend eine Bachsche Messe zu Gemüte führte und auf das aufgewühlte Meer spähte, klopfte es bedeutungsschwer an der Tür.

»Hereinspaziert, wenn's bloß nicht dieser schreckliche Sladek ist!« rief ich.

Er betrat mit einem gewichtigen Bildband unter dem Arm den Raum und präsentierte mir sein berühmt-berüchtigtes Magengeschwürlächeln. Im ersten Augenblick fürchtete ich, von einem Lachkoller heimgesucht zu werden, denn der Professor hatte sich zwischenzeitlich wie ein Gutsherr aus einem von Roger Corman inszenierten Edgar-Allan-Poe-Film kostümiert. Seinen hochaufgeschossenen Körper umgab nun ein schwarzer Hausmantel aus Seide mit scharlachrotem Kragen. Ein strahlendweißes Tuch, dessen Ausuferungen im Kragenschlitz verschwanden, zierte seinen Hals. Um der Narretei die Krone aufzusetzen, rauchte in seiner Hand allen Ernstes eine Meerschaumpfeife, an der er gelegentlich wichtigtuerisch nuckelte. Während ich versuchte, den intensiven Lachreiz zu unterdrükken, begrüßte ich ihn mit etwas Ähnlichem wie: »Sieh an, Lord Chesterfield gibt sich die Ehre!« Er schüttelte gespielt resigniert den Kopf, als sei ich ein Geistlicher aus dem Mittelalter, der sich weigert, die Kugelförmigkeit der Erde zu akzeptieren. Dann begab er sich an den Leseapparat.

»Es hat den Anschein, Daniel, daß bei dir nicht nur die Arme und Beine fehlen, sondern auch die Augen«, sagte er. Danach setzte er das Buch in das wie ein Notenständer geformte Gestell, trug es zu mir und nahm auf der Bettkante Platz.

»Du willst nicht sehen, was so offensichtlich ist: nämlich, wie du dein Leben mit einer flüchtigen Geste wegwirfst, als sei es ein Stück Kaugummi. Weißt du, ich beobachte deinen Werdegang seit langer Zeit und könnte in Anbetracht dieser niederschmetternden Entwicklung in Tränen ausbrechen.«

43

Er machte hektische Züge aus der längst erloschenen Pfeife, als sauge er am Euter seiner Erzeugerin. Dabei zuckte sein rechtes Augenlid wild und unkontrolliert. Der Verehrungswürdige schien im Laufe seiner Karrieresprünge eine hübsche Kollektion an nervösen Macken erworben zu haben.

»Du haßt die ganze Welt, weil man dir darin die schäbigste Rolle zugedacht hat, nicht wahr? Ja, es ist ein Witz, daß Gott oder der debile Clown, der über uns alle wacht und lacht, ausgerechnet dir die billigsten Standardinstrumente verweigert hat, da er doch diese Selbstverständlichkeit sogar einem Psychopathen hat angedeihen lassen, der mit einer Maschinenpistole in ein McDonald's hereinspaziert und völlig unmotiviert unschuldige Leute abknallt. Aber gerade dir, Daniel, hat man das Normalste aller normalen Dinge nicht gewährt. Du haßt die Welt, weil sie dich gehaßt hat, denkst du. Und soll ich dir die Wahrheit sagen? Du hast vollkommen recht! Weil es nicht fair ist. Doch wo steht geschrieben, daß die Welt fair ist? Gerechtigkeit, mein Lieber, ist etwas für Hohlköpfe, die Straßen kehren oder treu zu ihren Ehefrauen sind und in ihren Spatzenhirnen denken, die ganze Welt müßte ihnen für diese grandiosen Taten dankbar sein. Aber der Straßenkehrer erleidet in der Mitte seines Lebens einen Hirnschlag, ist für immer halbseitig gelähmt und spricht fürderhin etwa so, als habe er alleweil zwei Flaschen Tequila intus. Und die Frau des treuen Ehemannes reicht überraschend die Scheidung ein und kassiert den halben Monatslohn des Trottels an Alimenten, wobei sie sich zur selben Zeit von drei Cro-Magnon-Menschen begatten läßt. Ist das gerecht? Ist das fair? Gerechtigkeit ist eine Fiktion von Juristen, die für diesen Schwachsinn bezahlt werden. Sonst nichts, Daniel. Der tragische Irrtum liegt bei diesen unbedarften Gemütern, die Gerechtigkeit mit dem wirklichen, dem wahren Leben verwechseln.«

»Soll ich mich jetzt erschießen, Professor? Binden Sie mir

eine Browning Automatic an die Nudel, und ich tue es. Das Ding ist total durchtrainiert und kann wahre Wunder vollbringen, wenn es darauf ankommt.«

»Nein, das ist der falsche Weg, weil das Leben ja anderseits wiederum so schön ist. Jeder, der einmal nur flüchtig das amerikanische ›Penthouse‹ durchgeblättert hat, weiß das.«

»Wie wahr!« stöhnte ich.

»Wenn man keine Arme und Beine besitzt, muß man sich deshalb zu einem anderen, neuen Bewußtsein durchringen«, sagte er und erhob sich vom Bett. Bedächtig, die Hände tief in die Taschen seines eleganten Morgenmantels gegraben und die Schultern rabenhaft in die Höhe gestemmt, so daß ein Buckel entstand, schlenderte er zur Glaswand, machte davor mit mir zugewandtem Rücken halt und schaute wortlos auf das Meer hinaus. Ich wartete vergeblich darauf, daß er seine Rede von dieser Stelle aus fortführen würde. Statt dessen kam eine sonderbar angespannte Stille auf, und ich begann mich allmählich zu fragen, ob der gute Mann an Phasen von Bewußtseinserschöpfung litt, die ihn vorübergehend in ein dumpfes Vakuum voll schaler Glückseligkeit versetzten. Dann aber spürte ich, daß er drauf und dran war, mir etwas Bedeutendes zu verraten. Offenbar konnte er jedoch keine Entscheidung treffen.

»Wenn man keine Arme und Beine hat«, wiederholte er nach einer Weile, die mir wie eine geschlagene Stunde vorkam, »muß man untersuchen, wie die Welt und das Leben in Wirklichkeit beschaffen sind, Daniel.« Seine Stimme war nun von einer merkwürdigen Traurigkeit erfüllt, und sein unsteter Blick wanderte über die ab und an aus der fernen Finsternis des Meeres schwach hervorscheinenden Schaumkronen, als suche er darin das Wesen unserer Existenz, das er so explizit veranschaulichen wollte.

»Für den Gesunden ist das Leben ein einfaches Ding. Er ist nicht imstande, seine Phantasie anzustrengen und über den

45

Tellerrand hinauszuschauen. Wenn er zum Beispiel von seinem künftigen Ferienort träumt, so besteht die größte Leistung seiner Einbildungskraft darin, daß er sich die Umrisse von ein paar Palmen ausmalt. Vielleicht sieht er vor seinem geistigen Auge schemenhaft auch das Blau des Meeres. Doch er ist außerstande, sich zu vergegenwärtigen, daß in diesem Meer Wesen schwimmen, deren Sprache weitaus komplexer ist als die des Menschen, von ihrer wundersamen Wahrnehmungsfähigkeit ganz zu schweigen. Und ein Raubtier schleicht nächtens durch den Dschungel, und seine kümmerliche Imagination ist eventuell noch imstande, das Abbild eines Wildes hervorzuzaubern oder die unscharfe Erscheinung von Wasser. Sowohl der Mensch als auch das Raubtier sind Kreaturen ein und derselben Welt, und doch sind sie beide unfähig, sich zumindest geistig zu umarmen.«

»Waren Sie beim Psychiater damit, Professor?« fragte ich. »Es scheint wirklich ernst zu sein.«

Er drehte sich vom Fenster weg und kam langsam ans Bett zurück. Das vom Nachtschränkchen reflektierende Licht meiner Leselampe strahlte ihn von unten an und warf groteske Schatten auf sein Gesicht. Mit theatralischer Geste deutete er auf das Buch im Lesegestell und wies auf den Titel hin. »DYSMELIEN von Robert Sladek«, las ich und ahnte nichts Gutes.

»Gehe ich richtig in der Annahme, daß es dieser Schinken nicht bis in die Bestsellerliste geschafft hat, Prof?«

»Richtig, Daniel. Die Menschen lieben das Schöne, auch wenn sie selbst so häßlich sind.«

»Dabei ist doch Schönheit ein derart relativer Begriff, nicht wahr? Nehmen Sie mich zum Beispiel: Im rumänischen Krüppel-KZ wäre ich bestimmt *das* Äquivalent zu Apoll. Tja, verrückte Welt.«

»In der Tat, Daniel, verrückte Welt . . .«

Er schlug das Buch in der Mitte auf und konfrontierte mich

mit einer Farbfotografie, die, wie ich im nachhinein glaube, zum ersten Mal in mir den Wunsch aufkommen ließ, diesen verdammten Hurensohn umzubringen. Das Bild zeigte so was Ähnliches wie einen Säugling. Dessen konnte man aber durchaus nicht sicher sein. Denn der mit »Acardius acephalus« untertitelte Korpus bestand lediglich aus zwei unförmigen Babybeinen, welche in einem hautlosen Fleischballen verschwanden. Aus dem Abschnitt, wo bei einem gesunden Menschen der Bauchnabel sitzt, ragte ein penisartiges, helleuchtendes Gebilde hervor.

»Da!« sagte Sladek und schlug hastig die nächste Seite auf. Nun glotzte ich auf eine sogenannte »Anenzephalie«, die kaum weniger grauenerregend aussah: Ein aufgedunsenes Babyhaupt in der Größe eines Kürbisses, das keine Stirn besaß und deshalb gewissermaßen das Gesicht auf dem Kopf trug, erwiderte mein Glotzen geradezu triumphierend, als empfände es Genugtuung über die Wirkung, die es bei dem Betrachter hervorrief. Die Augen waren wie bei einer Monsterkröte ins Riesenhafte aufgebläht, und auch der Rest paßte eher zu einer Amphibie.

»Da!« bellte der Professor erneut, klopfte mit dem Zeigefinger wie ein schlachtenplanender General auf die schauderhafte Visage der Kreatur, um im nächsten Moment in seinem Gruselbuch flink weiterzublättern. Meine inzwischen arg strapazierten Augen bekamen im folgenden einen »Sakralparasiten« zu sehen, dem am Hintern ein unförmiger Fleischhaufen vom Umfang seines eigenen Körpers gewachsen war, einen doppelköpfigen »Dizephalus«, einen »Cheilognathopalatoschisis«, bei dem Oberlippe und Nase einem Schlund Platz gemacht hatten, einen »Zyklopen« in Säuglingsgestalt und ähnliche Monstrositäten. »Da!« schrie Sladek wie von Sinnen bei jedem Treffer, den er in mir landete. »Da!... Und da!... Und da!... Und da!...«, und immer so fort, als verprügele er mich mit diesen Wörtern. Doch für welche Untat sollte ich büßen? Etwa dafür, daß ich es versäumt hatte, einen Antrag auf die Mitgliedschaft in dieser schauerlichen Bruderschaft zu stellen?

»Da!« brüllte Sladek aufs neue, als sei er auf eine Tellermine getreten, und zielte mit dem Zeigefinger auf die nächste Babybestie in seinem Gutenachtbuch. Es war zu befürchten, daß der Übergeschnappte mit mir den gesamten Katalog durchgehen wollte, denn als ich die obskure Musterung nicht mehr aushielt und wegsah, packte er mich am Kinn, zerrte meinen Kopf mit sanfter Gewalt wieder zurück und zwang mich so zum Weiterbetrachten all des kunterbunten Elends. Was zuviel war, war zuviel, und so sah ich mich nach diesem Akt genötigt, den furchtbarsten Schrei meines Lebens auszustoßen, so markerschütternd und so schrill, daß man ihn vermutlich auf einem der vom Sladekschen Observatorium beobachteten Sterne vernommen hat.

»Ich bin kein Tier!« schrie ich. »Ich bin kein Tier! Ich bin kein Tier!« Dann riß ich mich mit dem ganzen Rumpf ruckartig nach vorne und ließ mich mit dem Kopf auf das Lesegerät fallen. Mein Gesicht prallte auf das Buch der anatomischen Wunder, rutschte ab, und die scharfe Blechleiste, die das Buch von unten abstützte, fügte meiner Stirn einen Riß von beachtlicher Länge zu. Ich stürzte blutend wie ein harpunierter Wal aus dem Bett und schlug mit der Nase auf den Boden auf. Benommen durch den Schmerz und halbblind von Tränen und dem Blut, das mir von der Stirn in die Augen rann, winselte ich wie ein Endlostonband weiterhin mein »Ich bin kein Tier!«.

»Daniel, ach Daniel, du armer Kerl«, winselte nun auch mein fürsorglicher Folterknecht, kniete sich nieder und drehte mich behutsam auf den Rücken. »Aber begreifst du denn nicht, was ich mit all dem ausdrücken will? Diese Kinder sind ein Teil unserer Weltordnung.«

»Scheiße, die sind doch nur kaputt, du Blödmann!« kreischte ich und spuckte Blutschleim, der sich inzwischen in meinen

Mundwinkeln angesammelt hatte, auf sein von diversen exquisiten Cremes glattgepflegtes Gesicht.

»Falsch!« erwiderte er barsch, während ich mich allmählich zu fragen begann, wann er mich eigentlich zu verarzten gedachte. »Modifikation, Daniel, Vielfalt, schlußendlich Reichtum. Ich war stets von dem Wunsch erfüllt, zu erforschen, wie die Schöpfung in Wahrheit beschaffen ist. Und nach längerem Suchen und über viele Irrwege habe ich eine grandiose Antwort auf meine quälenden Fragen gefunden: Alles ist miteinander verwoben, alles besitzt einen Sinn. Schönheit und Häßlichkeit sind lediglich zwei Seiten ein und derselben Medaille. Das Gesunde und das Kranke gehören zu unserem Dasein so wie das Gute und das Böse. Wir brauchen uns nicht zu ekeln oder gar zu fürchten. Und letztlich geht alles Leben in den Tod über, und der Tod wiederum gebiert seinerseits mannigfaltiges Leben. Wir alle sind Sternenkinder – auch du, Daniel. Nur der Zufall entscheidet, in welcher Form wir wiedergeboren werden . . .«

In dieser pathetischen Manier, halb Kneipen-New-Age, halb cooler Pfaffe, sprach unser hochverehrter Professor weiter, bis das Blut in meinen Wunden gerann und ich die öligen Erkenntnisse langsam als ein vorzügliches Schlafmittel zu schätzen lernte. Ich verstand seine philosophischen Ergüsse irgendwie und verstand sie doch nicht, was überhaupt keine Rolle spielte, da er für mich ohnehin nicht mehr als ein neuentdecktes Haßobjekt war. Schließlich befiel auch ihn die Müdigkeit, und er ließ sein Referat in ein laues Alle-Menschen-werden-Brüder-Finale münden. Dann behandelte er meine Wunden schnell mit Jod und Pflaster, steckte mich ins Bett und knipste im Zimmer das Licht aus.

Bevor er hinausging, sagte er noch durch den Türspalt: »Selbstverständlich gibt es auf unserem Erdenweg auch Geheimnisse, bei denen nur geringe Aussicht besteht, daß sie jemals gelüftet werden können. Versuche sie trotzdem zu lüften, mein Freund. Denn wenn andere es tun, sind sie dir immer einen Schritt voraus. Und wie furchtbar ist Wissen, wenn es dem Wissenden keinen Gewinn bringt.«

Ich betrachtete noch ein paar Sekunden die Porträts von Reinhard Furrer und der UFA-Diva an der Wand, die im düsteren Schein der selbstleuchtenden Ruf- und Nottasten wie liebenswürdige Spukgestalten wirkten, bevor ich jäh in einen tiefen, schwarzen Schlaf fiel. Im Land der Träume verfolgten mich die Ereignisse des Tages aber weiter. Allerdings waren sie trotz ihrer Absurdität so zusammengesetzt, daß ich hierin eine bedeutungsvolle, dessenungeachtet jedoch undechiffrierbare Botschaft zu erkennen glaubte.

In meinem Traum stand ich auf einem unebenen und wie ein Wasserbett gemächlich wankenden Grund. Über mir breitete sich ein Sternendom aus, so prächtig, so klar, daß es einem den Atem verschlug. Ja, ich stand, denn wundersamerweise waren mir Arme und Beine gewachsen, was mich vor Glückseligkeit wie besoffen machte. Aber ich stand nicht allein auf diesem sonderbar elastischen Boden. Der Schutzheilige aller Rümpfe, Reinhard Furrer, leistete mir Gesellschaft. Er war in seine komplette Astronautenmontur gekleidet und lächelte geheimnisvoll, als überlege er, ob er mich auf seinen nächsten Raumflug mitnehmen solle. Dann schaute ich nach unten, weil mir die Instabilität meines Standortes etwas Kopfschmerzen bereitete. Und dort unten sah ich sie, unter meinen frischgewonnenen Füßen: Das Gelände, auf dem wir uns befanden, bestand aus all den so grausig entstellten, totgeborenen Kreaturen aus Sladeks Bildband. Doch sie lebten. Dicht aneinandergequetscht mit ihren überflüssigen Fleischhaufen, ins Gigantische überwucherten Gliedmaßen, ihren kopflosen Körpern und bis zur Unkenntlichkeit entstellten Leibern bildeten sie ein beständig schwankendes Plateau, das sich bis zum Horizont erstreckte. Es mußten Millionen sein. Und – ja, auch sie lächelten mir zu, aber keineswegs vielsagend wie mein Raumfahrerkumpel, sondern ganz und gar warmherzig, als sei ich ihr Vater.

Während ich noch im Ungewissen war, ob ich angesichts dieser grotesken Entdeckung in helles Entsetzen ausbrechen oder mich einfach darüber freuen sollte, legte Furrer in der Grußmanier der »Verzauberten Jäger« eine Hand auf meine Schulter und sagte durch seinen wuchtigen Astronautenhelm: »Die Tore zu Himmel und Hölle liegen dicht nebeneinander und gleichen einander aufs Haar. Hast du erkannt, wie breit die Erde ist, Daniel? Welches ist der Weg dahin, wo das Licht wohnt, und welches ist die Stätte der Finsternis?«

Dann streckte er die rechte Hand empor und deutete in das Zentrum des nächtlichen Himmelsgewölbes, dorthin, wo ein größerer Stern besonders kräftig leuchtete. Schlagartig war ich wie hypnotisiert, und mein Interesse wurde nun ausschließlich von diesem gleißenden Punkt gefangengenommen. Der Stern indes intensivierte seine Leuchtkraft, wobei er gleichzeitig an Umfang gewann. Wahrhaftig, der Stern schien sich der Erde zu nähern, und je näher er rückte, um so deutlicher erkannte ich in ihm die illuminierten Gesichtszüge der UFA-Diva. Die eingefrorene Fotomiene war jetzt ein wenig bewegt, was man allerdings nur bemerken konnte, wenn man sie ganz aufmerksam betrachtete. Ein Ausdruck von Liebe und heißer Sehnsucht umspielte die großen, anmutigen Augen dieser cherubinischen Frau, in deren ewigem Lächeln aber auch eine Spur Bitterkeit mitschwang. Schließlich erreichte der Stern den Umfang einer herabstürzenden Sonne, und das grell umstrahlte Antlitz der Diva bedeckte nahezu den gesamten Himmel. Zudem setzte plötzlich eine symphonische Bombastmusik ein, als ginge es darum, die letzten dramatischen Einstellungen von »Vom Winde verweht« zu untermalen. Ein euphorischer Chorgesang unterstützte diesen Soundtrack, den ich rasch als das süßliche Lallen von Sladeks Totgeburten identifizierte. So zum Berühren nahe, so sagenhaft hell, daß ich befürchtete, mein Augenlicht zu verlieren, wenn ich den Blick nicht bald abwenden würde, und durch die Begleitung dieser bizarren Filmmusik so unfaßbar wirkungsvoll, stellte die Schöne ihr Lächeln schließlich ein und schaute mich lange eindringlich und regungslos an. Ich glaubte schon, sie hätte sich wieder in die Fotografie zurückverwandelt, doch da bewegte sie mit einem Mal ihre Lippen.

»Hast du erkannt, wie breit die Erde ist, Daniel? Welches ist die Stätte der Finsternis?«

Dann senkte sie leicht den Kopf, und dicke Tränenperlen kullerten ihr aus den Augen auf die Wangen.

»Sie ist dein Herz, mein Sohn!«

3. KAPITEL

»Denn es gibt Verschnittene, die vom Mut-
terleib an so geboren sind, und es gibt Verschnittene, die von den Menschen verschnitten wurden, und es gibt Verschnittene, die
sich selbst verschnitten haben um des Him-
melreiches willen. Wer es fassen kann, der
fasse es!«

Matthäusevangelium, Die freiwillige Ehelosigkeit

S ie war un... nah... bar. Und unantastbar. Und zum Not-
züchten schön. Natürlich war sie Fotomodell. Natürlich.
Eine begehrenswerte Frau zu beschreiben, gleicht irgendwie
dem Versuch, das Funktionieren eines Atomreaktors begreif-
lich zu machen. Man schnappt lediglich Details auf und hat
seine liebe Not mit dem Umsetzen all dieser Einzelheiten in ein
vorstellbares Ganzes. Nichtsdestotrotz will ich es wagen, muß
es einfach tun, um das Glück zumindest im Nachhall des Ge-
denkens auszukosten und um ihr unschuldiges Wesen, das ich
so schändlich verdarb, im Zauber des Fabulierens nur flüchtig
wieder zum Leben zu erwecken.

Wie alle wahrhaft schönen Frauen entsprach sie weder dem
gängigen Frauenideal, das die nimmermüden Modejournale in
immer neuen Variationen propagieren, noch der elektrisieren-
den Weibsgestalt, nach der man sich auf der Straße umdreht
und bei der man auf der Stelle das Bedürfnis verspürt, sich im
nächstbesten Hauseingang Erleichterung zu verschaffen. Nein,
Mercedes war ganz und gar einzigartig.

Wenn ich eine Hitparade ihrer verführerischsten Körperteile
aufstellen müßte, so stünden ihre Brüste an oberster Stelle. Das
mag vielleicht bei einer ausgehungerten Hyäne wie mir schrecklich einleuchtend klingen – doch so war es nun einmal. Sie
besaß ausnehmend große, aber flache Brüste, welche bei einer
älteren Frau muttchenhaft gewirkt hätten, Mercedes in ihrer
blühenden Jugend indes zu der Angehörigen einer längst unter-
gegangenen und mittels teuflischer Erweckungsgesänge reakti-
vierten Gattung machten. Also eine recht gewichtige sowie
berückende Konstruktion. Was des weiteren nicht zum Kli-

schee einer Traumfrau paßte, war ihr hüftlanges, kastanienrotes und extrem feines Haar, das sie mangels Fülle stets so aussehen ließ, als käme sie gerade aus der Dusche. Ihr feingeschnittenes Gesicht mit den grotesk aufgeblähten Kirschlippen, die den Eindruck erweckten, als seien sie stundenlang mit den Saugnäpfen einer Melkmaschine malträtiert worden, versprach Wiedergeburt im Elysium der endlich in Erfüllung gegangenen Selbstbefleckungssehnsüchte verzweifelter Männer. Furchterregende ein Meter vierundachtzig groß, sommersprossige Haut, ein Arsch, der die Angewohnheit hatte, sich en détail durch die diversen Stretchminikleider abzuzeichnen und für dessen textillosen Anblick so mancher seinen Bausparvertrag verpfändet hätte, und ein betörender Geruch, den man glattweg als Nervengas im Krieg hätte einsetzen können, um ganze Bataillone irrsinnig zu machen – das war Mercedes!

Wer Mercedes war? Sie war jedenfalls nicht Henriette, also die Gattin unseres universell talentierten Professors, sondern lediglich die *amante,* wie Sachkundige in amourösen Gefilden zu sagen pflegen. Sladek hatte seine Jugendliebe Henriette gleich nach der Abiturfeier geehelicht, worauf sie diesen Frühstart im Laufe der Jahre mit dem Gebären von drei Mädchen und einem Jungen honorierte. Wie in einem Green-Peace-Werbespot gegen das Aussterben der weißen Rasse wurden denn auch die Sladekschen Clanmitglieder inklusive des asthmatischen Bobtails Neptun regelmäßig dabei gesichtet, wie sie unter fröhlichem Gehupe und Gekichere mit dem Mitsubishi-Landrover das meist überarbeitete Familienoberhaupt nach Feierabend abholten und in die heimische Villa überführten. Henriette war die Art Weibchen, die man gewöhnlich in die Jahre gekommenen Hollywoodstars als Filmpartnerin an die Seite stellt, damit dem Zuschauer nicht gleich in einem unfairen Vergleich die fortgeschrittene Vergreisung des Helden ins Auge springt. Anders ausgedrückt, Henriette war eine Frau, die früher einmal recht hübsch gewesen sein mußte, jetzt in ihren endenden Dreißigern jedoch den Charme und bedauerlicherweise auch den Duft einer Avon-Beraterin versprühte.

Diese Tragik des Unausbleiblichen war offensichtlich auch Sladek aufgefallen, und er hatte darauf ganz nach der Devise von erfahrenen Automobilisten reagiert, nämlich indem er sich ein neues Modell zulegte: Mercedes. Heimlichkeit und List sind die Kennzeichen des (verzauberten) Jägers, und da der Professor der schlaueste Jäger von allen war, hatte er seine Territorien präzise abgesteckt und vermied es, in beiden gleichzeitig zu jagen. Mit einem Wort, der Schuft betrog seine Frau, was das Zeug hielt!

Immer wenn Mercedes sich die Ehre gab, unsere Kontaktzentrale zu den außerirdischen Lebensformen aufzusuchen – das tat sie akkurat dreimal in der Woche –, steuerte sie, ohne uns possierlichen Rümpfen auch nur die geringste Aufmerksamkeit zu schenken, schnurstracks und mit zielgerichtet zugekniffenen Augen das Büro des Hochgeschätzten an. Das Ritual trug durchaus paramilitärische Züge. Denn das scharfe Bremsen des Golf GTI mit quietschenden Reifen im Hof, das zackige Aussteigen aus dem Wagen verbunden mit dem aggressiven Schnappen nach dem signalroten Rucksack auf dem Beifahrersitz, in dem sich vermutlich ein Lederkostüm, eine Bullenpeitsche und eine Polaroidkamera befanden, dann das schneidend hallende Tack Tack der Stöckelabsätze auf den Gängen und schließlich das ehrfurchtgebietend laute Zuknallen der Bürotür erinnerten mich fatal an den Überraschungsangriff einer Antiterroreinheit. Was die beiden dort drinnen stundenlang trieben, war offensichtlich – aber so offensichtlich auch wieder nicht, wenn man das Ende dieser Geschichte in Rechnung stellt. Auch Edi, jener Mongoloide, der gerne Reinhard-Furrer-Fotos angrinste und den Posten des Laufburschen innehatte, lachte bis über beide Ohren, wenn er Mercedes unten im Wagen sah, wohl ahnend, welches Ziel des Weibes Weg hatte. Ob er auch Hypothesen über den Inhalt des roten Rucksacks angestellt haben mag, dafür will ich meine imaginäre Hand nicht ins Feuer legen.

Und Henriette, die treue alte Stute, die ihr Gnadenbrot fraß, indem sie Klavierlehrer für ihre Kinder selektierte, ungelenk auf einem Tennisplatz herumhampelte und auf Vernissagen irgendwelche glatzköpfigen Künstler mit dummdreistem Zeug konfrontierte? Nun ja, die Ärmste ahnte nach klassischer Dramaturgie nichts. Oder doch? Und nahm es hin, konnte einfach nicht verzichten auf Nouvelle cuisine, die sie, stets am Rande eines Nervenzusammenbruchs, für »nette Freunde« aus toscanophilen Kreisen in der Bulthaup-Küche zubereitete, auf das Dior-Original zu ihrem Geburtstag und auf das zusammenhanglose Gefasel über ihre Depressionen bei einem gelangweilt wirkenden Psychoanalytiker? Anzunehmen. Aber wer weiß, vielleicht hat sie auch auf all den Tinnef geschissen und sich im Verborgenen schon bei der Scheidungsbörse erkundigt, wie hoch ihre Eheaktien inzwischen stünden.

Ganz Hormonprovokateurin und vor Gesundheit strotzende Irrealität inmitten ungesunder Realität, so saß die dreiundzwanzigjährige Mercedes am Weihnachtsabend des vergangenen Jahres im Multiveranstaltungssaal der »Verzauberten Jäger« und tupfte sich mit einem weißen Taschentuch, auf dem Sladeks Initialen gestickt waren, aufrichtige Tränen aus den Augen. Hans hatte meinen Rollstuhl ganz dicht neben sie bugsiert, und so war es mir vergönnt, ihre ganze Pracht schielenderweise unter die Lupe zu nehmen und leise in mich hineinzustöhnen.

Das Fest der Feste war entsprechend der schrulligen Sinnesart des Professors recht eigentümlich gestaltet worden. In den letzten zwei Monaten, in denen ich solche gravitätischen Aussprüche wie »Wahrscheinlich werden Sie am Wochenanfang vor eine wichtige Entscheidung gestellt« oder »Vor allem Ihr Herz hat jetzt eine Chance« ins Diktaphon blödeln durfte, bemerkte ich des öfteren, wie die deformierten Sternenforscher sich in regelmäßigen Abständen freinahmen und in den Veranstaltungssaal stahlen. Immer erfüllte daraufhin ein disharmonischer Singsang das Heim, daß es einem das Trommelfell zusammenzog. Als des Rätsels Lösung entpuppte sich schließlich die Oper »Kain« von Eugen d'Albert, welche uns an diesem Heiligabend anstatt eines Passionsspiels dargeboten werden sollte.

Vorher hatten wir uns im Foyer an einem verschwenderischen kalten Büffet bedienen und die geladenen Gäste beglotzen dürfen. Es waren zum überwiegenden Teil Sponsoren unseres ambitionierten Rumpfrefugiums, im Stadium der höchsten Verwelkung befindliche betuchte Witwen und Verwandte der Heiminsassen. Sladek, der in den letzten Tagen ausschließlich mit dem Aufrichten und Schmücken einer Tanne von Eiffelturmdimension vor der Eingangspforte beschäftigt gewesen war, hatte sich anläßlich des Festes allen Ernstes in einen altmodischen Pinguinfrack hineingezwängt. Ich dachte schon, der Gute würde uns gleich etwas vorsteppen, aber ich sah ihn dann doch lediglich aufgeblasen wie ein Pfau den Honoratioren die Hände schütteln. Dabei legte er ein derartig überschwengliches Hochgefühl an den Tag, als zelebriere er die Oscarverleihung.

Dann ertönte ein dröhnender Gong, und wir wurden in den Aufführungssaal eingelassen, dessen Bühne vorläufig noch von einem barocken Theatervorhang aus scharlachrotem Samt mit herabbaumelnden goldfarbenen Troddeln verhüllt wurde. Wie erwähnt, wollte es die Vorsehung, daß Hans' kräftige Arme meinen Rollstuhl im hinteren Parkett neben dem Sitz plazierten, auf dem Mercedes sich bereits niedergelassen hatte. Der andachtsvollen Gelegenheit entsprechend war sie in ein mausgraues und zu meinem Ärger erbarmungslos zugeknöpftes Kostüm hineingeschlüpft. Ein verzagtes Lächeln, gepaart mit diffuser Überraschung, funkelte für einen Moment in ihren grünen Augen auf, als sie mich neben sich bemerkte, was ich als die obligate Reaktion auf meine Gestalt interpretierte. Gedankenleserin, die sie war, zog sie dann schnell ihren Rock straff und wandte sich mit nachdenklicher Miene wieder nach vorne, gerade so, als würde auch sie dem vor meinem geistigen Auge ablaufenden Inselwitz mit uns beiden in den Hauptrollen beiwohnen. Ich begann bereits jetzt meinen Schädel darüber zu zermartern, wie ich geschlagene zwei Stunden lang unter dem Bombardement ihrer außer Kontrolle geratenen Duftdrüsen ausharren sollte, die erwiesenermaßen nichts als Pheromone produzierten, ohne mich von meinem Rollstuhl auf ihren Schoß zu katapultieren und einem in spastische Zuckungen geratenen frühgeschlechtsreifen Säugling nachzueifern. Und als reiche diese Nötigung ihrer Mitmenschen nicht aus, hatte sie für ihren Aroma-Overkill auch noch teuflische Riechwässerchen bemüht.

Solcherart halbnarkotisiert, sah ich noch wie durch einen Schleier Sladek in der vordersten Reihe neben seiner Henriette Platz nehmen, welche freilich von der Anwesenheit ihrer Nebenbuhlerin nichts ahnte. Ich sagte bereits, daß Sladek ein durch und durch perfekter Mensch war. Und Professor Perfekt mochte nun einmal an einem so feierlichen Tage die Gegenwart seiner beiden so unterschiedlich disponierten Evas auf keinen Fall missen.

In dem durch muschelförmige Wandlüster dämmrig beleuchteten Saal erschallte der zweite Gong, woraufhin sich einige Sekunden später Finsternis ausbreitete. Der Vorhang teilte sich in der Mitte und gab den Blick auf eine ziemlich einfallslose Version des Garten Eden frei. Der Effekt der Dreidimensionalität wurde durch die schichtweise, etwas seitlich versetzte Anordnung der Pappkulissen erzielt, wie in Märchenbüchern, in denen böse Wölfe ihre Zungen herausstrecken, wenn

papierne Laschen am Blattrand gezogen werden. Der Bühnen-
bildner hatte offensichtlich keine Kenntnis davon gehabt, daß
die Menschenkinder bei der Kain-und-Abel-Episode längst aus
dem Gefilde der Seligen vertrieben worden waren und ihr Brot
bereits im Schweiße ihres Angesichts auf dem »verfluchten
Erdenboden« essen mußten. Denn an Stelle jenes kargen Ackers
wurde uns das besagte naive Dschungelparadies à la Henri
Rousseau präsentiert.

Dann setzte Musik aus den Lautsprechern ein, und wir wohn-
ten eine zähe Ewigkeit lang dem einschläfernden Evergreen aus
der Bibel bei, dessen einzige Besonderheit darin bestand, daß die
einzelnen Parts von Behinderten gesungen und gespielt wurden.
Abel hütete seine Schafherde von einem akkubetriebenen Rollstuhl aus, Kain ergrimmte sich in einem massiven Stützkorsett
und mittels diverser Prothesen, und die Engel, die den schrillen
Chor bildeten, waren ganz eindeutig Retardierte und grinsten
immerfort offen das Publikum an. Gott war bloß als eine sonore
Stimme existent, welche aus dem Tonband der Welten Geschicke
lenkte und niemand anderem als Sladek gehörte.

»Was hast du getan! Höre, das Blut deines Bruders schreit zu
mir von der Erde!« tönte der Professor aus den Lautsprechern,
nachdem Kain einen kolossalen Styroporfelsen auf den Kopf des
Rollstuhl-Abels hatte niedersausen lassen. Und in dieser sakral
lächerlichen, gleichzeitig wiederum bizarr romantischen Manier
verstrich die Aufführung und weckte Assoziationen zu vorsintflutlichen Jahrmärkten, deren einzige Sensationen aus den Vor-
führungen diverser Mißgestalteten bestanden, die erbärmliche
Kunststückchen zum besten gaben. Nur als Gefühlsschwärmer
konnte man den ulkigen Tarzan-Urwald und das atonale Geschmetter der gehandikapten Akteure wie ein staunendes Kind,
welches alles in einer kunstschneedurchwirbelten Glaskugel
sieht, in sich aufnehmen und der Angelegenheit doch noch etwas
Entrücktes abgewinnen. Nach einer Eingewöhnungsphase tat

ich genau das, um die Folter durch die Methode der Selbstsuggestion zu lindern. Die Aura meiner Nachbarin verhinderte es zudem, daß in ihrem Wirkungsradius ein Individuum mit männlichen Geschlechtszellen in miese Stimmung geriet.

Wie ich schon eingangs erwähnte, weinte Mercedes leise in sich hinein, und zwar während der gesamten Vorstellung. Ich nahm an, vor Rührung, weil diese armen Kreaturen auf der Bühne trotz ihrer Defekte und Leiden ein so aufwendiges und wundervolles Werk auf die Beine gestellt hatten. Der unfaßbare Glücksfall, zwei Stunden lang ganz dicht neben dem Wesen sitzen zu dürfen, für das ich ohne Zögern mit einem Knopfdruck die komplette Welt vernichtet hätte, erzeugte in mir Temperaturen von klinischem Ausmaß. Das Weinen tat sein Übriges. Ob durch den Fieberwahn oder den Einfluß der besinnlichen Weisen dieser verrückten Oper, Mercedes' tränenüberströmtes Gesicht ließ mir jedenfalls vor perverser Wollust schier die Sinne schwinden, und ich nahm aus den Augenwinkeln jedes noch so winzige Detail ihrer Erscheinung mit der Gier eines Verdurstenden in mich auf: die inflationären diamantenen Tränen, welche in den Augenlidern zunächst eine kleine Lache bildeten, dann überschwappten, eine unregelmäßige Spur bis zu den in tiefem Karmesinrot leuchtenden Lippen zogen und die Schminke aufzulösen drohten; das enervierende Schluchzen, das sich anhörte, als persifliere sie den Schluckauf eines Besoffenen; das zwanghafte Betupfen der roten Nase mit Sladeks Taschentuch, in das sie dann auch gleich hineinschneuzte; das exzessive Beben der Mammutbrüste, die beim Einatmen wie aufgehende Monde himmelwärts trieben und dann beim Ausatmen demutsvoll wie bei einer Niederlage sanken, all diese magischen Schnappschüsse meiner durch langjährigen Voyeurismus geschärften Agentenaugen verwandelten mein Blut in kochendes Titan.

Viel später, viel, viel später erst war ich imstande, den wahren

Hintergrund ihres damaligen Verhaltens zu erkennen – doch da war es schon hoffnungslos zu spät wie so oft im Leben.

Als der Vorhang unter tosendem Applaus endlich fiel und die Darsteller einzeln vor die Bühne traten bzw. fuhren, um sich vor dem Publikum nochmals zu verneigen, war ich schweißgebadet, und der treue Hans mußte mit dem Taschentuch gründlich meinen Kopf bearbeiten, um mich vor einer Selbstüberschwemmung zu bewahren. Nur am Rande bekam ich mit, daß nach dem Abtritt der Akteure rasch ein massives Rednerpult auf die Bühne geschoben wurde. Die Saalbeleuchtung blieb weiterhin ausgeschaltet, und ein grelles Spotlight wurde auf die Kanzel gerichtet, der sich nun, wie nicht anders zu erwarten, unser Chefvorbeter bemächtigte. Unter aufmunternden Zurufen der Rumpfgemeinde und der Gäste bestieg er die Bühnenstufen mit einem beängstigend dicken Manuskript unter dem Arm. Bis wir beschert würden, mußten wir also auch noch diese Marter über uns ergehen lassen. Ohne ihrem Tränensturm Einhalt zu gebieten, applaudierte Mercedes ihrem Liebhaber enthusiastisch, wobei sie paradoxerweise auch zu lachen schien.

Nachdem der Beifall verstummt war, begann Sladek seine Rede mit etlichen Grüßen, Danksagungen und dummen Witzen. Dann fuhr er fort, wie ein Aktionärsvorstand Bilanz zu ziehen über die vielfältigen Unternehmungen der »Verzauberten Jäger« und protzte mit siebenstelligen Umsatzzahlen, die kaum einen Sinn ergaben, da er so gut wie keine Angaben über die Ausgaben machte. Als ich trotz der Augenweide an meiner Flanke im Begriff war, mich mit dem Gedanken an ein gemütliches Nickerchen anzufreunden, wechselte der Professor mit einem Mal Stil und Inhalt seines Vortrages. Vielleicht war das die übliche Weihnachtsbotschaft, die er jedes Jahr zum besten gab, mich jedoch, den Neuling, überraschte er mit dieser abrupten Wende vollkommen, zumal seine Worte kaum in Zusammenhang mit dem vorhergesagten freudigen Allerlei standen. Sein rechtes Augenlid zuckte wieder so heftig wie bei der Willkommensvorstellung, die er zu meinem Einzug gegeben hatte, und auch das Verbissen-Missionarische nahm wie in jener Nacht von ihm Besitz und verstärkte noch sein ohnehin theatralisches Gebaren. Er sprach uns, die Rümpfe, nun direkt an. Was für eine Ehre!

»Und ihr, meine lieben Freunde, die ihr die emsigen Gärtner dieses so überaus fruchtbaren Gartens seid, laßt mich euch sagen, daß die wesentliche Ursache, weshalb die meisten Menschen ein Leben in immerwährender Verdammnis fristen müssen, ihre Unkenntnis darüber ist, was sie einmal waren, was sie werden können und was sie geworden sind.«

Er fummelte an seinem Kragen und seiner seidenen Frackschleife, als stünde er kurz davor, an ihnen zu ersticken. Dann leerte er das vor ihm stehende Glas Wasser in einem Zug, was eine ausgesprochen peinliche Pause zur Folge hatte. Er riß das Mikrophon ohne ersichtlichen Grund näher an seinen Mund und erzeugte damit dumpf polternde Störechos. Wieder einmal schien der Hochverehrte die Kontrolle über sich zu verlieren.

»Die Mehrzahl der Menschen führt ein Leben in erbärmlicher Zufälligkeit. Der Zufall erscheint ihnen wie ein boshafter Herrscher, nach dessen Dekret sie glauben, sich richten zu müssen. Den Zufall nennen sie Pech oder Schicksal, und das Schicksal nimmt ihnen erfreulicherweise jede Verantwortung ab und macht alle Willensanstrengungen überflüssig. Sie wähnen sich als vom Schicksal betrogene und gedemütigte Opfer und wissen in ihrem tiefsten Innern doch, daß sie damit lediglich ihrem geheimen Verlangen nach der Geborgenheit eines unkomplizierten Lebens nachgeben. ›Ich bin in ärmlichen Verhältnissen aufgewachsen!‹ ruft einer, und ein anderer ›Ich bin ein Neger, und deshalb ist meine Zukunft so schwarz wie meine Haut!‹ Und so geht es immer weiter, meine lieben Freunde, das Klagen dieser Zufallsmenschen nimmt kein Ende. ›Ich bin häßlich! Ich bin kontaktarm! Ich habe kein Geld!‹ Gleich einer Gottheit soll auf dieses Gejammere hin das Schicksal ein Einsehen haben und sie schön und gesellig und reich machen. Doch am besten soll es sie als das belassen, was sie sind: ewige Opfer, deren höchstes Entzücken darin liegt, ihr schweres Los in einer Opfersendung des Fernsehens zu verkünden!«

Eine Abordnung greisenhafter Nonnen, die vor mir saßen und offenbar über die angegriffene Psyche unseres Professors nicht informiert waren, tuschelten in aufkeimender Empörung miteinander. Der Rest des Publikums verlor sich zunehmend in Irritation, scheute jedoch eine klare Reaktion, da nicht abschätzbar war, worauf der Verwirrte hinter der Bütt hinauswollte. Alle machten verdrossene Gesichter, als sei in ihren lustigen Budenzauber jäh ein Griesgram hineingeplatzt. Ein Weihnachtsmann, ja, ein grölend-lachender, glockenschwingender Weihnachtsmann mit einem Silberbart bis zu den Stiefeln hätte die blamable Situation vielleicht noch retten können. Doch weder der mit Geschenken beladene Schlitten noch Rentiere waren irgendwo zu sehen. Sladek selbst schien die angespannte Atmosphäre im Saal nicht im mindesten zu stören, so wie es einen Zwangsjackenträger kaum stört, wenn ihm mitgeteilt wird, daß er in letzter Zeit etwas merkwürdige Verhaltensweisen an den Tag gelegt hat. Im Gegenteil, er legte während seiner Rede übertrieben lange Pausen ein, um die umgeschlagene Stimmung der Anwesenden zu genießen.

»Der Geist ist willig, doch das Fleisch ist schwach. Ihr kennt den Spruch, meine lieben Freunde«, zog er erneut vom Leder, ein unerschöpflicher Quell banaler Kalenderweisheiten. Dabei grinste er, als hätte er uns bei irgendeiner Schweinerei erwischt.

»Ich aber sage euch, genau das Gegenteil ist der Fall! Das Fleisch ist in Ordnung. Der Mensch ist eine wunderbare Konstruktion. Sein Geist jedoch, nun ja, er ist außerordentlich störanfällig. Er leidet hauptsächlich unter Trägheit, neigt zur

Hypochondrie und langweilt sich rasch. Flache Freuden und leichtverdauliche Lösungen für die diffizilsten Probleme des Daseins bewohnen die luxuriösesten Suiten darin, während der Wille und die Tatkraft in die verwahrlosesten und verborgensten Kammern verbannt sind. Obgleich dem Menschen im Gegensatz zum Tier die Fähigkeit des Selbsterkennens zugeschrieben wird, ist es gerade er, der so schrecklich blind ist gegenüber seinen Gaben und seinem mächtigen Energiepotential. Von Kleinmut erfüllt, auf Sicherheit bedacht und unfähig, große Taten in Angriff zu nehmen, so geht er apathisch in seiner selbstgewählten Gefängniszelle auf und ab, die er Schicksal nennt, lamentiert über seinen scheinbar gottgegebenen Zustand bei irgendwelchen tauben Wärtern und erhofft weder wirkliche Veränderung noch Erlösung.

Nun, wir wurden heute abend aufs neue Zeuge, daß dies kein Ort der Verzagten und Zaudernden ist. Die aufgeführte Oper war lediglich ein Sinnbild unserer Willenskraft, denn die Bewohner der ›Verzauberten Jäger‹ haben schon weitaus komplexere Dinge zuwege gebracht. Es klingt so abgeschmackt, aber für uns ist es die einzige Wahrheit: Alles im Leben ist erreichbar, immer, überall und ohne Ausnahme – man muß es nur wirklich wollen!«

So oberflächlich weise und so tief schöpfend aus dem Rhetoriklehrgang für ausgebrannte Manager sprach Sladek in einem fort, während meine Ohren allmählich wie durch einen Zaubertrick seine Stimme ausblendeten und alles Geraune und nervöses Hüsteln um mich her gleich mit, bis sämtliche Geräusche zu einem dumpfen, unwirklichen Wabern verschmolzen. Gleichzeitig zoomten meine Augen den Hochverehrten in kristallklare Reichweite, so daß ich ihn in seiner ganzen Frackherrlichkeit mit schweißüberströmtem, heftig zuckendem Gesicht wie in einer Großaufnahme sah. Aus dem Wabern kam seine Stimme nun wie von einer Schallplatte, die mit niedriger Umdrehung läuft, tief, verzerrt und wie mit Hall. Der Grund für diese Bewußtseinserweiterung war derselbe, der mich schon bei unserer ersten Begegnung instinktiv veranlaßt hatte, ihn so sehr zu hassen. Es war ein primitiver Grund, deswegen jedoch nicht weniger zulässig: Wie ein Balken, der von meinen Augen genommen wurde, erkannte ich plötzlich mit unerbittlicher Deutlichkeit, daß Sladek all das besaß, was mir fehlte und immer und ewig fehlen würde. Gewiß, in letzter Konsequenz hätte ich danach jeden gesunden Menschen hassen müssen, der ein erfülltes Leben führte, aber Sladek erschien mir in diesem irrealen Moment wie eine monströse Steigerung aller menschlichen Erfüllung. Mehr noch: Er war die definitive Inkarnation des Traummannes, der ich selbst um den Preis meiner Seele gern gewesen wäre.

Nun endlich war ich imstande, mir den wie schleichendes Gift in meinen Eingeweiden schlummernden Neid auf diesen wundersamen Professor einzugestehen. Zugleich gab mir dieses übermächtige Gefühl Rätsel auf, da ich den Mann andererseits derart lächerlich fand. War es sein Beruf, der ihn zu einem Besessenen machte und ihn so vollends befriedigte wie die Nadel den Junkie? War es seine Schöner-Wohnen-Familie mit dem verdammten obligatorischen Hund, welche ihn als ein reibungslos funktionierendes Glied der Gesellschaft auswies? Oder war es die naheliegendste und am leichtesten zu durchschauende Triebfeder, nämlich sein Verhältnis mit Mercedes, die ihm in manch schwerer Stunde buchstäblich die Stange hielt? War es all das? Oder nichts von alledem?

Ich wußte es nicht. Ich sah ihn nur dort oben am Rednerpult stehen, wie er abgedroschene Kampfparolen an uns Rümpfe abfeuerte, die auch von einem Militärpsychologen hätten stammen können, während er selber hinter der Front ein fideles Leben im Bunker des Wohlbehagens führte, sah, wie abartig gesund, glücklich und potent er wirkte, sah, daß er dank seiner ach so optimistischen Anschauungsweise und seiner niemals versiegenden inneren Kraftquelle jede Krise meistern und wahrscheinlich erst hundertsechsjährig mit einem Grinsen um die Mundwinkel, einem emporgestreckten Mittelfinger und einem süßlichen, alles verlachenden Furz sanft entschlafen würde, sah, daß mich bereits seine pure Existenz verhöhnte, und wußte im selben Augenblick, daß ich mich glückseliger als ein erleuchteter Guru fühlen würde, wenn dieser Mann tot wäre.

Und dann sagte er:

»Das Wort Behinderung kommt in meinem Sprachgebrauch nicht vor, weil es in Wahrheit ein Synonym für Ausrede ist. Außerdem habe ich bis heute keinen Menschen getroffen, der nicht mit einem Defekt behaftet war. Und ich hatte sogar eine Audienz beim Heiligen Vater! Tja, Gott vergißt das Brandmal bei keinem seiner Schafe. Doch jeder, absolut jeder besitzt die Chance, sein Schicksal in die eigenen Hände zu nehmen und die Welt nach seinen Vorstellungen zu gestalten. Alles hängt nur von der Intensität des Willens ab. Denn neben dem Brandmal gibt uns der Allmächtige auch das Brandeisen mit. Es mag absonderlich und bei diesem festlichen Anlaß ein wenig unpassend klingen, aber ich bin der felsenfesten Überzeugung, daß ein Mensch ohne Arme und Beine sogar den perfekten Mord begehen könnte, wenn er es tatsächlich wollte!«

Ich möchte hier ausdrücklich darauf hinweisen, daß also die eigentliche Idee von ihm selbst stammte. Just in dem Moment, in dem er diesen entscheidenden Satz mit der Leichtfertigkeit eines Bombenbastlers ausgesprochen hatte, beschloß ich, nein, schwor ich mir beim pferdefüßigen Beelzebub, ihn beim Wort zu nehmen und umzubringen. Er hatte ja so recht, nichts war unmöglich in dieser wundersamen Welt, vorausgesetzt, man nannte einen kruppstahlharten Willen sein eigen und las jeden Tag eine Lektion aus der Iacocca-Bibel. Wozu brauchte man da noch Arme und Beine oder meinetwegen eine Gallenblase? Das Leben war so etwas wie eine prima gefüllte Mülltonne, und hatte man das Zeug zu einem exzellenten Koch, brauchte man einfach nur hineinzugreifen und gezielt ein paar Leckerbissen rauszupicken, um sich ein schmackhaftes Gericht zuzubereiten. Behinderte veranstalteten heutzutage Olympiaden, stellten Theorien über das Raum-Zeit-Kontinuum auf, programmierten Computer, ja sie traten sogar – hipper ging's kaum – in Opern auf, die kein Schwein kannte. Was, zur Hölle, stand demnach einem perfekten Mord entgegen, der von einem Rumpf begangen wurde!

Ja, alles paßte so nahtlos zusammen: Mercedes' zum Wahnsinn treibende, riechbare Nähe, das sinnige Gleichnis von Kain und Abel, des Professors selbstherrliches Traktätchen über Krüppele, die mittels Willenskraft zu wahren Trapezartisten würden, und letztlich seine Bemerkung über Mord als Tauglichkeitsbeweis. Mein ganzes Sinnen und Trachten war mit derartiger Plötzlichkeit und Effektivität auf das bedeutende Ziel gelenkt worden, daß es mir vorkam, als habe in meinem Schädel eine Explosion von unvorstellbarem Ausmaß stattgefunden und sämtliche, das Wesentliche versperrenden Wälle niedergerissen. War es also ein Wunder, daß ich in dieser Minute meinem Leben spontan eine Wendung gab, deren ungeheuerliche Folgen ich später bedauern sollte?

Mit einem Mal tauchte ich wieder in der Realität auf und ertappte mich dabei, wie ich aufgeregt auf dem Rollstuhl hin- und herrutschte und genau wie alle anderen im Saal Sladek enthusiastische Hosiannas zubrüllte. Dieser hatte offenbar in der Zwischenzeit seine Rede beendet und verneigte sich vor dem Publikum, das trotz des provokant-pathetischen Gefasels seinem Idol weiterhin die Treue hielt. Aber auch meine Begeisterung war echt, hatte doch der Magier mit einem einzigen Abrakadabra aus mir einen neuen Menschen gemacht.

Erneut war Mercedes von ihrem Sitz aufgesprungen. Sie jubelte wie ein gedoptes Groupie ihrem Matador zu, stieß atemlos Bravos hervor, klatschte ihre Hände taub und trampelte wie ein Zebra. Auf diesem Höhepunkt der Sladek-Verehrung – mit einer Weihnachtsfeier hatte das nur noch wenig zu tun – flakkerte auf der Bühne ein Stroboskoplicht auf, und plötzlich ging unter Fanfarenklängen auf den Verehrungswürdigen ein Schauer aus Tausenden von kunterbunten Luftballons sowie Papierschnee nieder, als handele es sich um die Wahlveranstaltung eines amerikanischen Präsidenten. Ganz der bescheidene Star, winkte Sladek mit ausgestreckten Armen ab und forderte so das ausgerastete Auditorium zu nicht ernstgemeinter Mäßigung auf. Dann wandte er uns flink den Rücken zu und begann selbst zu applaudieren, woraufhin der Theatervorhang sich erneut öffnete und die Szenerie präsentierte, die längst überfällig gewesen war.

Endlich war der Weihnachtsmann eingetroffen, und wahrlich, er saß auf einem goldenen Märchenschlitten, überbordend vor glitzernden Geschenkpäckchen, gezogen von Elchattrappen auf Gummirädern. Kains Dschungel hatte einer kitschigen Happy-Christmas-Winterlandschaft Platz gemacht: ein mit Zuckerwatte bedecktes Waldtableau inklusive verschneiter Blockhütte. Und, war es denn die Möglichkeit, in der Kluft des Weihnachtsmannes verbarg sich niemand anderer als mein lieber Freund Edi, der in völliger Mißdeutung der Situation annahm, der Beifall gelte seiner Person. Er geriet in wilde Euphorie, sprang vom Schlitten herunter, riß sich den Wattebart vom Gesicht und die Zipfelmütze vom Kopf, damit wir auf gar keinen Fall an seiner wahren Identität zweifelten, und bot uns sein argloses Mongoloidenlachen dar.

Mercedes, die schräg vor mir stand und nun vor der hellen Bühne wie ein Schattenriß wirkte, hielt mit ihren Freudenbekundungen auf einmal inne, drehte sich im Zeitlupentempo in meine Richtung und beugte sich mit ihrem vom exzessiven Weinen angeschwollenen, entzündet wirkenden und einen morbiden Reiz ausstrahlenden Gesicht zu mir hinunter, so nah, daß ich dachte, der Heiland hätte meine Gebete erhört und sie wolle mich endlich mit einem Kuß bescheren. Doch sie lächelte nur weltentrückt und sagte: »Ist das nicht schön, Daniel? Ist das nicht wunderschön?«

Ein Anflug von Traurigkeit huschte über ihr Antlitz und signalisierte eine Diskrepanz zu ihren Worten, als zweifle sie selbst an ihnen. Diese launenhafte Schwermut machte sie für mich noch erotischer, noch mehr zum Objekt meiner nie erfüllten Begierden, und noch gewaltigere Schübe von Haß und Eifersucht auf Sladek durchzuckten meinen Rumpf, daß ich mich hätte in den Gott des Feuers verwandeln und die ganze Welt mit Lavaschwällen bespeien können.

»Ja«, antwortete ich, ohne mit der Wimper zu zucken. »Wunderschön. Doch warte es nur ab, bald wird es noch schöner!«

In jener Nacht lag ich lange wach, und das, obwohl ich nach der Bescherung zusammen mit Hans, der ebenfalls vor Rührung ganz dahingeschmolzen war, dem Champagner zugesprochen hatte. Es war nicht die Planung des Mordes, die mich am Einschlafen hinderte. Im Gegenteil, diese knifflige Phase betrachtete ich als den Hauptgenuß des bittersüßen Mahls, und ich wollte die Vorfreude darauf so lange hinausschieben, wie es nur ging. Was mich vielmehr beschäftigte, waren all die kleinen Ungereimtheiten, die jetzt wie Tintentropfen im Wasser die schöne Erinnerung zu trüben schienen:

Weshalb beispielsweise hatten die »Verzauberten Jäger« zur Geburt Jesu statt des naiven Krippenspiels den blutigen Urmord aufgeführt?

Die Antwort konnte nur sein, weil Sladeks Größenwahn das Althergebrachte von vornherein ausschloß und das Wort Tradition nur dazu benutzte, um es auf den Kopf zu stellen.

Warum war des Professors Finanzreferat plötzlich in eine schwerverdauliche philosophische Abhandlung mit anschließender Lebenshilfe für Ripper in Rollstühlen umgekippt?

Nun, der Mann war von Natur aus unfähig, sich in seinen Vorträgen an einen roten Faden zu halten, und wich er einmal ab, so führte das unweigerlich zur Geschmacklosigkeit und zu Phrasenkloppen.

Aus welchem Grund hatte Mercedes mich am Anfang lediglich eines verkrampften Lächelns gewürdigt und vorgetäuscht, ich sei ihr fremd, mich später aber so vertraulich angejauchzt, ja sogar mit meinem Namen angesprochen?

Ganz einfach. Der Professor hatte ihr – vermutlich während einer flotten Nummer auf seinem Schreibtisch – von seinem Sorgenkind geklagt, sie war jedoch nicht mutig genug gewesen, das Wiedererkennen gleich zu Beginn unserer Begegnung offen zu zeigen.

Alles ließ sich also logisch erklären. Und selbst wenn es auf diese Fragen keine klaren Antworten gab, so waren sie doch von so wenig Belang, daß sie eigentlich keinen Anlaß zu ernstzunehmender Irritation geboten hätten. Trotzdem . . . Das nagende Gefühl, etwas übersehen oder mißdeutet zu haben, pochte in meinem champagnerdurchfluteten Schädel wie halbbetäubter Schmerz. Schließlich aber siegte der Schlaf, und ich tauchte erneut in das Traumland, in dem ich neuerdings wanderte wie ein Aborigine, der visionäre Brücken zwischen Vergangenheit, Zukunft und dem Jenseits überquert.

In dem Traum war mein Rumpf wie durch Magie wieder um Arme und Beine erweitert worden, ein Umstand, der mich kaum mehr in Erstaunen versetzte. Ich stand auf einer ausgedörrten Steppe. Die Erde war von Rissen durchzogen, die riesenhaften Spinnweben ähnelten. Ein Puzzle aus gebackenem Schlamm. Es war eine dunkelblaue Nacht, und am Firmament glühten Myriaden von blassen Sternen, die genug Helligkeit abgaben, um diese unfruchtbare, öde Welt mit einem silbrigen Schimmer zu erleuchten. Kein einziger Baum, kein Buschwerk, geschweige denn etwas Lebendiges waren weit und breit zu sehen – dafür jedoch der alte Leuchtturm der »Verzauberten Jäger«. Einige hundert Meter von meinem Standort entfernt erhob er sich zum Sternenzelt empor, als habe ihn ein neureicher Texaner zum Ausdruck seiner extravaganten Kunstsinnigkeit hier in die Erde gerammt.

Während ich noch damit beschäftigt war zu ergründen, was ich eigentlich in dieser versengten Landschaft zu suchen hatte, tauchte am Horizont unversehens eine gedrungene Gestalt auf, die irgend etwas zu tragen schien und sich zielstrebig auf den Leuchtturm zubewegte. Als sie näher kam, erkannte ich in ihr die Umrisse eines kleinen Jungen mit den traurigsten Gesichtszügen, die ich je gesehen hatte. Er steckte in einem schäbigen, altmodischen Anzug, der genaugenommen mehr ein Lumpen war, ihn aber wie einen kleinen Erwachsenen ausschauen ließ. Nach und nach identifizierte ich den Gegenstand in seiner Hand als einen großen, geflochtenen Korb, den er mühselig schleppte.

Endlich erreichte der Junge den vom schwachen Glanz der Sterne angestrahlten Leuchtturm und machte in dessen überdimensionalem Schatten halt. Obgleich er sich nun in dieser Düsternis aufhielt, konnte ich genau erkennen, was dort vor sich ging. Er nahm einen Gegenstand von der Größe eines Laibes Brot aus dem Korb und legte ihn behutsam auf den Boden. Dann richtete er sich kerzengerade auf, faltete seine Hände zum Gebet, schloß die Augen und murmelte ganz schnell, geradezu mechanisch, wie es Kinder meistens tun, eine Fürbitte herunter. Dabei sah ich, wie zwischen seinen fest zusammengepreßten Augenlidern eine wahre Tränenflut hervorströmte.

Ich hatte einen Kloß im Hals, ohne daß ich mir den Grund für diese Sentimentalität richtig hätte erklären können. Gerade wollte ich den Jungen auf mich aufmerksam machen und nach ihm rufen, als er sich auch schon von dem Gegenstand auf der Erde mit einem kindlichen Winkewinke verabschiedete, sich abwendete und mit schnellen Schritten in die Weite der Steppe entfernte.

Indem ich das gesamte Leistungsvermögen meiner Lungen beanspruchte, stürmte ich dem Jungen keuchend hinterher, um von ihm Antworten auf Fragen zu erhalten, die ich zwar selber nicht kannte, von denen ich jedoch vollkommen sicher war, daß sie gestellt werden mußten. Aber es war zu spät. Als ich am Leuchtturm eintraf, war er nur mehr ein dünner, bedeutungsloser Strich am Horizont, dahinfahrend in den Sternenwirbel, meine Träume für immer verlassend. Ich sah ihm lange nach, bis er ganz verschwunden war, und eine schreckliche Melancholie erfüllte mich dabei, weil ich mich ihm so verwandt gefühlt hatte.

Dann wandte ich mich dem Gegenstand am Fuße des Leuchtturmes zu. Doch die Traummaschinerie hatte während meiner geistigen Abwesenheit weitergearbeitet, und statt des undefinierbaren Gegenstandes lag jetzt dort unten ein nackter Mann in grotesk verrenkter Pose.

Sein Schädel war gespalten, so daß zwischen den schwarzen Haaren das rosafarbene Hirn durch einen ansehnlichen, in einer Zickzacklinie verlaufenden Riß hervortrat. Für eine Identifizierung gab das Gesicht kaum mehr etwas her, denn es war total zertrümmert. Ein breiter Blutbach, der aus der Kopfspalte quoll, plätscherte über seine geschlossenen Augen, dehnte sich über die gesamte Physiognomie aus und trug dann schließlich zur Fruchtbarmachung der getrockneten Erde bei. Alles in allem hatte es den Anschein, als sei der Mann vom Wärterhäuschen des Leuchtturms hinuntergestürzt und extrem unglücklich gelandet.

Gewiß, ich kannte diesen Mann nicht, und doch spürte ich

73

mit einem Male eine furchtbare Ahnung. Deshalb fragte ich beinahe flüsternd:

»Wer bist du?«

Da schlug der Mann die blutverklebten Augen auf und sagte:

»Ich bin der Hüter meines Bruders!«

4. KAPITEL

»Wahrlich, ich sage euch: Wenn ihr Glauben
habt und nicht zweifelt, dann werdet ihr
nicht nur das mit dem Feigenbaum vollbringen, sondern selbst wenn ihr zu diesem Berg
da sagt: Hebe dich weg und stürze dich ins
Meer, so wird es geschehen. Und alles, was
ihr voll Glauben im Gebet erbittet, werdet ihr
empfangen.«

Matthäusevangelium,
Der unfruchtbare Feigenbaum/Glaube und Gebet

Herr Arnold war ein Mann mit Vergangenheit und deshalb das wichtigste Klötzchen in meinem Baukasten des Blutes. Hätte ich mich damals nicht so sehr in seine, sondern in die Biographie eines anderen Mannes vertieft, wäre der ganze Schlamassel vielleicht vermeidbar gewesen. Vielleicht.

Thaddäus Arnold war Hausmeister bei den »Verzauberten Jägern«, noch augenfälliger jedoch spielte er die Rolle des allgegenwärtigen Faktotums. Es hielt sich hartnäckig das Gerücht, daß er vor geraumer Zeit seinen siebzigsten Geburtstag gefeiert habe, was einem geradezu einen Schock versetzte, wenn man dieses drahtige, von einer Aura der Kraft und Unsterblichkeit umgebene Urviech von einem undichten Rohr zum anderen wieseln sah. Sein Erscheinungsbild wurde geprägt von einem Werkzeugkasten, der die Größe eines Kindersarges hatte, und außerdem von einem graufilzigen Tirolerhut auf dem kahlen Schädel und der zünftigen Krachledernen, die er immer trug. Zwei namenlose, stets unrasierte und das Odeur von frischverdauten Zwiebeln ausdünstende Slawenrecken herumkommandierend, seiner höchstens neunzehnjährigen thailändischen »Gattin«, die er zu einer Art Pawlowschem Hund dressiert hatte, immer wieder die gleichen englischen Brocken zubellend und uns Rümpfe mit kumpelhaft rüden Aufmunterungsslogans bedenkend – so erfüllte Herr Arnold seine Wartungspflichten rotgesichtig und pockennarbig und schwielenhändig Tag für Tag. Der nichts als unterdrückte Aggressionen und stoische Griesgrämigkeit ausstrahlende Mann wäre von meinen Wahrnehmungsorganen kaum jemals geortet worden, hätte er nicht ein apartes Steckenpferd gepflegt, welches sich vorzüglich mit meinem am Weihnachtsabend abgegebenen Versprechen kombinieren ließ.

Herr Arnold war ein passionierter Jäger. Doch dieser Begriff traf den Nagel nur ungenügend auf den Kopf, da die Angelegenheit in Thaddäus' eigenen Worten viel farbiger zur Wirkung kam: »Ich schieße gern Tiere!«

So hatte er gesprochen, als ich während meiner ersten selbständigen Erkundungstour durch das Heim plötzlich in seiner Wohnung im Kellergeschoß gelandet war, weil ich die Orientierung verloren hatte. Die Tür stand offen, also fuhr ich einfach hinein und wurde im Wohnzimmer mit einer Szenerie konfrontiert, die mir den Atem nahm. Jäger besitzen im allgemeinen die Gewohnheit, ihre Wigwams mit einigen abgehackten Köpfen der von ihnen erlegten Kreaturen zu verschönern. Nicht so Thaddäus: Er hatte sämtliche Wände seines Unterstands mit Trophäen *tapeziert!* So dicht an dicht, so verwirrend zahlreich und in derartiger Gattungsvielfalt starrten ausgehöhlte Tierköpfe auf mich herab, daß ich mich für einen Moment wahrhaftig bei einer Führung durch die Arche Noah wähnte. Aus allen Kontinenten waren Opfer zu beklagen: Ein stolzes Nilpferdhaupt prunkte in unmittelbarer Nachbarschaft einer schreckverzerrten Seekuhfratze, und eine Eisbärschnauze mit heraushängender Zunge gesellte sich zu einem Gorillaschädel. Ein prächtiger Moschusochse war der Schmach der Enthauptung entronnen und in seiner Gänze ausgestopft worden. Nun stand er mitten im Zimmer, als sei er soeben in seinen Stall eingekehrt. Ich fragte mich, wie ein Mensch hier sitzen, die Zeitung lesen oder sonst etwas tun konnte, während die exotischen Opfer dieses Massakers einem dabei ständig über die Schulter spähten.

Draußen zerriß ein Wolkenschleier und entblößte die schrille Sonne. Das durch die postmodern gotischen Fenster hereinflutende Licht erweckte die auf den Fellen ruhenden Armeen von Staubkörnchen zum Leben, die die Luft mit ruhelosem Geflitter anreicherten. Hunderte von Glasaugen schossen wilde Reflexe umher und intensivierten die phantastische Atmosphäre.

»Ich schieße gern Tiere!« sagte Herr Arnold.

Er stand plötzlich hinter mir und wippte vergnügt in seinen Wanderstiefeln aus natogrünem Wildleder auf und ab. Ich erschrak im ersten Moment, da ich das spontane Bekenntnis in meiner Überraschung auf mich bezog, doch verflüchtigte sich die Furcht so rasch, wie sie aufgekommen war, als Herr Arnold meinen Rollstuhl sanft durch den Raum gleiten ließ. Es kam mir nicht nur so vor, jetzt *war* es eine Führung durch die Arche Noah.

»Früher gab es noch das Menschenrecht, mein Junge«, erklärte er, während wir eine kleine Galerie ordinärer Gemsköpfe streiften, deren Felle bereits unter Materialermüdung litten und stellenweise beachtliche Löcher aufwiesen.

»»Herrschet über die Fische des Meeres und über die Vögel des Himmels und über alles Getier, das sich auf Erden regt!‹ Das hat Gott gesagt, nicht ich, mein Junge. Doch heutzutage ist es üblich, sich das dreckige Schandmaul über göttliche Gegebenheiten so lange zu zerreißen, bis die natürliche Ordnung auf den Kopf gestellt ist. Am Ende tragen die Frauenzimmer Schwänze und die Verbrecher Heiligenscheine, die sie leider durch unglückliche Umstände verlegt haben. Schwarz ist plötzlich weiß, und ich bin schwul – bloß hab ich es bis jetzt noch nicht gemerkt! Leckt mich doch alle am Arsch! Schau her, mein Junge . . .«

Er setzte seine furchenreiche Pranke auf den Kopf eines schneeweißen Wolfes, der scheinbar ohne ein Befestigungsholz wie mit Brachialgewalt durch die Wand gerammt worden war und uns nun in Bauchhöhe mit einem philosophischen Ausdruck in den Augen anglotzte. Thaddäus tätschelte die Trophäe liebevoll, als handelte es sich bei ihr um die mumifizierten Überreste eines dahingefahrenen treuen Hausgenossen.

»Den Burschen habe ich Winter achtundsechzig in Kanada

zur Strecke gebracht. Einen ganzen Monat lang haben wir uns bei minus zwanzig Grad Celsius gegenseitig belauert und in die Irre geführt. Ich wußte, wer er war, und er, wer ich war. Wir hatten Respekt voreinander.«

»Faszinierend!« jubelte ich. »Und dieser Wolf hatte tatsächlich Respekt vor Ihnen, Herr Arnold?«

»Selbstverständlich, mein Junge. Das Wild hat immer Respekt vor dem Jäger. Weil es das Menschenrecht anerkennt.«

Man konnte in diesem Irrenhaus treffen, wen man wollte, samt und sonders beteten sie den Götzen der tausend hohlen Worte an, der ihnen jeweils den passenden Spruch zu ihrem verschrobenen Weltbild in den Mund legte. Ich hütete mich jedoch davor, in einen Lachanfall auszubrechen, da ich allmählich zu ahnen begann, was die Endstation unserer zoologischen Exkursion sein würde.

Thaddäus ließ von Isegrim, der sich vor lauter Ehrerbietung in die ewigen Jagdgründe hatte befördern lassen, ab und brachte den Rollstuhl wieder in Bewegung. Weiter ging die Rundfahrt an der Legion der Geköpften entlang, wobei mein Chauffeur periodisch das Tempo verlangsamte, mit seinem Zeigefinger auf diese oder jene Sehenswürdigkeit zielte und Datum und Ort der Hinrichtung benannte.

»Zweiundachtzig. Nordaustralien.«

Ein Känguruh. Lahm, sehr lahm. Soweit ich wußte, wurden sowieso jährlich Tausende zum Abschuß freigegeben.

»Neunundsiebzig. Sumatra.«

Ein waschechter Leopard! Das war natürlich etwas für Genießer. Trotz guten Zuredens von Artenschützern, trotz westlicher Überweisungen in Millionenhöhe an die sumatrische Regierung und trotz der allgegenwärtigen Kameras von engagierten Tierfilmern hatte dieses blöde Vieh es nicht unterlassen können, Herrn Arnold seinen Respekt zu zollen. Ein Sieg des Menschenrechts!

»Einundsiebzig. Niederösterreich.«

Ein Hirsch. Na ja.

Allmählich trat Langeweile ein, und ich befürchtete schon, wir würden den Globus noch zigmal umrunden, um die Zeugnisse der evolutionären Vielgestaltigkeit und der Schlampigkeit von korrupten Zollbeamten zu studieren, bis Herr Arnold anscheinend selbst die Begeisterung verlor und er den Rollstuhl vor einem scheußlichen Ölschinken zum Stehen brachte. Auf dem erbärmlichen Bild waren Urmenschen, die einige Bären drangsalierten, zu sehen.

»Zweieinhalb Monate im Herbst und die Hälfte meines Jahresverdienstes sind stets für die Jagd reserviert. Dafür verzichte ich sogar auf den Sommerurlaub. Vor der Abreise besuche ich einen Gottesdienst und lege beim Herrgott für alle seine Geschöpfe, die ich wieder seinem Schoß zuführen werde, ein Gebet ein. Ich lasse sozusagen im Himmel einen Platz für sie vormerken. Dann reinige und öle ich meine Waf...«

»Apropos Waffen...«, schoß es aus mir heraus. Das Stichwort, auf das ich so sehnlichst gewartet hatte wie der räudige Gassenköter auf den ausgelutschten Knochenabfall, beraubte mich jählings der Kontrolle und entlarvte mich selbst als einen Flintenidioten, wenngleich ich nur im metaphysischen Sinne einer war. Herr Arnold aber reagierte wie ein einfühlsamer Kinderpsychologe mit einem wissenden Grinsen um die Mundwinkel und las mir die Begierde buchstäblich von den Augen ab.

»Ja, ja, die Waffen, mein Junge. Bestimmt möchtest du als nächstes mein Waffenarsenal unter die Lupe nehmen.«

Waffenarsenal? Hatte er von einem *Arsenal* gesprochen? Oh, wie tröstlich es doch war, nach all den Jahren der Diskriminierung durch weibische Wichtigtuer und sogenannte Friedensfreunde einem Bruder im Geiste zu begegnen! Die vielen, peinlichen Momente der Selbstverleugnung, in denen man auf empörte Anfragen vorgab, der Grund für die Neugier an Schießprügeln aller Art rühre von einer quälenden Anteilnahme am Zerstörungspotential unserer bösen, bösen Welt her, waren mit einem Male wie ungeschehen.

Über Thaddäus' Holzschnittphysiognomie wanderte ein befriedigter Ausdruck, so als habe er mich nun genau dort, wo er mich von Anfang an haben wollte. Sicherlich ist es die größte Wonne für einen Jägergesellen, seinen Waffenfimmel mit einem Gleichgesinnten oder gar einem Bewunderer zu teilen. Doch vermeinte ich hinter des Hausmeisters tiefgründigem Lächeln noch etwas anderes und recht Beunruhigendes zu erkennen, nämlich die Befriedigung darüber, daß ich ihm ebenso in einem anderen, viel entscheidenderen Punkt auf den Leim gegangen war.

Wie ein professioneller Pantomime tauschte Herr Arnold schlagartig das Rätselschmunzeln gegen die alltägliche Griesgramfassade, schwenkte den Rollstuhl um neunzig Grad nach links und schob mich auf eine Tür zu, welche durch eine Vielzahl von Schlössern gesichert war. Nachdem er diese mit diversen Schlüsseln, die er nach alter Wärtertradition an einem überdimensionalen Metallring am Hosenbund trug, geöffnet hatte, schob er mich endlich in das Allerheiligste seiner morbiden Menagerie.

Und wahrhaftig, er hatte nicht übertrieben, denn wenn eine Kammer den Namen Arsenal verdiente, dann war es in der Tat diese. Drei Vitrinen in der Größe von Schaufenstern dienten als Depot für kostspielige Todesbringer jeglichen Kalibers: alle blitzblank poliert und für das Laienauge mit Messingschildchen bestückt, die vermittels einer feinen Gravur Anwendungsbereich, ballistische Einzelheiten und Fabrikat des jeweilig präsentierten Ausstellungsstückes dokumentierten. Drillinge mit güldenfarbigem Beschlag an der Schäftung und klobige Bock- und Repetierflinten, in deren kanonengleichen Läufen sich soviel Stahlschrot entfesseln ließ, daß man mit einem einzigen Schuß ganze Herden hätte in Fetzen reißen können, ruhten in mattem Glanz und absolut ehrwürdig auf Halterungen aus Edelholz, als seien sie museale Sehenswürdigkeiten, die von der kühlen Moderne überholt worden sind.

Doch neben den zahlreichen Büchsen, Revolvern und Messern, unter denen ein Exemplar tatsächlich »Genickfänger« hieß, und neben Vollmantelgeschossen und Schrotpatronen, die protzend aus Lederbeuteln hervorquollen, offenbarten Sentimentalitäten fotografischer Machart, wer in Herrn Arnolds Kerngehäuse in Wirklichkeit steckte: ein verspäteter Gelegenheitskolonialherr, in dessen verkalkten Arterien unaufhörlich die Sehnsucht pochte, zu den exotischsten Sonnen dieser Welt zu düsen und Flora und Fauna mit seinem Feuersamen zu bestäuben. Denn die vergilbten, in Bambus gerahmten Fotografien zwischen dem Waffengerät waren ein einziges schrillbuntes Potpourri aus barbusigen Negermamas, ewig grienenden Eskimos, asiatischen Kulis und anderen bedürftigen Ungetauften, die den ganzen langen Tag nichts lieber taten, als einen nach der neuesten Waidmannsmode ausstaffierten Herrn Arnold anzuhimmeln. Die bevorzugte Pose des Waidmannes war über Jagddekaden und Kontinente hinweg immer die gleiche geblieben: der rechte Fuß auf ein durch etliche frische Einschußlöcher blutendes Tier gestützt und beide Hände fest um das Mordwerkzeug geklammert. Die Hintergründe waren vollkommen austauschbar und wurden bei näherer Betrachtung zu einem Brei aus blutroten Sonnenuntergängen, Wäldern, noch mehr Wäldern, Savannen, noch mehr Savannen und verrosteten Hinweisschildern in englischer Sprache, daß es sich bei der Örtlichkeit um ein Naturschutzgebiet handele.

Es klingt sonderbar für einen Pistolenfetischisten, doch die Waffen dieses Arsenals waren wirklich und wahrhaftig die ersten realen, die ich je erblickt hatte. Hochglanzprospekte hin, gewichtige Kataloge her, das schwere, zwanghaft polierte Eisen, das in jenen Vitrinen lagerte, entfaltete schon ein beträchtlich nachhaltigeres Wirkungsbukett als all die zigtausend Abbildungen im Briefmarkenformat oder die mit Inbrunst konstruierten Phantasiegeschütze in meinem Kopf. Zugegeben, ich war genauso wie Herr Arnold dem befreienden Reiz der Waffen erlegen. Es gab nur einen, wenn auch kleinen Unterschied zwischen uns: Ich hätte die bewundernswerte Potenz dieser Waffen niemals an Tiere vergeudet.

Der Jäger registrierte voller Stolz und mit einem unergründlichen Amüsement die opalisierende Glut in meinen Augen, streichelte zärtlich ein die Wand schmückendes afrikanisches Schild mit bemalter Rindshaut und riß dann unvermittelt beide Hände deckenwärts.

»All das hier . . .«, verkündete er, und es klang, als hebe er zu einem Gebet an, »all das hier wird eines Tages mein Sohn erben!«

Es ist kein Wunder, daß er mich damit in wilde Verwirrung stürzte, da ich eher darauf vorbereitet war, daß er etwas in der Art von sich gäbe wie: »Und ich werde in keinen Sarg steigen, bevor nicht ganz Indien tigerfrei ist, so wahr mir Gott helfe!« Die trockene Bekanntgabe des künftigen Schicksals von Waffe und Trophäe jedoch, die ohne zwingenden Zusammenhang mit der vorangegangenen Prahlerei stand, platzte in das Schweigen der Waffenkammer wie ein vom Schrot erfaßter und soeben vor Thaddäus' Füße gestürzter Auerhahn hinein. Die Erwähnung seines dermaßen vom Glück begünstigten Sohnes machte ihn für mich verwundbar, sprich sterblich, und setzte ihn vom World-Wildlife-Schrecken zu einem idiotischen alten Mann herab. Offenbar spendete ihm tatsächlich der Gedanke, daß all die Schlachtereien seines Lebens ihren zweifelhaften Sinn behielten, weil die Trophäen von seinem Sohn übernommen würden, einen armseligen Trost, wobei seine Vorstellungskraft allerdings nicht ausreichte, das Schicksal der von Motten zerfressenen Beweise seiner Taten auf einem modrigen Dachboden ins Auge zu fassen. Doch Thaddäus durchschaute meine Enttäuschung keineswegs und fuhr unbeirrt fort, das leidige Erbschaftsthema weiterzuerörtern. »Mein Sohn ist nämlich Arzt. Jahrelang hat er die Zeit zum Geldscheffeln verplempert, indem er sich zu diesem und jenem hat spezialisieren lassen. Nun will er endlich eine eigene Praxis eröffnen. Klar, daß ich ihm dabei unter die Arme greifen werde. Mein ganzes Gespartes wird er bekommen, genau zweihundertsiebzigtausend Mark. Und all das, all das hier, wenn ich einmal abkratze.«

»Na, da wird er sich aber bedanken«, war ich in Versuchung loszuprusten, unterließ es jedoch aus Achtung vor dem Alter. Auch wagte ich ihm nicht die Frage zu stellen, was denn die Thailänderin bei seinem Tod bekommen würde, weil ich keinen erneuten Ansturm auf meine Lachmuskeln heraufbeschwören wollte. Denn es war zu befürchten, daß der alte Knabe mir zu Antwort geben würde: »Den ausgestopften Moschusochsen.«

Aber dies war auch schon der skurrile Ausklang der denkwürdigen Begegnung, die damals schon in weiter, weiter Ferne zurücklag. Was Herr Arnold danach zum besten gab, verschmolz in meiner Erinnerung zu einer trüben Collage aus Fachsimpelei über den idealen Munitionseinsatz bei besonders großen Tieren – wie zum Beispiel Elefanten oder Direktoren von Behindertenheimen (meine Einfügung) –, Spekulationen über die Wertbeständigkeit von präpariertem Wild und dem unmotivierten Vorzeigen einer grünen Karte, die ich zunächst für seinen Jagdschein hielt, die ihn jedoch nur als Mitglied der »Gesellschaft für Humanes Sterben« auswies.

Eine Ewigkeit schien nach jenem Zusammentreffen vergangen zu sein. Da stand ich nun, vielmehr ich lag in meiner behaglichen Koje, und zwar am ersten Morgen des jungfräulichen Jahres, als ein Geistesblitz meine Gedanken plötzlich wieder auf den schwerbewaffneten Aufseher des Zoos der Geköpften lenkte.

Grauenerregende Träume, in denen ich halbtoten Gestalten mit grausigen Wunden und Verstümmelungen begegnet war, hatten mich wie in den vorangegangenen Tagen abermals sehr früh aus dem Schlaf gerissen. Ich drehte den vom kalten Angstschweiß nassen Kopf zur Seite und sah trotz der alles durchdringenden Finsternis fette Schneeflocken wie verrückt gewordene Bakterien unterm Mikroskop hinter dem Panoramafenster wirbeln. Und während der Tag in einem deprimierenden Grau in Grau anbrach und ich in den warmen Federn das Schauspiel des Schneegestöbers über dem Meer genoß, spekulierte ich darauf, daß alle bösen Träume ein Ende finden würden, sobald das blutige Gelübde erst einmal eingelöst worden war.

Die anfängliche Begeisterung war inzwischen der krankmachenden Suche nach einem idealen Mordwerkzeug in Menschengestalt gewichen, das ich aus der Population der »Verzauberten Jäger« herauszufiltern erhoffte. Denn natürlich stand es von vornherein fest, daß ich Sladek nicht selber die Lebensglühbirne würde ausknipsen können. Abgesehen von dem naheliegendsten Grund – wie hätte ich ihn als Rumpf erdrosseln, guillotinieren oder zu Tode kitzeln sollen? – sprach noch eine weitere ärgerliche Tatsache gegen ein persönliches Vorgehen. Das größte Problem bestand nämlich darin, daß ich mehr als die Hälfte des Tages unter den Argusaugen meiner Leibglucke Hans verbrachte. Rechnete man von dem verbleibenden Rest noch die Schlafenszeit ab, blieben Summa summarum höchstens zwei Stunden übrig, in denen ich ganz für mich allein war. Selbstverständlich stand mir die Möglichkeit frei, wann immer ich mochte, Hans unter einem Vorwand fortzuschicken oder ihn einfach zu bitten, mich allein zu lassen. Außerdem war der Brave kein Schutzengel der kontrollierenden Kategorie und respektierte meinen Wunsch nach einer Privatsphäre, wenn ich nicht gerade an Durchfall litt. Doch hätte die Inanspruchnahme dieser Freiheit nicht einen Regelbruch des Gesellschaftsspiels »Der perfekte Mord« bedeutet? Nein, ich wollte mich strikt an Sladeks Maßgaben halten und mit meinen eigenen bescheidenen Mitteln den Olymp der sophisticated Killer erklimmen. Genauer gesagt, es mir einfach zu machen, beleidigte mein Ehrgefühl und meine Intelligenz. Auch Mörder sind eitel!

Ein weiterer Grund, alles beim alten zu belassen, war wahrscheinlich auch die Besorgnis, jemand könne später einen Zusammenhang zwischen meiner selbsterwählten Eremitage und dem Mord herstellen. Ich gestehe, dies war vermutlich ein wenig paranoid gedacht, aber schließlich schwebte mir das Niedermachen Sladeks als eine Art hehres Kunstwerk vor, an dem es nicht den geringsten Makel geben durfte. Und zu guter Letzt spielte da die Sache mit dem Alibi noch eine Rolle, obgleich der Detektiv, der mich des Mordes bezichtigt hätte, ohne langes Fackeln in die Klapsmühle verfrachtet worden wäre. Doch sicher war sicher, und deswegen brauchte ich Hans zur Tatzeit unbedingt in meiner Nähe. Es war also unabdingbar, daß statt meiner ein anderer den Professor vom Erdboden vertilgen mußte. Nur wer? Und warum?

Womit wir wieder beim besagten Geistesblitz wären.

Leise, fast zärtlich klopfte es an meine Tür, eine Geste bar jeden Sinnes, hatte ich es mir doch seit meinen Kindertagen zur Gewohnheit gemacht, nie abzuschließen. Durch das sture Starren auf den draußen tobenden Schneewirbel hatte ich mich mittlerweile in einen Zustand der Hypnose versetzt. Was blieb mir anderes übrig? Hans trat nach einer Höflichkeitspause mit der schablonenhaft zuversichtlichen Morgenphysiognomie des Schwerbehindertenpflegers ein und huschte ins Badezimmer, um die Utensilien für die tägliche Waschzeremonie vorzubereiten. Allerdings fiel ihm der Optimismus an diesem Morgen sichtlich schwer, da er genauso wie ich an einem mordsmäßigen

Silvesterkater litt. Zudem hatten wir beide ein von Sladek höchstselbst entfachtes, größenwahnsinniges Feuerwerk auf der Dachterrasse hinter uns.

»Morgen, Daniel. Neues Jahr, neues Glück!« hörte ich ihn aus dem Bad aufgesetzt zwitschern.

Und genau in diesem Moment maßloser Trostlosigkeit, der grausamen Erkenntnis, daß wieder ein sinnloses Jahr seinen Lauf genommen hatte, durchzuckte mich der Geistesblitz wie ein peinlicher Furz in nobler Runde. Derart unerwartet und mit solcher Wucht erfaßte der Einfall jede meiner Nervenzellen, daß ich vorübergehend der absurden Panik verfiel, sogar der arglose Hans im Bad müsse in dem Kraftfeld, das uns umgibt, eine Unregelmäßigkeit wahrgenommen haben. Als er jedoch ohne Stockung seine morgendlichen Nichtigkeiten weiterträllerte, spürte ich in mir warme Freude gepaart mit fiebriger Erregung aufkommen. Genaugenommen hatte der Gedanke von Anfang an die Landepisten meines Gripsflughafens überflogen. Aber jetzt war er urplötzlich gelandet und so zur kristallenen Gewißheit geworden: Thaddäus Arnold sollte Robert Sladek umbringen!

Hans schlurfte aus dem Badezimmer, griff sich theatralisch an die Stirn und stöhnte qualerfüllt. »In meinen sorglosen Studienjahren kannte ich ein todsicheres Rezept gegen den dicken Schädel. Eine Mixtur aus irgendeinem exotischen Schnaps, Mineralwasser und zahllosen Gewürzen. Sie schmeckte abscheulich, aber half auf der Stelle. Jetzt habe ich die Mischung vergessen, und über diesen Verlust könnte ich in Tränen ausbrechen, was ich auch hiermit tue.«

»So manch ein Zauber, der das Leben erträglicher macht, geht in fortgeschrittenem Alter verloren, lieber Hans. Das ist der Lauf der Welt. Aber versuch's doch mal mit den gesammelten Reden unseres hochgeschätzten Professors. Du weißt, im Kosmos ist Balsam.«

»Ebenso wie Bitternis«, erwiderte Hans argwöhnisch und ging an seine Pflicht. Mit schmerzverzerrtem Gesicht, über das man förmlich die munteren Dämonen der Hölle flirren sah, neigte er sich zu mir, nahm mich in seine starken Arme und transportierte mich ins Bad. Dort kickte er mit dem rechten Fuß den Klosettdeckel nach oben, streifte mir das Unterhöschen ab und brachte mich in die ideale Schwebeposition über der Schüssel.

Des Lebens banale Unumgänglichkeiten brachten es mit sich, daß ich auch an diesem Morgen »den Großen« verrichten mußte, wie wir das gestankreiche Bedürfnis, das merkwürdigerweise mit zunehmendem Alter noch gestankreicher wurde, halb im Scherz, halb verschämt nannten. Um jedoch der Folter des Sinnierens über unser groteskes Tun zu entfliehen, hatten wir es uns zur Gewohnheit gemacht, über ein völlig aus dem Nichts gegriffenes Thema zu plaudern, meistens über das Wetter. Es war die Art von Unterhaltung, die ohne Sinn und Anlaß schier panikartig losbrach und allein der Ablenkung von der tragikomischen Situation diente. Instinktiv spürte ich jetzt die Gunst des Augenblicks, die absolute Unverfänglichkeit eines jeden jetzt dahergeschwafelten Wortes. Und so gebar ich gerade einen besonders üblen Burschen, als ich Hans wie nebenbei aufforderte, doch etwas über Herrn Arnold zu erzählen. Er war zunächst ein bißchen irritiert, und ich spürte ganz deutlich den Drang in seinen Armen, mich wie eine verstopfte Mülltonne kräftig durchzuschütteln, damit ich mich mit einem Ruck entleerte und das betrübliche Ritual zu einem raschen Ende führte.

»Nun, er ist Hausmeister«, sagte er nach einer Weile. »Soweit ich weiß, ist er schon immer Hausmeister gewesen, seit etwa fünfzig Jahren. Das hat er mir jedenfalls irgendwann erzählt.«

»Seit fünfzig Jahren Hausmeister?«

»Ja, das sagte er. Weißt du, ich schätze den Mann nicht besonders, deshalb kommen wir kaum ins Gespräch. Ich wüßte auch nicht, was ich mit so einem bis an die Zähne bewaffneten Gartenzwerg zu bereden hätte. Ich bin nämlich überzeugter Pazifist, mußt du wissen. Sowohl im Menschen- als auch im Tierreich.«

Es war vollbracht, und nachdem Hans die Spülung betätigte, ohne mir Gelegenheit zu geben, das frischerschaffene Kunstwerk mit einem Blick der Genugtuung zu würdigen, griff er umgehend nach einem riesigen Streifen Klopapier und ging zum Polieren über. Dann setzte er mich in die Badewanne und traktierte mich mit Duschbrause und Seife.

Hans hatte unbestritten seine Vorzüge. Ich mochte es, wenn er mit seinen feinfühligen Fingern meinen Rumpf einseifte, mir das Haar schamponierte, fachkundig die Kopfhaut massierte und bei alledem niemals vergaß, mich mit einer Hand von hinten sanft abzustützen, so daß ich richtig auf dem Hintern saß und nicht wie ein Baby rücklings in der Badewanne lag, ausgeliefert, hilflos und ohne jede Würde. War es angesichts derartig vorbildlicher Wartung eine Schande, daß die Ursache für die Anschwellung des einzigen aus meinem Rumpfe emporragenden Organs keineswegs, wie ich immer behauptete, vom Phänomen der sogenannten Morgenlatte herrührte? O nein, mein lieber Herr Gesangsverein der hohen Tonart, nie und nimmer im Leben hatte ich auch nur ein Wispern vom anderen Ufer vernommen, noch war ich in Ermangelung weiblicher Wäscherinnen zwischenzeitlich auf virile Badefreuden schmierigsten Niveaus gesunken. Nein, wahrhaftig nein, ich schwöre beim gebenedeiten Oscar Wilde, was jener Magie der Morgentoilette innewohnte, war nichts weiter als die vollkommene, nichtsdestoweniger harmlose körperliche Entspannung, ja meinetwegen auch Enthemmung eines von Berührungen nicht gerade verwöhnten Rumpfkindes, dem das Glück zuteil geworden war, von einem Zufallsmenschen gepflegt zu werden, der nun mal äußerst liebreiche Züge und Fertigkeiten hatte. Der Rest war, nun ja, rein physische Mechanik oder meinetwegen ein unwillkürliches Zeugnis der Sympathie, und damit Schluß.

»Weißt du, was das Drollige an der ganzen Angelegenheit ist?« fragte Hans, während er mir den Schaum vom Leibe spritzte. »Der Kerl, ich meine, dieser Jäger-Arnold, der hat doch glatt seine so überaus bedeutende Hausmeistertätigkeit ausschließlich in Behindertenheimen ausgeübt. Er war in all den fünfzig Jahren immer nur der Hausmeister eines Heimes gewesen. Stell dir das mal vor.«

Gewußt hatte ich es nicht, aber bis an die Grenze einer Wahrsagung geahnt. Schließlich war ich ja offizieller Horoskopist.

»Stimmt nicht ganz«, verbesserte sich Hans nach einer halben Minute. »Er faselte noch irgendwas von einer Unterbrechung von drei Jahren, gleich nach dem Krieg oder so. Muß wohl eine ausgedehnte Safari unternommen haben, das verknöcherte Aas.«

Er warf ein fast bettlakengroßes Handtuch über mich und mummte mich darin völlig ein, so daß mir einstweilen die zum Kombinieren nötige Finsternis vergönnt wurde. Während seine Finger mit dem Frottee mein bißchen Körper abrubbelten, was ich normalerweise in der Manier der oben geschilderten unschuldigen Geisteshaltung zu genießen pflegte, versuchte ich aus all den aufgeschnappten Wissenspartikeln eine Tinktur zu destillieren, die Thaddäus allmählich die Kehle zuschnüren und ihn so zu einem unbedachten Ausbruch verleiten sollte. Das Motiv, weshalb Herr Arnold seine Jagdkunst ausgerechnet an unserem Wunderprof zur Anwendung bringen sollte, bestand eigentlich aus einer funkelnagelneuen, vor etwa zwei Sekunden aufgekeimten Hoffnung, die sich auf Hans' letzte Bemerkung bezog. Gewiß, es war bei näherer Betrachtung eine ziemlich blödsinnige Hoffnung, entbehrte aber trotzdem nicht einer klitzekleinen realistischen Berechtigung. Denn ohne den geringsten Schatten eines Zweifels konnte ich mir vorstellen, daß das verknöcherte Aas nach dem Krieg keineswegs eine ausgedehnte Safari unternommen hatte. Ganz im Gegenteil, anstatt mit afrikanischen Weiten mußte der Waidmann sich dummerweise mit der heimischen Enge begnügen: Er saß nämlich in jener Zeit im Knast.

Hans streifte mir das Handtuch vom Leib, und wie aus den Tiefen des Meeres tauchte mein Kopf in das trübe Licht des Tages empor. Wir strahlten uns frohgemut an; unser beider Kater war auf einmal wie weggeblasen.

»Hans«, sagte ich euphorisch lachend. »In der dunklen Geborgenheit dieses Handtuches habe ich soeben einen begnadeten Entschluß gefaßt.«

»Verrate's mir ganz schnell, mein Freund.«

»Ich werde ein Buch über die Geschichte meiner Spezies, eine aufregende Dokumentation über Behinderte verfassen. Es wird ein einzigartiges Werk, und den Titel weiß ich auch schon: ›Die unerträgliche Leidensfähigkeit der Ritter der Pein‹. Poetischer Slogan, was? Und kommerziell! Ist dir schon mal aufgefallen, daß so manch eine Ansammlung von Schwachsinnigkeiten nur aufgrund eines total leeren, jedoch den grauen Alltag des Lesers mit einer lyrischen Losung begleitenden Etiketts die Bestsellerlisten stürmt? Nein? Lassen wir das. Ein jeder wird diese Chronik verschlingen, weil ihre für das Massenpublikum auf den ersten Blick unappetitlichen Helden zu Monstern mit grotesken Deformationen und herzzerreißenden Schicksalen hochstilisiert werden. So richtig etwas zum Schmökern für die Wintertage!«

»Du bist wahrhaftig ein Genie, Daniel!« sagte Hans und öffnete erneut den Mund, um weiterzusprechen. Doch wie immer war ich schneller.

»Das weiß ich. Aber machst du dir auch eine Vorstellung davon, welch aufwendige Recherche ein derartiges Projekt erfordert? Wer hat das Holzbein erfunden? War Napoleon Epileptiker? Fragen, die nach Antworten schreien! Deshalb wollen wir uns nun flugs in die Bibliothek begeben und Material über das Dritte Reich sichten.«

»Drittes Reich? Ich vermag deinem genialischen Gedankenfluß kaum zu folgen, mein Freund.«

»Das ist doch ganz einfach, du Idiot! Noch nie etwas von ›Ballastexistenzen‹ oder ›leeren Menschenhülsen‹ gehört? Das waren nämlich noch die geschmackvollsten Bezeichnungen, die die Nazis für Behinderte hatten. Tüchtig, wie die Hüter der Volksgesundheit waren, entwickelten sie für die sogenannten unnützen Esser eine besonders effektive Therapie: schönes Ausscheiden aus der Welt der Atmenden durch eine Lunge Gas, damals kurz Euthanasie oder lang ›Vernichtung lebensunwerten Lebens‹ genannt. Logisch, daß man sich für diesen Zeitabschnitt am brennendsten interessieren wird, weil schockgleiches Entsetzen, Melodrama und rechtschaffene Entrüstung die perfekten Ingredienzen für das abgeben, was man im allgemeinen als ein erschütterndes Sachbuch zu bezeichnen pflegt. Denn stell dir die Flut der ergreifenden Fälle einmal vor: Da ist dieser junge Schizophrene, der so virtuos Violine spielt, oder jener hübsche Autist, der mit Vorliebe für die Dorfkinder Spielzeugpferde schnitzt. Sie alle ereilt das garstige Schicksal in Gestalt von muskelbepackten, schlechtrasierten Heimangestellten, die sie ausziehen, fotografieren und in die als Duschräume getarnten Gaskammern einpferchen. Na, ist das nichts!«

Nun war Hans vollends Feuer und Flamme für meinen grandiosen Beschiß, und er gelobte an Ort und Stelle mir jede erdenkliche Unterstützung zukommen zu lassen. So ergab es sich, daß wir nach der Vollendung des Toilettenrituals und eines ausgedehnten Katerfrühstücks dem Kranken in der Hausbibliothek einen Besuch abstatteten.

Der Kranke verdankte seinen Namen weder der diffusen Diagnose eines Arztes noch dem Hohnruf eines taktlosen Pflegers. Nein, er war wirklich und wahrhaftig, na ja, wie soll ich's sagen, *krank!* Ich habe bis heute nicht den blassesten Schimmer, an welcher Krankheit bzw. an welcher unfaßbaren Fülle von Krankheiten dieses bemitleidenswerte Geschöpf gelitten hat. Es war geradeso, als hätten sich sämtliche Gebrechen und Leiden zu einer verschwörerischen Konferenz getroffen, sich heillos zerstritten und dann beschlossen, alle auf einmal diesen armen Kerl zu überfallen.

Ich sage jetzt mal, daß der Kranke so um die Mitte Dreißig war. So genau konnte man das bei ihm nämlich nicht bestimmen, denn seine bizarre Erscheinung bewegte sich jenseits aller äußerlichen Altersstereotypen. Vielleicht war er in Wirklichkeit zwanzig – oder achtzig, wer wußte das schon so genau. Den unauslöschlichsten Eindruck machte sicherlich sein monumentaler Buckel, welcher vermutlich selbst wiederum einen kleinen Bruder oder eine ganze Buckelfamilie beherbergte. Doch ein pelerinenartiger, düstergrauer Umhang verbarg den gesamten Leib und gab lediglich hie und da, meist während einer raschen Bewegung, Anlaß zu ungeheuerlichen Mutmaßungen. Der Kopf des Kranken wäre bei einem flüchtigen Blick glatt als die ungeschickt gefertigte Knetmassenschöpfung eines Kleinkindes durchgegangen, hätte man ihn im nächsten Moment nicht als eine reale, aus Fleisch und Blut und grotesk deformierten Knochen bestehende Absurdität identifiziert. Geometrische Begriffe erwiesen sich als vollkommen untauglich, wollte man auch nur eine ungefähre Beschreibung dieses riesenhaften, verschrumpelten Gebildes liefern. Teigige Wülste durchzogen das Gesicht, unter denen die Augen und die Nase fast verschwanden. Diese Wölbungen und Knoten waren teilweise entzündet und vereitert, so daß sie beständig ein gelbliches Sekret ausschieden und in dessen Glanz schwach schimmerten. Der

Mund war extrem klein geraten und an der rechten Seite merkwürdig nach oben verzogen. Der Kranke trug stets eine flache Strickmütze auf dem Kopf, deshalb konnte man über seine Haarpracht nur Vermutungen anstellen. Aber zwei, drei dünne Strähnen, die unter dem Mützenrand hervorlugten, ließen darauf schließen, daß das alles war, was er an Haaren zu bieten hatte. Die dubiosen Fleischwülste setzten sich an den lediglich als grobe Greifwerkzeuge einsetzbaren Händen fort, übrigens die einzigen Gliedmaßen, die außer dem Kopf noch aus der Pelerine hervorschauten.

Die größte Irritation löste der Kranke jedoch durch sein zyklisches und gänzlich unmotiviertes Grölen aus. Mitten im Satz oder einfach in die unschuldige Stille hinein ließ er ohne Vorwarnung dieses furchtbare, beinahe melodiöse, ohrenbetäubende Gegröle vernehmen, so daß man vor Schreck heftig zusammenzuckte und jedesmal wieder geneigt war, ihn nach der Ursache der Eruption zu fragen. Wäre ich ein Texter, der Comic-Helden mittels Sprechblasen Verbalität verleiht, und müßte ich diesen unwillentlichen Schlachtruf schriftlich dingfest machen, so würde ich es mit einem recht effektvollen »Ahhhhhhhrrrrrrrg!« versucht haben.

Doch trotz dieses gerade in seiner totalen Verhüllung noch mißgestalteter wirkenden Körpers, trotz fahrlässiger Aufschreie, peinlich und tragisch zugleich, und trotz eines gelegentlich leuchtdiodenhaften Aufblitzens in den kaum sichtbaren Augen war der Kranke ein Mann des geschliffenen Wortes, der prophetischen Sprüche und des faustischen Humors. Deshalb und seiner beinahe pathologischen Bibliomanie wegen hatte man ihn mit der Arbeit in der Bibliothek beauftragt, in der er herrschte wie das Phantom in der Oper.

Wohlvertraute Laute drangen an unsere Ohren, als wir über die Marmorpiste des Ganges mit einem Affentempo auf die Bibliothek zurasten. Hans hatte an der rechten Radnabe des

Rollstuhls einen Bügel montiert, der nach unten zeigte und an dessen Ende, etwa fünf Zentimeter über dem Boden, eine pedalartige Metallauflage angebracht war. Mit dem rechten Fuß darauf ruhend, den linken zwecks rascher Fortbewegung vom Boden abstoßend, so kutschierte mich mein verwegener Fußpilot neuerdings mit Spitzengeschwindigkeiten durch die Heim-Highways, was uns immer wieder Rüffel von gemäßigten Verkehrsteilnehmern oder Passanten einbrachte. Wir nahmen in selbstmörderischer Rasanz eine scharfe Linkskurve, stürmten in die Bibliothek und machten mit quietschenden Reifen vor dem gläsernen Ausleihpult eine so heftige Vollbremsung, daß ich aus dem Rollstuhl herausgeschleudert worden wäre, hätten mich nicht erstklassige Rennfahrergurte, die Hans unlängst eingebaut hatte, zurückgehalten.

Die Bibliothek befand sich in der obersten Etage der Anlage und war genaugenommen ein überdimensional geratener Wintergarten. Aber anstatt Topfpflanzen und Korbliegen gewährte das behindertengerecht mit diversen offenen Minifahrstühlen ausstaffierte Glashaus einem komplexen Irrgarten aus Bücherregalen Asyl. Ich fragte mich manchmal, ob diese verschlungene Anordnung auf eine Anweisung des Kranken zurückging. Denn es war allzu durchschaubar, daß er diesen luftigen Ort, der mit Tausenden von Objekten seiner Begierde gefüllt war, als sein ganz persönliches Heiligtum betrachtete. Aus diesem Grunde war er bestrebt, den darin herumtrampelnden, ungebildeten und aus seiner Sicht sicher unreinen Störenfrieden die Orientierung so schwer wie möglich zu machen. Abgeschreckt von der scheinbar fehlenden Systematik, wandte man sich bei einem Ausleihwunsch von vornherein an ihn, und es lag dann allein in seiner Macht, einen dann durch das Labyrinth zum gesuchten Buch zu führen wie eine grantige Puffmutter den Freier zu der Nutte.

Dank der Totalverglasung fand in der Bibliothek bei Sonnenschein ein Festival des Lichtes in den märchenhaftesten Facetten und Reflexionen statt. Man geriet dann in diesem Buchstabentempel voll sirrender Helligkeit in so erquickliche Stimmung, daß man ihn gar nicht mehr verlassen wollte, wären da nicht die giftigen Blicke des Kranken gewesen, die einem das Gefühl suggerierten, man beginge auf Schritt und Tritt ein unaussprechliches Sakrileg wie das Bepissen eines Altars. Während nun jedoch die Schneeflocken gemächlich und verstohlen wie eine Fallschirmspringereinheit auf den Lichthof niedergingen und der Himmel eine einzige undurchdringliche Wand aus Blei war, hatte sich hier in der lautlosen Zwiesprache der ungezählten Bücher eine trübe Atmosphäre breitgemacht, die etwas Verschwörerisches besaß.

Der Kranke beendete soeben einen seiner willkürlichen Schreie und schaute von dem Buch »Die Elixiere des Teufels« mit grimmiger Miene zu uns auf. Auch er hatte offensichtlich letzte Nacht einen Kelch zuviel zu sich genommen, denn die gelblichen Absonderungen seines Gesichtes waren jetzt grün, falls das gedämpfte Licht der Leselampe zu seiner Linken nicht täuschte. In seinen Augen jedoch lag jenes magische Funkeln, das immer erschien, wenn hinter der Maske Geistesschlachten mit unergründlichen Zielsetzungen tobten.

Nachdem er uns wegen der albernen Erstürmung seiner Bastion eine Minute lang mit halb erzürntem, halb geringschätzigem Blick schweigend getadelt hatte, senkte er den Kopf und schaute wieder in das Buch in seinen Klauen. Hans wischte sich mit dem Ärmelaufschlag den Schweiß von der Stirn und setzte zu einer Begrüßung an.

»Heute ist die Bibliothek geschlossen!« blockte der Kranke ab. »Und ebenso morgen und übermorgen. Insgesamt ergeben sich also drei Tage, in denen hier nichts läuft. Was kann diese schlichte, aber sehr klare Aussage nur bedeuten? Vielleicht Neujahrsferien?«

»Ach komm, spiel auf diesem abgekoppelten Satelliten nicht normale Welt«, sagte ich. »Wir sind hier, du bist hier und die Bücher sind hier. Erfülle unsere Wünsche, dann kannst du wieder deine Gummipuppe aufblasen, die du bestimmt gerade unter deinem Umhang versteckt hast.«

Er riß plötzlich die Augen auf, und ich rechnete damit, daß er jetzt von seinem Sitz hochschießen und mich anfallen würde, doch er sandte lediglich ein resignierendes »Ahhhhrrrrg!« gen Himmel und sackte wieder in sich zusammen.

»Wir möchten lediglich, falls vorhanden, einiges Informationsmaterial über den Behinderten im Spiegel der Zeitgeschichte«, versuchte Hans die Wogen zu glätten. »Daniel trägt sich nämlich mit dem Gedanken, ein Buch über behinderte Ritter zu verfassen.«

»Keineswegs möchten wir das, guter Freund«, korrigierte ich. »Was wir vornehmlich benötigen, ist Fachliteratur über das sogenannte Euthanasieprogramm der Nationalsozialisten und seine Folgen. Tatsachenberichte und, wenn es irgendwie geht, Dokumente, die Namen oder Fotos von Personen enthalten, die den Massenmord bewerkstelligt haben. Auch Gerichtsakten über Prozesse, die nach dem Krieg gegen die Täter geführt wurden, kämen mir gelegen. Ich will darüber alles erfahren, alles. Insbesondere interessieren mich Aktenstücke über das Pflegepersonal, das nach Kriegsende zur Verantwortung gezogen worden war. Sicher wirst du nicht das ganze Zeug in der Bibliothek haben. Aber du kannst ja schon mal deine Fühler ausstrecken und dich ans Bestellen machen.«

»Ich brauche nichts zu bestellen. Ich habe alles hier«, sagte der Kranke, Mister Coolness himself.

»Was? Was hast du alles hier?«

»Na, das ganze verdammte Euthanasieprogramm, so umfangreich, daß dagegen der komplette Brockhaus vergeblich anstinkt! Akten über Akten und Namen und Fotos!«

Er grinste uns im schwachen Schein der Leselampe schelmisch zu, was die Ungeheuerlichkeit seiner Gesichtslandschaft noch steigerte.

Die letzten Worte des Kranken hatten in mir erneut dieses gummiartige Gefühl ausgelöst, das allmählich fester Bestandteil eines jeden Tages zu werden schien: ein Gefühl gänzlicher Irrealität, so als würden imaginäre Finger geschnalzt und darob kühnste Wünsche erfüllt. Keine Komplikationen, keine Rückschläge, das Leben ein Deppentraum. Und wieder war es so wie auf der surrealen Weihnachtsfeier: Alles paßte so verflucht gut zusammen. Es hätte mir zu denken geben sollen, tat es aber nicht, weil ich die Scheuklappen der drei ehrgeizigen Geschwister Haß, Neid und Eifersucht vor den Augen hatte und einzig und allein das begehrenswerte Ziel sah, so wie der naive Kreditnehmer nur das hübsche Eigenheim sieht, aber leider nicht die tödliche Zinsenfalle, die ihn den Seelenfrieden, die Ehe und schließlich das Leben kostet.

Nichtsdestotrotz gab ich mir wenigstens den Anschein, Herr meiner Sinne zu sein, und machte den kläglichen Versuch einer Spitzfindigkeit: »Seltsam, seltsam . . . Da hat man nichts Böses im Sinn und erkundigt sich in aller Harmlosigkeit nach Papieren, die so manch einem unscheinbaren Rentner beim bloßen Gedanken an ihre Existenz für ewig den Schlaf rauben würden, und, Wunder über Wunder, sie befinden sich ausgerechnet in unserem intergalaktischen Spukschlößchen. Wenn das nicht ein irrer Zufall ist!«

»Überhaupt kein Zufall«, erwiderte der Kranke, der auf meine Argwohnattacke scheinbar fabelhaft vorbereitet war. Ächzend, die Wirbelsäule so weit nach vorne gekrümmt, bis eine geradezu karikaturhafte Dienerhaltung eingenommen worden war, erhob er sich von seinem Stuhl und humpelte in Richtung der düsteren Korridore zwischen den Regalen. Hans ließ ihm den Rollstuhl sachte folgen.

»Wie du weißt, hat sich unser lieber Professor dem Dilemma des kranken Menschen mit Leib und Seele verschrieben. Seine Anteilnahme für Behinderte reicht so weit, daß man ihn selbst für behindert halten könnte, wäre er nicht so aberwitzig gesund. Irgendwer muß dem guten Mann kräftig ins Gehirn geschissen haben . . .«

Die letzten Worte nuschelte er, und wir Hintermänner konnten ihn kaum verstehen.

»Was hast du gesagt?«

»Ich sagte, irgendwann muß ihn das Fieber gepackt haben. Doch Professor Sladek ist nicht bloß von der Krankheit als Form der menschlichen Unzulänglichkeit fasziniert; sie beeindruckt ihn auch als ein wichtiges Gesellschaftsphänomen, das der intensiven Untersuchung bedarf. Gäbe es einen Preis für das verlogenste Arschloch auf Erden, ihm wäre der vergoldete Anus gewiß . . .«

»Wie bitte?«

»Ich sagte, ihm ist ein Platz im Himmel jetzt schon gewiß. Seine Wißbegierde ließ ihn daher schon von Jugend an in der Historie des schwerbeschädigten Individuums wühlen und so nach und nach das ausführlichste Archiv seit Krüppelgedenken zusammentragen. Vielleicht können wir den ganzen Dreck zu Lehm kneten und uns daraus ein eigenes Scheißhaus zusammenmörteln . . .«

»Eh?«

»Ich sagte, vielleicht können wir erst daran ermessen, welch kostbaren Dienst Professor Sladek unserer Sache erwiesen hat.«

Er blieb am Anfang eines der endlos erscheinenden Gänge stehen und hob die Hand zu den Aktenbataillonen in den Regalen, die in schummeriges Winterlicht getaucht waren. Zarter Dunst schien vom Teppichboden emporzusteigen und alles leicht zu verschleiern, als sei diese Bibliothek ein teuflischer Organismus, der meine Absichten durchschaut und entschieden hatte, das Lüften seiner Geheimnisse mit allen Mitteln zu vereiteln.

Ein höhnisches Grinsen breitete sich über die Fratze des Kranken aus, geradeso, als gratuliere er mir zu meiner Hinrichtung. »Dieser Trakt birgt Protokolle sämtlicher Prozesse gegen Personen, die in einem verbrecherischen Kontext mit der sogenannten Freigabe der Vernichtung lebensunwerten Lebens standen. Auch umfangreiche Dokumentationen über die Materie selbst befinden sich in diesem Teil. Sladek hat das Zeug aus unterschiedlichen Quellen bezogen, ich nehme an, nicht immer auf legalem Wege. Ich bezweifle aber stark, daß er jemals auch nur einen Blick da reingeworfen hat. Der Mann ist der typische Sammler, dessen Wahn die Vollständigkeit ist.«

Wir machten uns ans Werk. Geschickt dirigierte ich Hans und den Kranken sogleich zu jenen von Staubablagerungen überzogenen Nischen, in denen in erster Linie Kladden von Prozeßberichten über die Komplizenschaft des gemeinen Heimpersonals bei der Ermordung von Schwerstbehinderten ruhten. Selbstverständlich hatte das pflegerische Fußvolk keine Entscheidungsgewalt besessen und lediglich Instruktionen von Behörden und Medizinern vollstreckt. Dennoch war es nicht schwierig, sich vorzustellen, daß am Ende der Verantwortungskette nicht teuflische Theoretiker, sondern einfache Bedienstete die Kohlenoxydhähne aufgedreht und später aus den Mündern der Leichen das Zahngold herausgebrochen hatten. Es sprach sehr viel dafür, daß derlei robuste Arbeit auch von den Robustesten der Belegschaft verrichtet wurde.

Trotz des brennenden Wunsches, aus dem vergilbten Papiermoloch einen ganz bestimmten Robusten herauszufiltern, tarnte ich dieses Vorhaben doch sehr gewandt. Damit Hans und der Kranke keinen Verdacht hinsichtlich meiner wahren Ziele schöpften, bat ich sie, neben dem Aussortieren des entscheidenden Aktenmaterials auch Unterlagen zu der Historie der Morde herauszusuchen. So ergab sich für die beiden der Eindruck, der Rumpf habe durch einen Fingerzeig Gottes eine Wandlung vom Saulus zum Paulus vollzogen und vertiefe sich nun ernsthaft in eine gigantische Nachforschung über die Martyrien seiner Leidensgenossen. Dachte ich mir jedenfalls so.

Schließlich verstaute Hans alles in Frage kommende Material in den Seitentaschen und unter dem Sitz des Rollstuhls und schob mich in Richtung Ausgang. Bevor wir die Bibliothek verließen, wandte ich den Kopf zurück, um noch einen Abschiedsblick auf den Kranken zu werfen. Er stand in seiner aberwitzig gekrümmten Haltung auf einer niedrigen Holzleiter und umklammerte mit den Händen fest das Regal, als hinge er an einem Abhang und drohe abzustürzen. Jeglicher Zynismus war aus seinem Gesicht gewichen, und er schaute meiner Wenigkeit, die sich immer schneller von ihm entfernte, mit einer rätselhaften Mischung aus Strenge und Sorge nach. Dann sagte er etwas, doch er sprach abermals nuschelnd und zu undeutlich, als daß ich ihn hätte verstehen können. Was sagte er? »Laß es sein . . .«? »Mach es fein . . .«? Oder »Ich bin ein Schwein . . .«? Weiß der Henker!

Nachdem wir unterwegs noch rasch bei Gertie hineingeschaut und sie davon unterrichtet hatten, daß ich nunmehr unter die Buchautoren zu gehen gedächte und wegen der Recherche für eine Weile als Sternendeuter ausfallen würde, zogen wir uns in den Rumpfbau zurück und nahmen unsere dokumentarische Ausbeute unter die Lupe. Hans schlug für mich eine Grauensakte nach der anderen auf, blätterte Seite für Seite um und ließ mich teilhaftig werden an der schrecklichen Geschichte des Gnadentodes von »vertierten Wesen, unter der Tierstufe stehend«.

1940 wurde der Wunschtraum eines gewissen Alfred E. Hoche und seines Co-Autors Karl Binding, die bereits zwanzig Jahre zuvor für die »Ausmerzung« von »Volksschädlingen« plädierten, Wirklichkeit. Alle Anstalten für körperlich und geistig Behinderte wurden aufgefordert, ihre »niedergeführten Existenzen« zu melden; die Meldebögen »bearbeiteten« dann jeweils drei Gutachter und anschließend ein Obergutachter. Eine total stressige Zeit für Gutachter und Obergutachter, schafften es doch die Brüder nach diesem Blindverfahren, innerhalb eines Jahres 70 273 »unnütze Esser« zu »desinfizieren«. Zum Wohle der Gnadentodempfänger wurde viel experimentiert in diesen Anstalten. Mal schaute »der schöne Tod« in Gestalt einer saftigen Spritze herein, mal in Gestalt des Medikaments »Luminal«, welches, in Überdosierungen verabreicht, unheilbare Lungenentzündungen verursachte. Auch Hungerkost stand auf der Tagesordnung. Mittels Verweigerung von Fett gingen die Patienten ohne großes Aufheben über den Jordan. Aber ganz oben stand immer das Gas! Zeitweilig kam Pegasus zum Einsatz. Dieses Nervengas, das wie Zyklon-B durch die Duschvorrichtungen in die Räume geleitet wurde, ließ die Kranken »tanzen«. Sie fingen an, herumzuhüpfen, zu kreischen, zu kotzen, sich vollzuscheißen, vor allem aber zu lachen. Unmenschliche Laute drangen aus ihren Kehlen, schließlich brachen sie in ihrem Kot zusammen. Einige Spaßvögel nannten es Jodelgas. Doch das Zeug war unzuverlässig, die Probanden verreckten nicht immer daran und mußten noch umständlich einzeln abgespritzt werden.

Das überforderte Personal wurde für seine Mühen mit Alkoholzuteilungen entschädigt. Betriebsausflüge und Kameradschaftsabende gönnten den Schwerstarbeitern zusätzlich ein wenig Entspannung. Bei der zehntausendsten Leiche gab es zünftiges Barbecue mit Blasmusik und Besäufnis. Zudem wurden Ärzte und Pfleger durch Wochenschaufilme und Fotoausstellungen zu lauter kleinen Albert Schweitzers geadelt, die ihren Dienst statt in Lambarene in diesen Mordkastellen an »Zerrbildern« ausüben oder sich »für das schlechte Leben aufopfern« mußten.

Und genau an diesem Punkt setzte mein eigentliches detektivisches Interesse an. Natürlich hatte ich nun Zugang zu den Namen der Angeklagten, gegen die in den ersten Nachkriegsjahren unter Aufsicht der Siegermächte die wenigen Krankenmordprozesse geführt wurden. Leider aber hatte ich nie die Gewähr, ob das vorliegende Material auch vollständig war. Denn Sladeks im Laufe der Jahre mit zwanghafter Akribie zusammengetragener Dokumentarplunder hatte wenig zu tun mit einer Verbrecherkartei, die eine realistische Verfolgung der Täter ermöglicht hätte. Nein, all diese Sammelstücke waren nicht mehr und nicht weniger als eine stumme Anklage gegen den in den Wahnsinn ausgearteten Ekel, den Menschen gegen Menschen empfanden, welche sie bei ungünstiger Kartenverteilung selbst hätten sein können.

Bruchstückhaft war also dieses Archiv und unsystematisch, nur eine Mahnung aus verschimmelten Fragmenten. Deshalb konzentrierte ich mich voll auf die Bilder, da ich ahnte, daß mein schwarzer Mann sich mir letztendlich allein durch sie offenbaren würde. Grund für diese Hoffnung hatte ich allemal. Die Nazis und ihre Helfershelfer waren nämlich alle grundehrliche Leute gewesen, die an ihre Vision mit einem beängstigenden Eifer glaubten. Deshalb empfanden sie auch keine Scham, sondern waren ganz im Gegenteil von brennendem Stolz erfüllt und bannten all ihre Greueltaten auf Fotos und Filme. Ja, in diesem Licht betrachtet, waren sie absolut moderne Medienmaniacs. So war es praktisch unvermeidlich, daß dem Betrachter zwischen den Augenzeugenberichten jene erstaunlich scharfen Ablichtungen der gefürchteten Actionteams ins Auge sprangen. Ganz im Stil gut eingespielter Belegschaften, bei denen ein duftes Betriebsklima herrscht, hatten sich auf diesen Fotos teils freudestrahlend, teils mit steifer Noblesse Ärzte, Schwestern und grobschrötige, feiste Burschen verewigt, die von ihrer Ausstrahlung eher blutwurstgestalteten Metzgergesellen glichen als

Krankenpflegern. Sie standen in der Regel hochgemut und in strahlend weiße Kittel gehüllt auf breiten Treppen, die zu den Anstalten führten, oder in gespenstisch verlassenen Höfen und sahen dabei aus wie allgegenwärtige Eingreiftruppen zur fixen Lösung aller Probleme.

Obwohl Hans mir jedes Schriftstück und jede Fotografie persönlich heraussuchen und auf das Lesegestell stellen mußte, hatte ich keinerlei Sorge, daß er dabei irgendwann auf das gesuchte Phantom treffen würde. Denn er wußte weder, daß ich überhaupt jemanden Bestimmten aus der Menge der Übeltäter herausfischen wollte, noch, nach wem ich fahndete, so daß die vielen Namen vor seinen Augen bald zu undechiffrierbaren Chemieformeln verschmolzen. Was ihn mehr interessierte waren sozusagen die menschelnden Dinge. »O Gott!« schrie er zum Beispiel entsetzt bei dem Fall eines jungen Mannes, der in Abständen von ein paar Wochen epileptische Anfälle bekam und dessen Vater deshalb eines Tages von den Behörden aufgefordert wurde, ihn in die psychiatrische Anstalt zu bringen. Nur einige Monate später endete er nach einer Nacht-und-Nebel-Aktion im Gas. Und »O nein!« entfuhr es Hans bei der Beichte einer »Schwester«, die nach ihrer Haftverbüßung schilderte, daß die für die Exekution vorgesehenen »unheilbar Blödsinnigen« keineswegs so blödsinnig waren, im Gegenteil, ihre nahende Ermordung sehr wohl geahnt hatten. Sie waren ganz außer sich vor Verzweiflung, rissen bei ihrem Abtransport vor Angst dem Personal die Kleider vom Leibe und versuchten dann, schreiend und sich die Hände und Füße blutig schlagend, aus den Gaszellen zu entkommen.

Hans war ein durchaus intelligenter Mann, der detektivische Sinn ging ihm jedoch total ab.

Drei Tage nach Beginn unserer Recherche – es war später Nachmittag, und es schneite weiterhin ohne Unterlaß – setzte mir der überarbeitete Sekundant eine Akte über die einstigen

Verhältnisse in der Anstalt Grafeneck vor die Nase. Sie enthielt die üblichen Grausamkeiten, an die ich mich ehrlich gesagt mittlerweile gewöhnt hatte. Nichts Spektakuläres verriet anfangs auch die leicht ramponierte Fotografie des Heimpersonals, welche als anprangerndes Dokument in der Mitte der Akte steckte. Hans und ich betrachteten sie gemeinsam, ich war jedoch der einzige von uns beiden, dem unversehens ein Glücksschauer über den alten Buckel lief, was zur Folge hatte, daß mein ganzer Rumpf geradezu anfallsartig in Schweiß gebadet war. Mein aufmerksamer Betreuerfreund erkundigte sich sofort, ob mir unwohl sei. Ich indes vermochte ihm vor lauter Entzücken keine Antwort zu geben und öffnete und schloß statt dessen den Mund zu stummen Freudenbekundungen. Dabei richtete ich den Blick erneut auf die Grafenecksche Schlachtermannschaft.

Die Fotografie unterschied sich von den bisher erfaßten, da die Hauptakteure sich nicht in der gewohnten Gruppenbildpose vor einer akkurat gekehrten Anstaltskulisse hatten ablichten lassen, sondern für die Kamera vorübergehend Hingabe am Patienten spielten. Auf der von schaurigen Schlagschatten dominierten Aufnahme befanden sich sämtliche Beteiligten in einer Art Krypta, welche oben in eine gewaltige Kuppel mit steinernen Kreuzrippen zulief. In dem Gewölbe standen neben den Hospitalbetten ausgemergelte, ihrem Gesichtsausdruck nach zu urteilen, geistig Behinderte der schwersten Kategorie. Sie hielten sich kerzengerade wie bei einem Morgenappell und waren lediglich mit Schärpen um die Hüften bekleidet. Von den Medizinern und Schwestern wurden sie umringt wie von einer Horde ausgehungerter Vampire, die ihren Opfern aber keinerlei Beachtung schenkten, sondern voll unergründlichen Ernstes in die Linse stierten, als seien sie im Begriff, etwas Weltbewegendes zu unternehmen. Sie lächelten nicht, was sicherlich an der früher verbreiteten Einstellung zum Fotografiertwerden lag. Der Ablichtungsakt hatte noch einen Seltenheitswert und wurde eher mit etwas Bedeutendem als mit Spaß in Verbindung gebracht. Trotzdem vermeinte ich hinter der schablonenhaften Maske ihrer Gesichter die plumpe Diabolik von Menschen zu erkennen, denen die Macht zuteil geworden war, nach Gutdünken andere Menschen zu töten.

Meine Euphorie wurde allerdings nicht von diesen steif dreinglotzenden Gelegenheitstötern verursacht, sondern von dem jungen Mann hinter den halbnackten »Lebensunwerten«, der bis zum Hals von Schatten verdeckt wurde. *Er* lächelte! Mit gutem Grund, denn er tötete gerne Tiere. Und was für ein Spaß war es doch, echte menschliche Tiere zu töten. Man sah das glückbeseelte Lächeln eines Mannes, den das Schicksal an den Ort seiner Träume, ja geradewegs ins Gelobte Land geführt hatte. Er konnte es selbst kaum fassen. Und außerdem lächelte er, weil er im Gegensatz zu den anderen Ungeheuern, die ihre ulkigen Meldebögen ausfüllten, raffinierte Giftmischungen ausknobelten und Listen über das Leichengut führten, im wahrsten Sinne des Wortes tatsächlich tötete, indem er nämlich höchstpersönlich an den Höllenhebeln riß und wahrscheinlich auch noch durch das Guckloch den letzten Zuckungen des Wildes beiwohnte. Es war das Gesicht von Thaddäus Arnold, des Jägers als junger Mann.

Wie ich so mit der Konzentration eines Scharfschützen dies verblaßte Foto anstarrte, bemühte ich mich gleichzeitig, mir zusammenzureimen, wie es Herr Arnold trotz seiner Verbrechen über so viele Jahre, Wirrnisse und Regierungen hinweg angestellt hatte, in ein und derselben Branche zu bleiben.

Es war stark anzunehmen, daß der junge Bursche in jenen Jahren ein Arrangement, einen buchstäblichen Teufelspakt, mit der Staatsmacht eingegangen war, welche in Aussicht gestellt hatte, ihn von Fronteinsätzen zu verschonen, wenn er in gewissen Anstalten ganz bestimmte Aufgaben übernähme. Auf diese ungewöhnliche Offerte hin hatte Jung-Thaddäus anfänglich Gewissensbisse und Abscheu simuliert, obgleich ihm in Wahrheit insgeheim einer abgegangen sein mochte. Dann jedoch nahm er das Angebot an und arbeitete sich beängstigend rasch in die Materie ein. Der aufgeweckte Zauberlehrling erlernte die hohe Kunst des Gas-Cocktail-Mixens, volontierte als zuverlässiger Viehtreiber, der die »unrettbar Verlorenen« in die Duschen der Verdammnis einpferchte, und durfte nach erfolgreicher Probezeit möglicherweise selbst den Todesengel spielen und die zur Erlösung führenden Ventile öffnen. In der Personalliste wurde er offiziell als Hausmeister geführt, was übrigens das Aktenmaterial bestätigte. Und in der Tat muß er wohl auch hier ein kaputtes Fenster ausgewechselt und dort ein bißchen Rasen gemäht haben, wenn ihm der Mordakkord zwischendurch eine Verschnaufpause gewährte.

Aber da bekanntlich Undank der Welten Lohn ist, brachten nach dem Krieg einige sauertöpfische Richter wenig Verständnis für Thaddäus' Art der Nächstenliebe auf und schickten ihn in den Knast. Selbstverständlich kam er wie fast alle Kriegsverbrecher und Massenmörder der Nazi-Ära bald wieder frei und ging auf Stellensuche. Er rief sich ins Gedächtnis zurück, daß er Hausmeister war. Und als er, vermutlich bei derselben Anstalt, in der er noch vor ein paar Jahren lustig gemeuchelt hatte, seine blutigen Referenzen vorlegte, erntete er erwartungsgemäß Barmherzigkeit. Wenige fanden nämlich auch nach dem Krieg ernsthaft etwas dabei, Behinderte »zu erlösen«, und infolgedessen hatten die Pfleger und Schwestern, die in Einschläferungsaktivitäten verwickelt waren, niemals Berufsverbot erhalten, und ein Hausmeister schon gar nicht. Seitdem hatte Herr Arnold mit Sicherheit oft die Anstalten gewechselt und auf diese Weise seine Spur immer gründlicher verwischt, bis er schließlich bei den »Verzauberten Jägern« gelandet war. Eines mußte man dem alten Knaben ja lassen: Er hatte zeit seines Lebens die Gesellschaft von »Ballastexistenzen« bevorzugt.

Natürlich war alles reine Spekulation, verbunden mit der Hoffnung, daß diese Puzzleteile, passend zusammengesetzt, zu Sladeks Ermordung führen würden. Doch anderseits erschien mir meine zugegeben krause Theorie in diesem Augenblick so logisch, daß ich es auf einen Versuch ankommen lassen wollte, sie endlich in die Praxis umzusetzen.

»Daniel, ist dir nicht gut? So sag doch was!«

Hans hatte meinen Kopf in beide Hände genommen und schüttelte ihn heftig, als hätte sich darin irgendein kostbares Stück aus seiner Fassung gelöst und könne nun wie bei einem Geschicklichkeitsspiel durch geduldige Rüttelei in die ursprüngliche Position zurückbefördert werden. Seit dem brisanten Fund war ich mit offenem Mund und reglos wie ein abgeschalteter Roboter in meine Knobeleien vertieft gewesen und hatte keinerlei Reaktion gezeigt. Der Arme mußte wohl seit einer Ewigkeit seiner Panik überlassen gewesen sein. Als ich dies bemerkte, spielte ich flott die allmähliche Rekonvaleszenz eines Geschockten, indem ich einen leeren Blick aufsetzte und verzweifelte Gluckser ausstieß. Dabei wackelte ich selbstvergessen mit dem Schädel, als sei in mir angesichts der Schrecken dieser Welt etwas zerbrochen.

»Was ist denn passiert, Mann? Du siehst aus, als hättest du ein Gespenst gesehen.«

»Da ist schon etwas Wahres dran, mein Freund«, stöhnte ich. »All die Gespenster, die zwischen diesen vermoderten Akten ruhen, scheinen ihre Spukaktivitäten zu intensivieren, je länger ich mich mit ihnen beschäftige. Doch es sind nicht die Gespenster der Täter, die mich martern, sondern die der Opfer! Soviel Grauen auf einmal vermögen meine zarten Nerven kaum zu verkraften. Und da ist noch etwas, was mich resignieren läßt. Einerseits möchte ich das an diesen hilflosen Geschöpfen begangene Unrecht in die ganze Welt hinausschreien, anderseits glaube ich schon die ganze Zeit *ihre* Schreie zu hören, die mich dazu bringen wollen, ihre letzte Ruhe zu respektieren und den Holocaust nicht in einem sensationslüsternen Reißer zu verarbeiten. So ganz allmählich drängt sich mir nämlich der Verdacht auf, daß Berichte über diese infernalischen Martyrien aus demselben Grund verschlungen werden wie Meldungen über gekidnappte Jungfrauen, die in Kellern von Psychopathen gezwungen werden, ihren eigenen Kot zu essen. Voyeurismus der perversesten Art, nichts anderes ist es in Wahrheit, weshalb wir uns erschüttert und doch mit einem wohligen Schaudern auf brüchigem Zelluloid halbverhungerte Juden ansehen, die ihre eigenen Gräber schaufeln. Genau das befürchte ich! Nein, mein Freund, ich mag vielleicht auf einen Bestseller aus sein, aber für so einen elenden Verrat gebe ich mich nicht her!«

»Heißt das, du willst das Buch gar nicht mehr schreiben?«

»Wie kann ich das, wenn ich genau weiß, daß all die Leute da draußen in Wirklichkeit gar nichts über Rümpfe erfahren wollen, sondern nur etwas über die abscheulichen Details ihrer Tötungen. Die Menschen sind in der Tat vertierte Wesen, unter der Tierstufe stehend, lieber Hans . . .«

Ich begann wirr zu reden und ließ ein wenig Feuchtigkeit in die wild rollenden Augen fluten, wodurch ich einen mittelgewichtigen Nervenzusammenbruch zu signalisieren suchte. Hans geriet daraufhin prompt in helle Aufregung, hüpfte wie ein von den ersten Wehen seiner Geschwängerten überraschter Ehemann ratlos herum und fuchtelte dabei mit den Armen wild in der Luft.

»Okay, okay«, versuchte er mich zu beruhigen. »Wenn es dir so an die Nieren geht, dann lassen wir es eben mit diesem verdammten Buch. Es gibt ohnehin eine Unmenge von der Sorte – und kein Schwein liest sie. Außerdem bist du als Horoskopschreiber für die Zukunft verantwortlich und nicht für die Vergangenheit.«

Schlagartig erhielt ich meine Fassung zurück, schob das linke

Augenlid nach oben und schaute mit einer Mischung aus Demut und Skepsis zu ihm auf.

»Und du bist mir wirklich nicht böse, weil ich dir mit der Recherche soviel Arbeit bereitet habe?«

»I wo! Außerdem haben wir doch aus dieser gruseligen Untersuchung wieder eine schöne Lehre gezogen.«

»Ach ja? Welche denn?«

»Na, daß wir, wenn man die damaligen Ansichten von Menschen über Behinderte bedenkt, unseren hochgeschätzten Professor nicht nur verehren, sondern geradezu anbeten müßten!«

Unter dem Vorwand, daß ich etwas Zerstreuung gebrauchen könnte, bat ich meinen ahnungslosen Betreuer, mich in das Observatorium zu schieben, obgleich ich dort wegen der vorgerückten Tageszeit außer Gertie, dem Arbeitstier, VS und Edi niemanden mehr zu sehen erwartete. Aber ich hatte mich gründlich getäuscht. Hier herrschte ein tumultartiges Gedränge wie an der japanischen Börse. Rollstühle rauschten wie Bumsautos auf der Kirmes kreuz und quer, kollidierten gelegentlich miteinander und kippten samt ihrer Fahrer um. Spastiker saßen dicht gedrängt vor Computermonitoren, und was sie dort sahen, ließ ihre krampfartigen Zuckungen von Zeit zu Zeit enorm an Heftigkeit zunehmen. Taubstumme gestikulierten einander ihre Zeichen mit derartigem Tempo, daß man unwillkürlich an einen verrückten Modetanz denken mußte. Und aus dem aufgeregten, würgend ausgestoßenen Kauderwelsch der Sprachgestörten, die durch das Huble-Teleskop direkt mit dem Weltraum in optischem Kontakt standen, hätte man mittels passablem Arrangement durchaus einen erfolgreichen Hip-Hop-Song produzieren können. Der ganze Raum war ein einziges Chaos aus gehetztem Gehumpele, waghalsigen Rollstuhlcrashs und markerschütterndem Gekreische. Was, zum Henker, war ausgebrochen – der Dritte Weltkrieg oder die Cholera?

Hans und ich verharrten mit offenen Mündern eine Weile am

Eingang und versuchten, uns auf diesen Hexenkessel einen Reim zu machen. Dann sah ich, daß Gertie uns mit ihren Schulterfingern an ihren Tisch winkte. Trotz akuter Lebensgefahr riskierten wir die Strecke dorthin.

»Was ist los?« fragte ich, als wir Gertie trotz etlicher Anrempelungsattacken unbeschadet erreicht hatten. »Hat Sladek bekanntgegeben, daß wir uns am nächsten Heiligabend statt des Krippenspiels ›Caligula‹ in Originallänge ansehen dürfen?«

»Nein, du Ferkel!« lachte sie. »Aber so, wie es aussieht, kommt uns ein Meteorit besuchen.«

»Wer kommt zu Besuch?«

»Ein Eisenmeteorit, vermutlich ein Überrest von Kometen oder Planetoiden, die aus Gottes Weltall geradewegs auf unsere Erde stürzen. Normalerweise verdampfen sie beim Eintritt in die Erdatmosphäre und rufen den optischen Effekt der Sternschnuppe hervor. Doch dieser Bursche hat einen Umfang von etwa hundert Metern und wiegt vermutlich viele tausend Tonnen, so daß er uns in seiner ganzen Pracht beehren wird.«

»Herrje, muß ich jetzt schon wieder umziehen?«

»Quatsch! Wo er aufschlagen wird, kann niemand vorhersagen. Höchstwahrscheinlich in irgendeinem Ozean oder einer menschenleeren Wüste. Die Jungs haben ihn vor einer Stunde über frischeingegangene Satellitenbilder entdeckt und eine Analyse über seine Dimension und Geschwindigkeit erstellt. Das bedeutet, daß wir um einige Zehntausende reicher geworden sind.«

»Und du bist dir ganz sicher, daß dieser blöde Meteorit nicht irgendwann auf meinen Schädel knallt?«

»Mit einer Wahrscheinlichkeit von eins zu hundert Milliarden. Es sei denn, Gott wirft mit Steinen nach bösen Menschen.«

Ich linste wie beiläufig zu VS, der in etwa zwanzig Meter Entfernung derart steif vor seinem Monitor saß, als hätte man ihn in Kunstharz gegossen. Gleichwohl traktierten seine Finger mit kaum faßbarer Flinkheit die Computertastatur. Dann täuschte ich rasch eine spontane Verkrampfung am Hals vor und schwang den Kopf gespielt schmerzdurchdrungen hin und her, in Wirklichkeit nur in der Absicht, in dem Getümmel des Saales unseren guten Geist Edi zu erspähen. Und da stand er ja, exakt im Zentrum der verrückten Konfusion, jede Art von Aufruhr als Quelle mannigfaltigen Frohsinns betrachtend und natürlich lachend, sich ausschüttend vor Lachen. Ein wahrhaft glücklicher Mensch, dachte ich.

Die Gelegenheit erschien mir ausgesprochen günstig, und ich hielt es nun für angebracht, meinen Plan des perfekten Mordes einige entscheidende Schritte weiterzuverfolgen. Ich bat Hans, das dummerweise im Zimmer liegengelassene Diktiergerät zu holen, was der Wahrheit entsprach, jedoch mit voller Absicht geschehen war. Pflichtschuldigst zog Hans davon, während mein aufgesetzt demütiger Blick ihn verfolgte, bis er durch die Tür verschwunden war. Gertie bemühte sich unterdessen, mich über weitere Eigenschaften des Meteoriten zu unterrichten. Doch ich beschied sie knapp, daß ich mich zunächst bei den Entdeckern persönlich kundig machen und die elektronischen Daten in Augenschein nehmen wolle. Anschließend blies ich zügig in das Steuerungsröhrchen des Rollstuhls und war in Richtung VS unterwegs, bevor sie etwas entgegnen konnte.

Als ich neben dem vergeßlichen Programmierer stoppte, fiel mir auf, daß er scheinbar vollkommen beliebige Zahlenkolonnen in den Rechner eingab. Nach seinem verbissenen Gesichtsausdruck zu urteilen, hätte er genausogut kurz vor einem Amoklauf stehen können. Dem Chaos rings herum schien er die gleiche Aufmerksamkeit zu schenken, die ein abgestumpfter General der um ihn tobenden Schlacht entgegenbringt. Meine Wenigkeit nahm der Ergraute mit dem Jünglingsantlitz überhaupt nicht wahr, denn obwohl ich ihn mit der rechten Schulter beinahe berührte, hackte er immer noch so unbeeindruckt wie ein den Aphetaminen zugeneigter Heavy-Metal-Schlagzeuger ohne Punkt und Komma auf die Tasten.

»Na, wie läuft's denn so, VS? Mußt du hundertmal die neue Jahreszahl tippen, damit du sie nicht vergißt?«

Ich blickte mich verstohlen um und vergewisserte mich, daß uns niemand beobachtete. Meine Befürchtungen waren aber völlig unbegründet bei dem Affentheater, das diese übergeschnappten Möchtegern-Kopernikusse wegen eines Millionen von Kilometern entfernten Steines veranstalteten. Auch Gertie hatte sich inzwischen vom Sog der albernen Aufgeregtheit mitreißen lassen und schnatterte in breiter Rollstuhlrunde mit den Wichtigtuern.

Endlich bemerkte VS meine Gegenwart, stellte nahezu ruckartig die Hackerei ein und blinzelte mich mit überirdischer Verdutztheit an.

»Guten Tag. Sind wir uns nicht schon einmal begegnet? Ich habe das Gefühl, wir kennen uns von früher.«

Wie ein langsam zerlaufender Sirup, ja beinahe zum Mitschreiben, legte sich über sein fahles Gesicht der gramvolle Ausdruck einer bleiernen Anstrengung. In der leeren Hülse seines Gedächtnisses schien er verzweifelt nach etwas zu suchen, das längst verloren war. Und ich wette, in diesen jämmerlichen Momenten der Bedrängnis erkannte er sich selber in seiner ganzen grausamen Wahrheit sowie den Menschen, der er einst gewesen war. Doch jener Mensch hatte sich bereits vor Äonen von ihm verabschiedet und lediglich ein billiges Duplikat seiner selbst zurückgelassen. Wie sehr er sich auch in die Erinnerungsarbeit hineinkniete, außer sich gegenseitig bekriegender Echos vermochte er nichts aus den Katakomben seiner Seele zu vernehmen.

»Du hast recht, VS.« Ich lächelte gütig, ganz der verständige Irrenarzt. »Wir kennen uns sehr gut. Vielleicht könntest du für einen alten Kumpel die Suche nach dem todsicheren Lottosystem vorübergehend einstellen und das Textverarbeitungsprogramm anschmeißen. Du hast doch eins, oder?«

»Ja, ich kenne Sie«, beharrte er störenderweise, während sich die Runzeln auf seiner Stirn von Sekunde zu Sekunde vermehrten. »Sie sind der Mann, der Elisa nach dem Unfall erste Hilfe geleistet hat, nicht wahr? Sie befanden sich zufällig auf der Parallelspur, als das Taxi sie auf ihrem Fahrrad erfaßte. Sie wurde emporgeschleudert und krachte durch die Windschutzscheibe in Ihren Wagen hinein. So haben Sie es uns jedenfalls geschildert. Dann lag sie blutüberströmt auf dem Beifahrersitz, als wäre sie ein Fahrgast, haben Sie erzählt. Sie waren später auch bei dem Begräbnis und haben geweint. Merkwürdig, *ich* habe nicht geweint, ich . . . ich konnte nicht, ich wollte nicht. Wir haben uns dann gemeinsam betrunken, wissen Sie noch, erinnern Sie sich, Sie müssen sich doch erinnern, meine Tochter, sie lag auf dem Beifahrersitz, Blut, es floß ihr aus den Ohren, sagten Sie, Blut, wie ein Fahrgast, Blut, wir haben getrunken, Blut, wollte nicht weinen . . .«

Ein beängstigendes Zittern hatte von ihm Besitz ergriffen, und seine ewig kalten Augen begannen in Tränen zu schwimmen. Er wollte weitersprechen, aber brachte nur ein melodiöses Schluchzen heraus, als versuche er sich an ein Lied zu entsinnen und wolle die Tonfolge entschlüsseln, indem er einfach drauflossang. Es berührte mich peinlich und machte mich nachdenklich zugleich, daß es eines harmlosen Schubses bedurft hatte, ihn in Verzweiflung zu stürzen. Er schien im Asteroidengürtel der ziellos umherschwebenden Bruchstücke seiner Vergangenheit gefangen, und das Schlimmste für ihn war es wohl, wenn diese nutzlosen Scherben sich für den Bruchteil einer Sekunde zusammenfügten und ihm den dramatischen Ausschnitt eines vertrauten Bildes darboten. Pausenlos Rätsel lösen zu müssen, deren Lösungen noch mehr Rätsel aufgaben, das war die wahrhaftige Hölle.

Dennoch durfte ich jetzt auf Sentimentalitäten keine Rücksicht nehmen und mußte meinen vertrackten Plan mit der Gefühlsarmut eines Scharfrichters durchführen. Skrupel sind für perfekte Mörder eben nur Luxus.

»Vergiß Blut und Begräbnisse, VS. Glücklich ist, wer vergißt, darin hast du doch Übung. *Vor allen Dingen schmeiß endlich das verdammte Textverarbeitungsprogramm an!*«

Wie ein Hypnotisierter, der auf ein bestimmtes Stichwort unbewußt vorgegebene Handlungen ausführt, bediente VS die Tasten, ohne seinen schluchzenden Singsang zu unterbrechen. Einen Moment später erschien auf dem schwarzen Bildschirm der weiße Rahmen des Textverarbeitungsprogramms. Oben im linken Winkel blinkte ungeduldig der Curser. So rasch wie möglich wollte ich VS nun meine Botschaft diktieren, um damit fertig zu sein, bevor Hans zurückkehren würde. Doch plötzlich stach mich der Hafer, und obgleich wenig Zeit blieb und auch Gertie allmählich anfing, von ihrem Rollstuhldebattierclub aus mißtrauische Blicke auf uns zu werfen, beschloß ich aus einer übermütigen Laune heraus, die geheimnisvolle Depesche in eine gar kunstsinnige Form zu kleiden. Zum Glück aber sprudelte das brave Poem aus mir heraus wie Sekt aus einer durchgeschüttelten Flasche.

»Schreib!« wies ich VS an, der dem Befehl weiter schluchzend unverzüglich Folge leistete.

»Spieglein, Spieglein an der Wand,
Die Mörder sind unter uns und doch unbekannt.
Ach Spieglein, gewähre einen Blick zurück,
Als Herr Adolf lieferte sein Meisterstück.
Offenbare, wer Tiere schoß und schiß auf die
    Menschlichkeit,
Zeige Kammern voll Gas, Spritzen und das übrige Leid.
Die Jäger waren verzaubert, niemand konnte sie sehen,

Geschickte Tarnung machte ihre Taten wie ungeschehn.
Jahre über Jahre mimt man den braven Biedermann,
Bis einer in die Akten schaut und alles ändern kann.
Doch auch ich bin ein Jäger, ein verzauberter gar,
Verscherble Jägerlatein für nur ein Hurra.
Allein ein Grund kann mich hindern, mein Wissen
    kundzutun,
Zweihundertsiebzigtausend Taler, die im Waffenarsenal
    ruhn.
Widersetzt sich der Jäger meinem Begehren,
Kann er sich nicht gegen Rentenärger wehren.
Denn die Philister gönnen sie dem Jäger nie und nimmer,
Wenn sie erfahren, daß er einst war ein Zaubererjünger.
Spieglein, Spieglein an der Wand,
Was wird er tun, der Jäger, in seiner Schand'?
Der Verzauberte hofft, er ist ein kluger Kopf,
Sonst löffelt er Suppe aus dem Sträflingstopf!«

Ich hielt inne und überlegte kurz, mit welchen Abschiedsworten man solch einen Brief wohl ausklingen lassen konnte. Dann fielen sie mir ein, und ich diktierte erneut:

»So ist das, Thaddäus, sieh genau hin! Wie geschickt du dich auch an einen Spiegel heranschleichst, das Spiegelbild sieht dir direkt ins Auge!

Ein besorgter Freund hinter den Spiegeln«

VS hatte alles artig mitgetippt und wollte ganz automatisch den Befehl für die Speicherung eingeben, sobald ich das Diktieren beendet hatte.

»Nicht speichern!« schrie ich, woraufhin wir sofort die Aufmerksamkeit der um uns stehenden Sternenforscher auf uns zogen, die uns erstaunt anglotzten. Ich lächelte verlegen, Verständnis für die Unzulänglichkeiten des schwerkranken Mannes am Computer heischend. Erfreulicherweise gerieten sie im nächsten Moment abermals in den Meteoritenrausch und kümmerten sich nicht mehr weiter um uns. Das Lächeln in meinem Gesicht wich daraufhin augenblicklich wieder der frostigen Grimmigkeit des Sklaventreibers.

»Drucken!« ordnete ich im Flüsterton an. VS war ein gehorsamer Sklave. Die Tränen, die auf seinen Wangen bis zu den Mundwinkeln unregelmäßige Schneckenbahnen hinterlassen hatten, waren im Begriff zu trocknen. Und auch in seinem Blick, der noch unlängst verschüttete Trauer widergespiegelt hatte, blieb lediglich das matte Glühen der Geistesabwesenheit zurück. Er verrichtete seine Arbeit wie ein alter, abgestumpfter Gaul, der an einen Pfahl angebunden ist und ewig um denselben Brunnen trabt, ohne die blasseste Erinnerung daran zu haben, daß er einst über Wiesen getollt und über Bäche und Zäune gesprungen war. VS hatte längst vergessen, daß er noch vor ein paar Minuten über den Tod seiner Tochter geweint hatte.

Hans erschien am Eingang! Sämtliche Alarmsirenen in meiner Rübe begannen gleichzeitig zu heulen. Ich blickte auf den Drucker, der gnädigerweise am letzten Satz des Textes angelangt war. Mein besorgter Pfleger, der das Diktaphon in der linken Hand hielt wie die Milchflasche für den geliebten Säugling, geriet sichtlich in Unruhe, als er von Ferne seinen Schutzbefohlenen nicht an der Stelle ausmachen konnte, wo er ihn zurückgelassen hatte. Sein Kopf begann langsam zu kreisen, und die zur Erhöhung der Konzentration zusammengekniffenen Augen bemühten sich, in dem Wirrwarr etwas Rumpfartiges zu erspähen. Nur noch wenige Sekunden, dann würde er mich gesehen haben und auf mich zueilen.

Ich riß mich in Edis Richtung.

Er war weg! Hatte einfach die Lachposition gewechselt, der

Schwachkopf! Wie mein Häscher Hans war auch ich nun unversehens in die Rolle des Suchenden geraten, der voller Verzweiflung Ausschau nach einem Verschollenen hält. Während ich mich mal hierhin, mal dorthin verrenkte, um den verlorengegangenen Boten im Karneval der Meteoritenidioten zu orten, spürte ich, wie sich allmählich kalter Schweiß meines Körpers bemächtigte und die Karusselleffekte eines beginnenden Schwindelanfalls einsetzten. Alles geriet vor meinen Augen zu einem nervösen Flackern vorbeihuschender Mikadostäbchen. Wie würde Hans es wohl aufnehmen, wenn er merkte, was ich hier ausbrütete – falls er überhaupt durchschaute, was ich mit dieser vollkommen verrückten Korrespondenz bezweckte? Würde er schreiend zu Sladek laufen und mich anschwärzen? Oder schlicht und einfach den Glauben an die Menschheit verlieren und aus dem Fenster springen? Wie in einem klischeehaften Alptraum kroch aus den Tiefen meiner Eingeweide ein Gefühl der totalen Realitätsauflösung schädelwärts und trübte mir mit folternder Langsamkeit das Bewußtsein. Ich begann zu zittern und spürte, wie ich die Kontrolle über alles, was mich umgab, verlor. Dieser dämliche Edi, wo steckte der Typ bloß?

»Ich kenne Sie«, nahm VS wieder seine Leier auf. »Haben wir uns nicht schon einmal irgendwo getroffen?«

Nach der letzten Pflichterfüllung hatte er sich in die meditative Betrachtung des Bildschirms zurückgezogen: komplizierte Elektronik, die auf Pause-Mode gefahren ist. Und entsprechend den undurchschaubaren Gesetzmäßigkeiten komplexer Systeme hatte ihn nun plötzlich irgendein mysteriöser Impuls reaktiviert, ein völlig automatisierter Vorgang, der auf seinem käsigen Knabengesicht mit den grotesk aufgerissenen, grautrüben Augen eine Schablone der Lebhaftigkeit präsentierte. Auf Dauer wirkte dieses Krankheitsbild, so bizarr es auch war, recht ermüdend, doch jetzt, da die Dinge zu entgleisen drohten, wurde es sogar zur Gefahr.

»Sind Sie nicht etwa der nette Mann, der mir auf dem Floh-markt diese wundervolle Jugendstiluhr verkauft hat?«

Ich brummte irgend etwas Unanständiges und schielte zu Gertie, die mittlerweile aus dem Verein der Astroinvaliden aus-getreten war, um sich ausschließlich meiner dubiosen Zusam-menkunft mit VS zu widmen. Sie schien sich gerade zu überle-gen, ob sie nicht schnell mal zu uns rüberrollen sollte, um den Grund für diese sonderbare Allianz in Erfahrung zu bringen. Ganz offensichtlich war ihr gar nicht geheuer, was ich hier mit der armen verlorenen Seele so heimlich anstellte.

Doch irgendwie erbarmte sich Gott weiterhin meiner. Denn zumindest stand Hans mit inzwischen vor Verzweiflung rot angelaufenem Kopf in weiter Ferne und vermochte seinen Ar-beitsgegenstand nicht zu finden. Immer aufgeregter ließ er seinen Blick über das Durcheinander der Arm-, Bein- und Ver-standeslosen schweifen, ruderte hilflos mit den Armen, machte Anläufe, Vorbeihumpelnde nach mir zu befragen, unterließ es im letzten Moment aber doch und reckte den Hals storchen-gleich nach vorne, um noch bessere Sicht zu haben.

»Die Uhr, ich war vor Glück ganz außer mir, als ich sie nach langem Feilschen von Ihnen erstanden hatte, obwohl das Uhr-werk ja total aus den Fugen geraten war. Aber meine Frau, sie sammelt Uhren, wissen Sie, sie besitzt bereits Dutzende Exem-plare aus vier Epochen. Ein kostspieliges Hobby, kann ich Ihnen sagen. Ich lief vom Flohmarkt direkt nach Hause mit dieser Jugendstiluhr, aber, aber zu Hause sah alles so unordent-lich und schmutzig aus, vollkommen chaotisch, als habe ein Bombenangriff stattgefunden. In jedem Zimmer lagen leere Schnapsflaschen, und Speisereste tropften von den Möbeln, Unrat überall, und es stank ekelerregend nach Urin und Erbro-chenem. Ich rief ihren Namen, aber es kam keine Antwort. Und ich, ich verstand das alles nicht, diese Unordnung, diesen Dreck und den Gestank und weshalb sie nicht mehr da war.

Und so rief ich nach ihr, immer wieder, ich schrie und rannte in jedes verdammte Zimmer hinein und schrie, bis ich nicht mehr schreien konnte und zusammenbrach und zu weinen anfing . . .«

Mir wurde langsam übel, und das Gejammere von diesem defekten Juxapparat an meiner Seite trug nicht gerade dazu bei, daß mein Magen sich beruhigte.

»Aber da ist dir plötzlich wieder in den Sinn gekommen, daß in deinem Haus außer dir seit langem niemand mehr gewohnt hatte, nicht wahr, VS?«

»Ja«, sagte er. »Während ich so zusammengekauert auf dem Boden lag und spürte, daß mir allmählich die Tränen ausgingen, da fiel es mir wie Schuppen von den Augen. Sie hatte mich ja schon vor eineinhalb Jahren verlassen. Und als ich mich auf einmal daran erinnerte, begann ich zu lachen, ich brüllte vor Lachen . . .«

Edi! Wie ein Springteufel aus der Kiste tauchte er in der Ferne vor der abgeschrägten Glasfront auf. Sein Hintergrund, ein wildes Wintergemälde aus dichtem Schneeflockenschleier, aufbrausender See und furchteinflößend düsterem Himmel, ließ ihn wie einen zu spät gekommenen, verirrten Kinozuschauer vor der dramatisch flimmernden Leinwand wirken. Er hatte sich lediglich zu seinem feuerwehrrot lackierten Schiebewägelchen begeben, in dem er Unterlagen zu den unterschiedlichsten Posten beförderte. Jetzt amüsierte er sich von dieser Stelle aus über das hektische Treiben. Sein Lachen war wie aufgemalt, als könne er es selbst dann nicht abschütteln, wenn er sich in tiefster Trauer befände.

Ich wandte mich geschwind VS zu.

»Hör zu, VS, und hör mir jetzt genau zu! Hörst du mir auch wirklich zu?«

»Ja«, sagte er, um dann schnell hinzuzufügen: »Sie kommen mir irgendwie bekannt vor.«

»Selbstverständlich kennen wir uns. Und soll ich dir von Kumpel zu Kumpel etwas verraten? Ich habe die Lösung für all deine Probleme. Zum Beispiel weiß ich, wie wir deine durchgebrannte Gemahlin wieder zurückbekommen können.«

»So? Wo bin ich hier?«

»Reg dich nicht auf, VS. Es ist alles in bester Ordnung, entspanne dich. Also ich habe deiner Frau einen ausführlichen Brief geschrieben, in dem ich von dir und deiner Situation hier berichtet habe. Hörst du mir auch zu? Okay. Wenn sie ihn liest, wird sie bestimmt wieder zu dir zurückkehren, so wahr sie ein Langzeitgedächtnis besitzt. Dort im Drucker steckt dieser Brief. Du brauchst das Blatt nur abzureißen.«

Er verschwendete einen teilnahmslosen Blick auf den Drukker.

»Reiß es ab, Mann! Los!«

Er beugte sich über den Druck und riß die herausragende Seite an der Perforierung vom Rest des Endlospapiers. Mit konsternierter Miene nahm er dann den Text in Augenschein. Seine Lippen bewegten sich lautlos beim Lesen, und seine Stirn legte sich erneut in tiefe Falten, als versuche er, in das Gedicht mit aller Macht einen auf sich selbst bezogenen Sinn hineinzuinterpretieren.

»Fabelhaft gemacht, VS. Siehst du, wir kommen der Sache allmählich näher. Nun falte das Blatt einmal mit der Schrift nach innen und schreibe auf das Blatt ›An Thaddäus Arnold‹. Ein Kinderspiel für dich, nicht wahr?«

»Thaddäus Arnold?« argwöhnte er. »Ich kenne keinen Thaddäus Arnold.«

»Na wunderbar, es gibt also tatsächlich jemanden auf diesem Planeten, den du nicht kennst. Tue es trotzdem, VS. Vertraue mir, dies ist die einzige Möglichkeit, wie wir deine Frau zu einer Rückkehr bewegen können. Sei ein Engel und bring es endlich hinter dich.«

VS ließ sich widerstrebend überzeugen. Er faltete das Blatt einmal in der Mitte, ergriff einen völlig weichgekauten Bleistift und schrieb damit den angegebenen Namen. Dann versank er wieder in eine leidenschaftliche Meditation, indem er von einem Moment zum anderen mitten in der Bewegung erstarrte und das Blatt in seiner Hand mit entrücktem Blick anstierte. Ich nutzte die Unterbrechung, um mich im Saal noch ein letztes Mal umzusehen. Leider war das Resultat dieses Checks ganz und gar nicht zufriedenstellend, denn ich mußte feststellen, daß Hans unterdessen das Versteck seines Rümpfleins aufgespürt hatte. Ja, er hatte sogar Kurs auf mich genommen und ein Drittel der Strecke bereits zurückgelegt. Ich rechnete kaum mehr mit einem Erfolg und bereitete mich schon auf ein peinliches Geständnis vor, welches auf unverständiges Kopfschütteln oder wieherndes Lachen oder auf beides gleichzeitig stoßen würde. Doch der psychopathische Krieger in meiner imaginären Kommandozentrale tönte, daß die Schlacht erst dann geschlagen wäre, wenn ich den letzten Blutstropfen verloren hätte.

Hans kam immer näher, und je mehr der Abstand sich zwischen uns verringerte, desto enervierender wurde das blödsinnige Hab-ich-dich-erwischt-du-Schelm-Lächeln in seinem Gesicht. Jetzt oder nie, befahl der unverbesserliche Krieger im Strom meiner wirren Gedanken.

»Wach auf, VS! Hallo, hier spricht dein Eheberater!«

Er richtete sich auf und drehte sich mit merkwürdig gleitenden Bewegungen in meine Richtung. In seinen matten Pupillen las ich tiefste Erschöpfung und die Tendenz zu einem selbstzerstörerischen Gefühlsausbruch, dessen Folgen irreparabel sein würden. Ich tat ihm Gewalt an, indem ich ihn verstörte, überbeanspruchte und seine Routine durcheinanderbrachte. All das wurde mir in diesem Augenblick schmerzlich bewußt. Aber mit derselben Klarheit erkannte ich auch, daß es für mich kein

Zurück mehr gab. Nur ganz flüchtig, wie ein im Anlauf erstickter Windhauch, schoß mir der Gedanke durch den Kopf, daß ich immer mehr in den Wahnsinn abdriftete, seitdem ich mich in dieser kuriosen Anstalt befand, ja, daß ich schon längst dem Wahnsinn verfallen war und er sich jetzt nur weiter verstärkte. Die Ursache für diese besorgniserregende Entwicklung indes, die wirkliche Ursache, nicht die lächerlich erklärbare, verbarg sich weiterhin hinter den meterdicken Stahlpforten meiner Seelenfestung wie ein sinnlos funkelnder Edelstein, den kein Auge je erblickt hat.

»Ich kenne Sie!« sagte VS, ein überraschender Ausruf fürwahr. »Sind Sie nicht der Mann . . .«

»Der bin ich, VS«, fuhr ich ihm barsch über den Mund. »Du mußt aber jetzt für eine Weile ganz still sein und aufpassen. Es ist von höchster Bedeutung, daß du mir zuhörst und dann genau das tust, was ich dir gesagt habe, kapiert? VS, du erinnerst dich, wir haben deiner lieben Frau einen Brief geschrieben.«

»Brief?« Er schien wieder wegzugleiten.

Hans hatte währenddessen über die Hälfte seines Weges bewältigt und setzte seinem affigen Erlösungslächeln noch eins drauf, indem er mit dem Diktaphon triumphierend und gespielt drohend in meine Richtung zielte.

»Der Brief an deine Frau, VS, du hältst ihn gerade in der Hand. Hast du das wieder verschwitzt?«

»Entschuldigen Sie bitte, darf ich Ihnen eine Frage stellen? Wo bin ich hier?«

»Im Vatikan, du Trottel! Gleich kommt der Papst und macht einen Handstand.«

Nun begann Hans, uns zuzuwinken.

»Warum beleidigen Sie mich? Ich bin nicht der Mann, der sich solche Frechheiten gefallen läßt. O Gott, mir wird schlecht . . .«

»Nein, VS, dir wird bestimmt nicht schlecht! Jedenfalls nicht im Verlauf der folgenden Minute. Also reiß dich gefälligst am Riemen! Siehst du den Jungen dort am Fenster, da neben dem kleinen Schiebewagen?«

»Sicher. Scheint ein komischer Vogel zu sein. Ich nehme an, er leidet unter dem sogenannten Down-Syndrom. Folge einer Störung in der Embryonalentwicklung, der Volksmund nennt es Mongolismus. Mein Neffe Alfred teilt das gleiche traurige Schicksal, kommt aber im Alltag ganz gut zurecht. Sie machen sich ja keine Vorstellung davon, was für ausgetüftelte Therapie-stätten heutzutage für diese Leute existieren. Als Alfi geboren wurde, dachten wir zunächst . . .«

»Exakt, VS. Man läßt diese komischen Vögel sogar Berufe ausüben. Dieser junge Mann ist zum Beispiel der interne Post-bote hier im Hause und wird unseren Brief zu der richtigen Adresse leiten. Wink ihn schnell hierher.«

»Ach ja, der Brief.«

Er hob dramatisch einen Arm in die Luft und schaufelte im Zeitlupentempo fiktive Erdwälle hinter sich. Und das Wunder geschah: Auf Anhieb registrierte Edi den zarten Wink, klemmte sich hinter sein Wägelchen und setzte sich stolz wie ein afrikani-scher König mit ausholenden Schritten in unsere Richtung in Bewegung. Aber auch Hans hatte allen Grund, sein frohlocken-des Grinsen beizubehalten, maß doch die Distanz zwischen ihm und unserem Stützpunkt nur noch zehn Schritt.

»Jetzt kommt deine große Stunde, VS. Du kannst die ganze medizinische Welt schocken, indem du all diesen Arschlöchern demonstrierst, daß du eine Anweisung zumindest eine halbe Minute lang im Gedächtnis behalten kannst. Schau, der Post-bote kommt immer näher, siehst du ihn, und wenn er hier ist, brauchst du nichts weiter zu tun, als den Brief in deiner Hand auf seinen Wagen zu legen. So einfach ist ein Durchbruch in der Wissenschaft. Was also wirst du tun?«

»Wenn der Postbote kommt, lege ich den Brief auf den Wagen.«

»Bravo! Viel Erfolg, und behalte mich in guter Erinnerung, mein Freund. Und danke für die Zusammenarbeit!«

»Ich bitte Sie, das ist doch keine Arbeit. Ehm, hatten Sie einen Unfall, oder sind Sie so zur Welt gekommen? Ich meine, ist das nicht sehr lästig; wie schreiben Sie einen Brief oder so?«

Ich blies in das Röhrchen, wendete den Rollstuhl um hundertachtzig Grad und raste Hans entgegen. Dieser breitete peinlicherweise die Arme aus, sprang dann jedoch einen Schritt zurück, als ich das Rumpfgefährt mit quietschenden Reifen nur ein paar Zentimeter vor seinen Füßen zum Stehen brachte. Ganz entgegen seiner angeborenen Sanftmut ließ mein Betreuer daraufhin ein Mordsgezeter vom Stapel und fragte entrüstet, ob ich den Verstand verloren hätte, ihn so anzufahren. Ich aber rollte einfach weiter und begann, einen wilden Streit vom Zaun zu brechen, indem ich ihn lahm nannte, natürlich nur, um ihn vom Ort des Verbrechens wegzulocken. Während sich die Heftigkeit unserer Auseinandersetzung weiter steigerte, in deren Verlauf ich den armen Hans einer Menge freierfundener Mängel beschuldigte, vergrößerten wir den Abstand zu VS' Planquadrat beträchtlich. Trotzdem gelang es mir, meinen vergeßlichen Befehlsvollstrecker im Auge zu behalten.

Edi war inzwischen bei ihm eingetroffen, aber wie befürchtet tat VS nicht das, was ich ihm aufgetragen hatte, sondern plauderte ungezwungen drauflos. Ich konnte mir beim besten Willen nicht vorstellen, was ein Mann, in dessen Kopf Erinnerungsfetzen umherflogen wie Herbstlaub im Sturm, und ein Mongoloider, der sich andauernd vor Lachen auf die Schenkel klopfte, so großartig zu besprechen hatten. Doch wenn man die beiden von ferne beobachtete, konnte man durchaus den Eindruck gewinnen, daß sie sich gleich wie zwei alte Kumpel zur nächstbesten Eckkneipe aufmachen würden.

Leg endlich den verfluchten Brief auf den Wagen, versuchte ich VS auf telepathischem Wege anzubrüllen und brüllte doch nur auf die altmodisch phonetische Weise Hans irgendwelche Unflätigkeiten entgegen. Er gab mir Kontra, derweil ich wieder diskret zu der frischentstandenen Busenfreundschaft hinüberspähte. Sie unterhielten sich immer noch! Tja, das war's. Sladek würde weiterleben – ewig. Dann taten die beiden etwas völlig Unerwartetes: Sie schüttelten sich allen Ernstes die Hände – offenbar ein erfolgreicher Geschäftsabschluß. Ich fragte mich, wie man solche Typen den Kosmos erforschen lassen konnte – eine Bohnenkultur hätte doch vollkommen genügt! Resigniert, ja verzweifelt sah ich wieder zu Hans auf, in der festen Absicht, mich bei ihm wegen der grundlosen Bezichtigungen zu entschuldigen. Es hatte alles keinen Sinn mehr.

Doch halt! War da nicht beim Verstreichen der letzten Sekunde, und zwar genau in dem Moment, in dem meine Augen sich von Laurel und Hardy abgewandt hatten, etwas gewesen, eine unscharfe Bewegung, die erhoffte Geste? Plötzlich war mir alles einerlei, ich riß den Kopf geradewegs zu meinen ahnungslosen Komplizen und sah und sah und sah klar und deutlich, wie VS das Papier in Edis Postmobil neben den übrigen Sendungen plazierte.

Sladek würde sterben!

In der Nacht des so aufreibenden Tages überwältigte mich ein bleischwerer Schlaf, sobald ich mein begnadetes Haupt auf das Kissen gebettet hatte. Aber auch in diesem komagleichen Zustand wurde ich nicht von orakelhaften Träumen verschont, was sich allmählich zu einer besonderen Art der Schlafkrankheit auswuchs.

In meinem Traum fand ich mich in der mottenzerfressenen Arche Noah des Herrn Arnold wieder. Die Sonne schien wie an jenem Tag kraftvoll durch die Spitzbogenfenster, aber die Intensität des Lichtes hatte noch erheblich zugenommen, so daß der Raum wie von einem nicht enden wollenden Blitz erhellt wurde. Die Tierphysiognomien strahlten jetzt nicht wie bei meinem ersten Besuch unschuldige Verdutztheit aus, sondern unheilschwangere Düsternis, ja die Geköpften schienen nun richtig bösartig dreinzuschauen. Doch dies waren nicht die einzigen Irritationen, die den Traum-Totenzoo vom Original unterschieden. Zwischen Meister Ursus und Reineke Fuchs prunkten an den Wänden nämlich auch die Häupter von menschlichen Lebewesen, welche ganz nach dem Vorbild von Jagdtrophäen an ihren sauber abgetrennten Hälsen auf makellos lackierte Unterhölzer gepflanzt waren. Die Spender dieser außergewöhnlich gut erhaltenen Exemplare kannte ich allesamt, war ich doch Tag für Tag von ihnen umgeben. Die erlesene Kollektion bestand aus den Köpfen von Sladek, Hans, Gertie, VS, Edi, Herrn Arnold, dem Kranken und last not least von Mercedes. Im Gegensatz zu echten Trophäen aber sah man diesen Stücken schon bei einem flüchtigen Blick an, daß sie noch halbwegs lebendig waren. Wäre die Szenerie nicht so schauderhaft gewesen, hätte man annehmen können, daß die Spaßvögel im Nebenraum standen und ihre Birnen durch Löcher in der Wand steckten. Aber andererseits wirkten meine geliebten »Verzauberten Jäger« auch nicht gerade gesund, sondern schienen eher in einem Schwebezustand zwischen Leben und Tod gefangen. Alle Gesichter zeigten eine krankhafte Blässe, die leichte Ansätze ins Bläuliche aufwies, und die Augen starrten eisig und seelenlos in weite, geheimnisvolle Gefilde, deren Betrachtung Außenstehenden verwehrt blieb.

Ich konnte weder über die Skurrilität der Situation noch über das groteske Wiedersehen lachen. Nein, ich weinte. Der Grund war mir entfallen, spielte irgendwie keine Rolle. Ich war splitternackt und saß wie ein depressiver Rodeoreiter auf dem imponierenden Moschusochsen mitten im Zimmer. Mein

Schluchzen hallte wie ein immerwährendes Verlangen nach Trost – das einzige vernehmbare Geräusch in diesem Raum.

»Ich kenne Sie«, sagte VS.

Als Halbtoter machte er einen noch verschlosseneren Eindruck. Wehmütig in die Ferne entrückt war sein trüber Blick wie der eines Sehers, der tausend Vergangenheiten und tausend Zukünfte sieht, die ihn jedoch in keiner Weise fesseln. Sein jungenhaftes Gesicht wirkte nun wie eine zur boshaften Karikatur geronnene Maske.

»Sind Sie nicht der Mann, der sich an alles erinnert und an gar nichts erinnern will? Ein trauriger Fall als der meinige, bedauerlich, bedauerlich. Dieses Leiden nennt sich das Jupiter-Syndrom, hervorgerufen durch Gammastrahlen des Planeten Jupiter, gewissermaßen eine Mischung aus retrograder Amnesie und selbstverschuldeter Dummheit. Der Patient versucht, in der Hoffnung auf Linderung fortwährend wichtige Erinnerungen auszulöschen. Der Krankheitsverlauf ist sehr schmerzhaft, und Heilung erfolgt nur durch eine Totaloperation. Ich fürchte, Sie müssen noch viele Briefe diktieren, um diese medizinische Tatsache zu begreifen.«

Ich gab einen untröstlichen Schluchzer von mir. Dann löste sich VS' Kopf von dem Holzuntersatz und stürzte, sich im Fall überschlagend, zu Boden. Er prallte mit dem Hals auf, verspritzte sternförmig Blut und kippte dann ganz langsam wie ein gefällter Baum zur Seite.

»Sehr schmerzhaft . . .«, hauchte VS, ließ noch ein wenig Blut aus dem Hals plätschern und schloß die Augen.

»Hast du die Akten ausgiebig studiert, Daniel?«

Professor Sladeks Zombiehaupt hatte sich den Umständen entsprechend recht proper gehalten. Zwar hatte er die Zickzackspaltung des Schädels aus dem letzten Traum in diesen herübergerettet, so daß aus dieser Öffnung wie aus einer Quellwasserpumpe regelmäßig dünne Blutfontänen quollen und über

Schläfen und Kinn auf den Boden tropften, doch sonst hatten die Begleitumstände des Köpfens der charmanten Ausstrahlung seines feingeschnittenen Gesichtes nicht viel anhaben können. Nun ja, er sah sehr bleich aus, aber eher wie ein sorgfältig gepuderter Edelmann aus der Renaissance.

»Und fandest du Dinge in den Akten, die unserer Sache dienlich sein könnten? Vielleicht Namen? Wichtige Namen? Hast du etwa den Namen deiner Ahnen gefunden, Daniel?«

»Ich kenne meinen Nachnamen nicht«, jammerte ich. »Man hat mich als Säugling ausgesetzt.«

»Blödian!« schrie Sladek plötzlich wie von einer glühenden Nadel gestochen, und es schien, als kehre durch diesen gewaltigen Ausbruch ein bißchen Farbe in sein kalkiges Gesicht zurück.

»Gottverdammter falscher Blödian! Lügnerischer Blödian! . . .«

Das Gebrüll war derart markerschütternd und schrill, daß die Fensterscheiben in tausend Splitter explodierten und die Wände erzitterten. Sladeks Leidensgenossen waren pikiert wegen des jähzornigen Gebarens und glotzten ihn mit einer Kombination aus Abscheu und Unverständnis an. Aber der Professor fuhr unbeirrt mit dem Blödiangekreische fort, bis sein Gesicht tatsächlich rot angelaufen war. Dann riß er den Kopf wie ein Tollwütiger hin und her, als wolle er sich mit aller Gewalt von der Fixierung befreien. Schließlich brach das gute Stück wirklich vom Holz ab und purzelte wie sein Vorgänger auf den Boden.

»Blödian . . .«, murmelte der Hochverehrte und schlug resigniert die Augen zu. Die anderen trauerten ihm trotz seines unmöglichen Betragens ein wenig nach, indem sie – soweit dies möglich war – die Häupter senkten und stumm und nachdenklich vor sich hin stierten – bis auf einen.

Thaddäus Arnolds verknitterte, rotbäckige, pockennarbige

Fratze war während Sladeks Zornkoller mit unverhohlenem Spott auf mich gerichtet gewesen. Nun kam der Ausdruck abgrundtiefen Hasses zum Vorschein, und die von tiefen Falten umgebenen, weit aufgerissenen Augen funkelten mich derart durchdringend an, daß der ganze Kopf zu beben begann und mit ihm der Tirolerhut obendrauf. Dunkelblaue Adern pulsierten an seinen Schläfen, als verbildlichten sie den Orkan, der im Innern des Mannes tobte. Nichtsdestotrotz erging er sich keineswegs wie der selige Professor in einem Schreianfall, sondern befleißigte sich meiner eigenen, vormals an ihn gerichteten Ausdrucksweise:

»Spieglein, Spieglein an der Wand,
Wer ist der Dümmste im ganzen Land?
Der Rumpf ist es, mein Jäger, er allein,
Dumm wie Kuhdung, kein Arm, kein Bein!
Ach Spieglein, sag geschwind,
Bist du oder ist das Rümpfchen blind?
Ach Jäger, der Spiegel ist klar und Namen sieht man
    darin,
Doch des Rumpfes Auge erkennt in Namen keinen Sinn.
Spieglein, Spieglein an der Wand,
Warum nur entfacht der Rumpf diesen Brand?
Warum, wieso, weshalb?
Der Satan will seinen Skalp!«

Der Arnold-Kopf wackelte, als löse er sich von seinen Schrauben. Dann rutschte der Tirolerhut auf die Stirn und segelte schließlich herunter. Ein Knirschen ertönte, ein Reißen war zu hören – und plumps!, auch der Hirnkasten unseres braven Hausmeisters landete auf dem Boden. Unten drehte sich der Kopf noch ein paarmal um seine eigene Achse wie ein müder, auslaufender Kreisel, wobei er Blutspritzer umherschoß. Endlich blieb er ruhig liegen, und die vor ohnmächtigem Zorn herausgetretenen Augen starrten geradewegs in die meinen.

»Wie geschickt du dich auch an einen Spiegel heranschleichst, Daniel, das Spiegelbild sieht dir direkt ins Auge!« wisperte er und verkniff das Gesicht zu einer schmerzverzerrten, letzten Grimasse.

Ich seufzte nur trübselig und fühlte mich sehr, sehr schuldig. Doch irgendwie, wie soll ich es beschreiben, spürte ich gleichzeitig auch den Trotz eines Kindes in mir, das zwar die Schuld erkennt, aber eben dadurch Bekanntschaft mit der Lust an der Sünde gemacht hat und ganz genau weiß, daß es auf diesem so ruchlosen wie lockenden Pfad weiterwandeln wird, sobald sich wieder eine Gelegenheit ergibt.

Dann plötzlich fielen die Häupter von Hans, Gertie, Edi und dem Kranken ebenfalls von ihren Befestigungen ab und schlugen mit dumpfen Geräuschen auf dem Boden auf. Dort rissen sie ihre Münder zu tonlosen Schreien auf und blinzelten ungläubig wie an Land geworfene, zappelnde Fische.

Nur noch der Kopf von Mercedes prangte hoch oben an der Wand, die jetzt gespenstisch leer wirkte. Sie jedoch schien kein Gespenst zu sein, sondern sah in ihrer Anmut lebendiger aus als je zuvor. Der durch die zerstörten Fenster hereinwehende Wind wirbelte ihre roten Seidenhaare in alle Himmelsrichtungen, so daß sie in Verbindung mit dem absurd hellen Sonnenlicht züngelnden Flammen glichen. Sie erinnerte nun an eine Filmheilige aus längst vergangenen Kinotopptagen, die am Bahngleis eines dunst- und dampfumwölkten Schwarzweißbahnhofs stand und dem wegfahrenden Geliebten mit steinerweichender Schwermut nachschaute.

Mit dieser aus tiefstem Herzen kommenden Traurigkeit sah Mercedes jetzt auch auf die wie reifes Obst abgefallenen Köpfe auf dem Boden und blickte danach mich an. Keine Anklage und kein Haß lagen in diesen Augen, die sich nach gewohntem

Muster immer rascher mit Tränen füllten. Schließlich durchbrach die kleine Flut den Damm, und eine einsame Träne wanderte aus ihrem linken Auge kinnwärts.

»Hast du erkannt, wie breit die Erde ist, Daniel? Welches ist die Stätte der Finsternis?« fragte sie melancholisch. Und da krachte auch ihr Kopf von der Wand und rollte vor die Hufe des Moschusochsen.

»Sie ist mein Herz, Mercedes«, gestand ich und wußte im selben Moment mit der unfehlbaren Voraussicht eines Propheten, daß sie allesamt wie in diesem kranken Traum auch in der kranken Wirklichkeit sterben würden.

5. KAPITEL

»Richtet nicht, damit ihr nicht gerichtet werdet. Denn mit dem Gericht, mit dem ihr
richtet, werdet ihr gerichtet werden. Und mit
dem Maße, mit dem ihr messet, wird euch
gemessen werden. Was siehst du aber den
Splitter im Auge deines Bruders, doch den
Balken in deinem Auge nimmst du nicht
wahr?«

Matthäusevangelium, Nicht richten

L aut Polizeiangaben starb Robert Sladek durch einen einzigen Schuß in den Kopf, was zwar äußerst hygienisch klingt, keinesfalls aber dem wirklichen Tatbestand entsprach. Eine Ladung Schrot ließ den armen Professor seinen letzten Lebensodem aushusten, und sie wurde ihm aus einer Distanz von nur einer Armlänge direkt ins Gesicht abgefeuert. Die Begegnung von Mann und Munition war derart effektiv, daß der ganze Kopf des Opfers sich im Bruchteil einer Sekunde in unverwertbaren Fleischabfall verwandelte und die dahinter befindliche Wand einen neuen, wenn auch gewagt künstlerischen Anstrich erhielt. Recht kopflos hatte der Verehrungswürdige sein Leben verbracht und, ebenso kopflos verließ er also auch unseren Planeten.

Dies alles erfuhr ich am vierzehnten April dieses Jahres, genau einen Tag nach dem gemeinen Mord. Doch möchte ich erzählen, wie es en détail zu der Tat kam, vor allen Dingen aber, wie es anders kam als geplant.

Ob meine ersten Schritte des Plans sofort Erfolg gezeitigt hatten, konnte ich natürlich nicht nachprüfen. Sie waren der Startschuß zu einer Generaloffensive gewesen, deren Wirkung erst nach Wochen, ja vielleicht sogar nach Monaten ersichtlich sein würde. Trotzdem war ich von der eingeschlagenen Strategie überzeugt und wollte sie auch künftig weiterverfolgen. Kurz und gut, folgende Mickymaus-Intrige schwebte mir vor:

Warum Herr Arnold mit Erpressungsbriefen, die ihm ununterbrochen seine Vergangenheit unter die Nase rieben, traktiert werden sollte, lag auf der Hand. In einer sich allmählich zuspitzenden Entwicklung von verzweifelter Furcht über beginnenden Zorn bis zu handfesten Mordabsichten gegen den Peiniger mußte der verzauberte Hausmeister einen bitteren Gefühlsmarathon durchlaufen und so für den explosiven Schlußakkord eingestimmt werden. Außerdem durften die anonymen Botschaften keinen Moment lang den Zweifel entstehen lassen, daß der Gegenspieler sich sein Schweigen allein durch das Vermögen erkaufen lassen wollte, das für die Traumpraxis des Sprößlings angespart worden war. Selbst wenn Thaddäus sich mit dem Gedanken hätte anfreunden können, auf die Annehmlichkeiten eines geruhsamen Lebensabends zu verzichten und die öffentliche Schande auf seine Schultern zu nehmen, so würde er doch niemals das gehortete Geld in langwierigen Prozessen verpulvern. Ergo würde er die Angriffe auf seinen Besitzstand und sein Ehrgefühl über kurz oder lang mit der ihm eigenen Kaltblütigkeit quittieren, nämlich den Erpresser irgendwann schlicht und einfach in seine Atome auflösen.

Der Erpresser – nun ja, die absichtlich dilettantisch inszenierte Verschleierung seiner Identität war das Herzstück des teuflischen Ränkespiels. Anders, als man vielleicht vermuten könnte, sollte die Spur des Mister X nämlich keineswegs zu mir führen. Selbstverständlich hätte ich den Namen, um den es mir ging, gleich am Anfang nennen können. Aber aus Gründen der Glaubwürdigkeit hielt ich dies für wenig angebracht. Statt dessen beließ ich es bei Andeutungen und neunmalklugen Zeichen, welche der Empfänger der unheilverkündenden Post nach einigem Herumrätseln selbst dechiffrieren sollte. So verwandelte sich die erste Unterschrift »Ein besorgter Freund hinter den Spiegeln« in dem folgenden Brief in »Der Prinzipal aller Ballastexistenzen« und im übernächsten in »Ein Arzt, der auch die Wunden der Vergangenheit heilen kann«. Nach dieser Taktik der portionsweisen Demaskierung mußte bei Arnold der Verdacht aufkommen, daß es sich bei dem Erpresser um jemanden in hoher Position und mit genauen Kenntnissen über die »Verzauberten Jäger« handelte, dem offenbar auch die braune

Biographie des Personals nicht verborgen geblieben war. Der Mann hinter den Spiegeln trieb scheinbar seine Scherze mit dem armen Jäger und sah in der geforderten Beute lediglich eine zusätzliche Demütigung seines Opfers. Dies wurde um so deutlicher, als er in seinen Schreiben bis zuletzt weder Ort noch Zeit der Geldübergabe erwähnte oder eine Sicherheitsgarantie für den Erpreßten nach Erfüllung der Bedingung in Aussicht stellte. Er war ein Quäler, der Spiegelmann, und unberechenbar obendrein. Er genoß es augenscheinlich, den alten Mann in Angst und Schrecken zu versetzen und ihm immer wieder vor Augen zu führen, daß sein Schicksal in der Hand des Peinigers lag. Ein unerträglicher Zustand für den Jäger, den er schnellstens versuchen mußte zu beenden.

Mit der Langsamkeit eines aufgehenden Hefeteiges würde also Arnold nach meinen Berechnungen erkennen, daß für eine derartige Dreistigkeit nur ein einziger in Frage käme. Dieser Jemand besaß scheinbar eine sonderbare Affinität zu Behinderten und gleichzeitig eine grausam-zynische Betrachtungsweise seiner Obsession. Sicherlich hatte er eine Unmenge Material angesammelt und sich mit der Sache sehr intensiv auseinandergesetzt. Seine Vernarrtheit ging sogar so weit, daß er sich mit Leuten umgab, die sich einst an dem Objekt seiner Begierde vergangen hatten. Diese piesackte er, und er spielte gefährliche Spielchen mit ihnen. Klarer Fall: Der Mann war verrückt wie eine Scheißhausratte und hieß Robert Sladek. Heilung konnte nur durch eine Ladung Schrot direkt in das zerrüttete Hirn erfolgen.

So dachte ich, daß Thaddäus Arnold denken würde, und sollte im doppelbödigen Sinne auch recht behalten. Wie sich später herausstellte, hatte ich aber einfach zu kurz gedacht, denn ein anderer hatte schon alles für mich vorausgedacht. Den Spiegelmann, den gab es nämlich tatsächlich. Doch dazu später . . .

In den folgenden Wochen steigerte ich mein Diktierpensum immens, ja schaffte bisweilen sogar zwei Briefe an einem Tag. Manchmal, wenn mir meine gehandikapten Helfershelfer nicht zur Verfügung standen und ich Hans unter einem lächerlichen Vorwand weggeekelt hatte, machte ich mich sogar selbst mit der sogenannten Schreibebrille über den Horoskopcomputer her und verfaßte die Schreckensbotschaften höchstpersönlich. Dieses Wundergerät der Schreibebrille bestand im Grunde genommen aus einem herkömmlichen, allerdings gläserlosen Brillengestell, das mit einem klitzekleinen elektronischen Sensor vor der rechten Linsenöffnung ausgestattet war. Der Sensor registrierte die subtilsten Bewegungen der Pupille und das Blinzeln der Lider und war über einen Draht mit dem Computer verbunden. Auf dessen Bildschirm standen in der untersten Zeile die Buchstaben des Alphabets sowie häufig vorkommende Silben, kurze Wörter und Funktionssymbole, mit denen ganze Befehlsketten ausgelöst werden konnten. Durch geschicktes Bewegen des Blickes steuerte ich den Cursor auf den gewünschten Buchstaben, der dann automatisch oben abgebildet wurde. So konnte ich Buchstabe für Buchstabe meinen Text auf dem Monitor zusammenstellen und sogar selbst ausdrucken. Das Resultat ließ ich danach von irgendeinem Ahnungslosen aus dem Drucker ziehen und mir zwischen die Zähne klemmen. Dann geduldete ich mich eine nervenaufreibende Weile, und sobald mich der Postillon des ewigen Lachens endlich streifte, ließ ich mein Ei so unauffällig wie ein Akrobat in der Fußgängerzone auf das rote Wägelchen fallen. Aber in der Regel nahm ich die Dienste meines verläßlich vergeßlichen VS' in Anspruch, der mich zwar zeitweise mit seinen unaufhörlichen Erinnerungseruptionen zu der Überlegung brachte, ob er als Mordopfer Sladek nicht vorzuziehen sei, der aber ansonsten eine ausreichend routinierte Arbeitshaltung an den Tag legte.

Auch meine Arbeit ging im Lauf der Zeit in Routine über.

Dies zeigte sich besonders an dem immer mehr verrohenden Stil in den Drohschriften. Längst war ich von der hintersinnigen Dichtung abgekommen und verlegte mich aus Bequemlichkeit auf die lebhafte Prosa der Vulgärsprache. Peinlichkeiten wie »Her mit dem Zaster, du Sackgesicht!« oder »Hast wohl gedacht, du könntest ungestraft davonkommen, alter Arsch!« entströmten meinen Lippen, und allmählich begann ich mich ernsthaft zu fragen, ob Herr Arnold meine von Mal zu Mal primitiver und unverschämter werdenden Attacken überhaupt noch ernst nahm. Ich war schon kurz davor, einer Niederlage ins Auge zu blicken, als ich nach etwa zwei Monaten in der Griesgramfassade unseres Hausmeisters eine Idee mehr Griesgrämigkeit zu erspähen glaubte. Ich traute zunächst meiner eigenen Wahrnehmung nicht, aber bald war es auch für nicht Eingeweihte unübersehbar. Herr Arnold wirkte von Tag zu Tag zerknirschter und gereizter; seine früher grobschlächtige, aber kumpelhafte Haltung uns Rümpfen gegenüber kühlte sich immer mehr ab, so daß er leicht von Wutkollern heimgesucht wurde, wenn ihm zum Beispiel einige Retardierte bei seinen zahllosen Reparaturen am Belüftungssystem des Hauses auf den Wecker gingen. Zudem beobachtete ich gelegentlich, wie er am Mittagstisch in der Kantine minutenlang trübsinnig und vollkommen geistesabwesend auf sein von vegetarischen Delikatessen überbordendes Tablett starrte, ohne von der Grünkost auch nur zu probieren. Diese aparten Indizien, ob optische Täuschung oder nicht, bestärkten mich letztlich in meinem Entschluß, mit dem Erpressungsbombardement erbarmungslos fortzufahren.

Es war ein hinreißend sonniger Apriltag – der Schnee war längst geschmolzen und hatte eine silbrig schimmernde Landschaft aus Matsch und kahlen Bäumen hinterlassen –, als ich beschloß, Herrn Arnold einen Besuch abzustatten und mich im

Nahkampf von seinem fortgeschrittenen Elendszustand zu überzeugen. Ohne eine exakte Vorstellung davon zu haben, wie ich vorgehen würde, wollte ich ihn nach unwillkürlichen Reflexen auf bestimmte Reizwörter abtasten und so mehr über seine gegenwärtige Stimmung in Erfahrung bringen. Vom Panoramafenster meines Zimmers aus sah ich ihn draußen auf der Galerie des Leuchtturmwärterhäuschens werkeln. Gegen die gleißende Sonne und den unwirklich blauen Himmel wirkte er aus der Ferne wie ein hampelndes Strichmännchen, das die Götter des Frühlings heraufbeschwört.

Das Meer rauschte, Möwen kreischten, Bachs »Jesu, meine Freude« war zu hören, alles war so friedlich und perfekt an diesem Nachmittag, und selbst die sensationelle Nachricht aus der medizinischen Welt, man könne mir durch ein neuartiges Verfahren Arme und Beine an den Rumpf dranschweißen, hätte die Wonne kaum vollendeter gemacht – wenn, tja, wenn dieser nervtötende Hans nicht ausgerechnet jetzt dem Wahn verfallen wäre, den Frühjahrsputz in Angriff zu nehmen und mein Domizil einer aggressiven Scheuer- und Abstauboperation zu unterziehen. Ich saß in meinem Rollstuhl am Fenster, behielt den Leuchtturm im Auge und schmiedete satanische Pläne, während dieser Vollidiot wie ein wildgewordener Kammerjäger mal mit dem überdimensionalen Rüssel seines Staubsaugers unters Bett kroch, mal mit dem langstieligen Besen imaginäre Spinnweben aus den Deckenwinkeln zu eliminieren trachtete, um dann im nächsten Moment eine übelriechende Polierpaste auf meinem Bettgestell auszuquetschen und das Metall auf Hochglanz zu bringen, als handele es sich dabei um die Stoßstange eines gottverdammten Cadillac. Wie alle Männer nahm er die ganze Putzerei bierernst und ging an die Sache wie an einen Vernichtungskrieg heran. Der Feind hieß Staub, Schmier und Schmutz, doch anstatt ihn mit den unspektakulären Utensilien der Hausfrau, also mit einem Eimer Seifenwasser und einem

Aufwischlumpen, zu bekämpfen, machte er gleich eine Wissenschaft daraus und setzte für jedes zu reinigende Material ein unerschwingliches Spezialpülverchen ein. Er huschte mit seinen zahlreichen Sprays und Atomikbürsten mit derartiger Flinkheit von einem halluzinierten Bakterienherd zum anderen, daß ich zeitweise Hunderte von Hänschens um mich herumwirbeln sah.

Ich war völlig wehrlos gegen diesen Besessenen, und es blieb mir nichts anderes übrig, als abzuwarten, bis er seinen Overkill gegen die heimische Fauna abgeschlossen hatte. So Ata wollte, konnten wir uns danach endlich in Richtung Leuchtturm begeben und Herrn Arnold in seiner Leidensarbeit begutachten.

»Das wollte ich dich schon immer fragen, Hans, glaubst du, es besteht eine Chance, daß mein Vorbewohner den Verlust dieses verschimmelten Porträts noch irgendwann registrieren wird? Immerhin scheint es sich doch dabei um die Fotografie einer seiner Verwandten zu handeln.«

Der Mikrobenzerstörer stand gerade auf einer Aluminiumleiter und ejakulierte aus einer Plastiksprühflasche unsinnig viel Glasreiniger auf das Bildnis der UFA-Diva an der Wand. Der blonde Traumengel ließ seine sonderbar vertrauten Blicke wie plumpe Zickzackblitze aus einem Comicstrip geradewegs in mein Bewußtsein dringen, als wolle er dort Dinge freisprengen, die besser verborgen blieben. Hans wischte das feuchte Rahmenglas mit einem Ledertuch ab und attackierte sodann das danebenbefindliche Porträt von Reinhard Furrer.

»Du hattest keinen Vorbewohner, Daniel.«

»So? Wie wurde dieser Raum dann genutzt?«

»Gar nicht. Er stand leer.«

»Aber wieso?«

»Keine Ahnung. Vielleicht hat man ihn von Anfang an extra für dich reserviert.«

»Das kapiere ich nicht. Es ist das Zimmer mit der herrlichsten Aussicht im Haus.«

»Eben, eben. Man ahnte wohl, daß du eines Tages Einzug halten und nach einem königlichen Gemach verlangen würdest.«

Er grinste wie ein Blöder, während er selbstvergessen polierte.

»Und das Bild? Wer hat es dort aufgehängt?«

»Ach, habe ich dir das nicht schon erzählt? Der Professor war es. Er meinte, das Bild würde dir viel bedeuten.«

»Aber ich kenne das Gesicht nicht mal. Außerdem, woher wußte der Prof, welches Foto mir wieviel bedeuten würde, bevor ich in dieses Irrenhaus verschleppt wurde?«

Er hielt abrupt inne, Zerstäuber und Lappen in seinen Händen stellten für einen Moment ihre Arbeit ein. Sein Gesicht, das stets infantile Zuversicht ausstrahlte, verzog sich in schrumpelige Grübelfalten – ein fröhlich bunter Luftballon, dem man langsam die Luft entzieht.

»Stimmt, das ist eigentlich unlogisch. Daran habe ich gar nicht gedacht. Glaubst du, unser bewundernswürdiger Professor besitzt zum Überfluß seiner anderen Fähigkeiten auch noch hellseherische Talente?«

»Da kannst du deinen Bodenglanzreiniger drauf verwetten, Hansi!«

Der Kerl schaffte mich! Am Anfang unserer Beziehung vermochte ich seiner grenzenlosen Naivität noch etwas Staunenswertes abzugewinnen, etwa vergleichbar mit der Empfindung beim Anblick eines Affen, in dem man den eigenen evolutionären Urahn zu erkennen glaubt. Doch allmählich identifizierte ich diese Naivität als das, was sie in Wahrheit war: die Flucht aus dem Horrorkabinett des Lebens in das blümchenumrankte Land der Kobolde und Rümpfe, wo man ganz seinen spinnerten Kinderphantasien frönen konnte, ohne in der Welt als Versager zu gelten. Ich meine, der Mann war immerhin fast dreißig Jahre alt und hatte mir kein einziges Mal einen dreckigen Witz erzählt, geschweige denn etwas über eine Frau, der er seine Sezierbesteckkollektion zeigen wollte.

Andererseits hatte er ja irgendwo recht. Die von Sladek für mich ausgewählte Luxussuite inklusive Cinerama-Meeresblick hatte mich ja in der Tat gleich zu Beginn versöhnlich gestimmt und die günstigste Voraussetzung für eine rasche Akklimatisierung geschaffen. Und auch der vermutete Grund, warum das Gesicht der Diva die Wand schmückte, schien keineswegs weit hergeholt. Ich wollte nicht gerade behaupten, daß das Bild mir viel bedeutete, doch immer wenn ich es betrachtete, löste es in mir warme Gefühle aus.

Mir fiel noch etwas ein.

»Dieser Holzglobus«, sagte ich. »Wo hast du ihn?«

Im selben Moment sah ich die Kugel in Hans' Händen. Er war inzwischen die Leiter hinuntergeklettert und rieb mit einem funkelnagelneuen Staubtuch ehrfurchtsvoll an der Antiquität, als bringe er die Kronjuwelen zum Funkeln.

»Da ist er ja. Wieso lag das Ding bei meinem Einzug in diesem Zimmer? Wer hat es hier deponiert?«

Er schaute betreten und grabesstumm auf Südamerika und wischte dann aus Nervosität zärtlich über die Anden.

»Der Bewundernswürdige!« triumphierte ich, als hätte ich in einem Fernsehquiz die Masterfrage beantwortet. »Er hat ihn gebracht, nicht wahr? Er sagte, er würde mir viel bedeuten. War es nicht so?«

Der Polierer nickte bußfertig, wischte ein letztes Mal über den Globus und stellte ihn auf den Tisch zurück. Dann imitierte er einen Zauberer und zog statt des Magierstabes blitzschnell einen Staubwedel mit bonbonfarbenen Federn aus dem Ärmel. Nachdem er mein geheucheltes Erstaunen genossen hatte, fiel er damit über die Bücher in den Regalen her.

Ich dagegen konnte mich momentan wenig für die Zaubertricks des Putzteufels begeistern. Nein, mich beschäftigte vielmehr die echte Schwarze Kunst, die Hexerei des Robert Sladek. Ganz plötzlich nämlich hatte ich den Verdacht, daß jener eine ebenso geistreiche Bösartigkeit im Schilde führen könnte wie ich. Oder war es *nur* Einbildung, Paranoia, beginnender Wahnsinn? Was hätte das wohl für ein blödes Spiel sein können, das der Direktor einer der hochentwickeltsten Therapiestätten Europas mit einem wehrlosen Krüppel spielte? Ein Foto, ein Holzglobus, ein paar Irritationen wie eine befremdliche Weihnachtsaufführung oder ein zufälliger Nazi – was sollte schon groß dahinterstecken? Wie von fernen, geheimnisvollen Ufern schrie eine Stimme in meinem Kopf: Horch in dich hinein, und du wirst die Antwort auf alle deine Fragen finden! Ich aber wollte lieber so lange die Luft anhalten, bis ich erstickte, als der grausamen und doch längst erahnten Wahrheit ins Antlitz zu blicken. Nicht er, ich war der wahre Irre, das wußte ich auf einmal mit unerschütterlicher Gewißheit.

»Er möchte dich übrigens sprechen«, sagte Hans, tief in seine Wedelarbeit versunken. Er huschte mit seinen Federn wie der distinguierte Butler des Herrn Baron fingerfertig über meine Bücher, bis die schwarze Akte seine Aufmerksamkeit erregte. Er klemmte sich den Staubwedel unter die Achsel und zog die Kladde heraus.

»Du willst doch gleich beim Arnold im Leuchtturm vorbeischauen. Da können wir in einem Abwasch auch den Professor besuchen, finde ich . . . Daniel, mir scheint, wir haben vergessen, diese Akte hier in die Bibliothek zurückzubringen.«

Ich versuchte krampfhaft abzulenken. »Was will der Professor mit mir besprechen? Leg die verdammte Akte wieder zurück, Hans!«

»Was er mit dir besprechen wi . . .«

Er hatte den Deckel schon aufgeklappt.

»Komisch, das ist ja gar keine Akte aus der Bibliothek. ›Nachträgliche Ermittlungen im Fall des Waisenjungen Daniel, in der Pflegschaft des katholischen Pfarrers der St.-Nikolaus-Kirche Jupiter Magnus‹? Was hat es damit auf sich, Daniel?«

»Der Professor, er, hat er einen Grund genannt? Ich meine, was gibt es da schon zu bereden, ich, ich wüßte nicht... Hans...!«

Mir war heiß, so heiß, als würde meine normale Körpertemperatur nie mehr zurückkehren. Schweißperlen rannen mir von der Stirn und von den Schläfen und tropften dann vom Sammelpunkt am Kinn auf das saubere weiße Hemd. In keinem anderen Moment wurde ich mir derart deutlich der Tatsache bewußt, daß ich der wunderbaren Welt der Zurechnungsfähigkeit entglitt wie Quecksilber, das man auf einer Glasscheibe zu erhaschen versucht. Denn wenn mir die vier so schmerzlich vermißten Gliedmaßen zur Verfügung gestanden hätten, wäre ihre erste Bewährungsprobe die gewesen, Hans zärtlich zu umarmen und dann aus dem Fenster zu schmeißen.

»Merkwürdig, merkwürdig«, sagte ein merkwürdig berührter Hans. »Hier steht: ›Nachdem die Untersuchung vor etwa zehn Jahren aus den bekannten Gründen zum Erliegen gekommen ist, fällt durch anonyme Briefe etwas Licht ins Dunkel. In diesen sind lückenhafte Angaben über das aus der heutigen Sicht kaum mehr rekonstruierbare Schicksal der gesuchten Person gemacht sowie die Umstände beschrieben, welche zu der Kindesaussetzung führten. Sterbeursache der jungen Mutter und Ort der Beisetzung...‹ und so weiter und so fort...«

Er senkte abrupt die Stimme, murmelte den Rest des Textes, überflog die nächsten Seiten, blätterte dann, ohne auf die Reihenfolge der Dokumente zu achten, in der Akte, bis er wieder auf eine brisante Stelle stieß und sich festlas. Ich dagegen war von einer anderen Spannung erfaßt und wie paralysiert. In meinem Kopf schwirrten Gedanken und Fetzen meiner skurrilen Biographie wild durcheinander wie der Gravitation hohnsprechende Planeten um eine impotente Sonne. Diese kranke Sonne war das Zentrum meines Ichs, ein hinfälliger Stern, ein schwarzes Loch, wie man in der Sprache der Astronomen sagt, das bestimmte rätselhafte Erinnerungen schluckte, die den finsteren Plänen des Teufels, meines ewigen Mentors, im Wege standen. Für einen Moment (oder war es eine Ewigkeit?) versank das Zimmer in tiefster Finsternis, alles ringsherum löste sich in Luft auf, und plötzlich ertönte ein schwerer, furchteinflößender Baß wie aus dem obszön gekrümmten Horn eines Urmenschen, der magische Rituale zelebriert. Einen Augenblick später nur sah ich überall um mich herum Sterne funkeln und in der Ferne Sonnen und Spiralnebel aufleuchten. Und so war ich wieder gefangen in dem Leitmotiv meines armseligen Lebens, dem Weltall, in einem Schweben ohne Ende und natürlich ohne Arme und Beine – ich allein, ein rasender Fleischball auf seiner Bahn durch die Dunkelheit.

Widerwillig erinnerte ich mich, sah Scherben meiner längst überwunden geglaubten Vergangenheit, die im stumpfen Schein der Sterne Bilder reflektierten, ekelhaft klare Bilder, als hätte man sich an die auf dem Glas ruhende Staubschicht so sehr gewöhnt, daß man automatisch abgestoßen ist, wenn der Belag mit einem Mal fortgeblasen wird . . .

. . . Das zum Kinder- beziehungsweise Rumpfzimmer umgebaute Dachgeschoß im Hause Jupiter. Draußen regnet es in Strömen, hier drin jedoch ist es behaglich trocken und warm. Das Licht ist ausgeschaltet. Nur durch die halboffene Tür fällt ein Lichtstrahl in den Raum, der sich für ein Kind wie ein Fußballplatz ausnimmt, ein Lichtstrahl, der den blankgewichsten Holzboden wie eine gleißende Lanze in zwei Hälften schneidet. Ich, neun Jahre alt, vor Intelligenz und Bösartigkeit geradezu berstend, sitze im Jupitermobil und lausche dem Prasseln des Regens und den sonderbaren Klimpergeräuschen des Mobiles, das aus Bambusstöckchen besteht und vom Firstbalken der Decke herabbaumelt. Maria hat mich gefüttert, gebadet und in ein überlanges, weißes Nachthemd gesteckt. Sie ist noch schnell in der Küche verschwunden, um den verhaßten Lebertran zu holen, dem ich entgegenbibbere wie einem Becher Gift. Kleiner Kindertrost: Nach dem tödlichen Schluck gibt es ein Schälchen frische Erdbeeren mit Zucker. Jupiter hält in der Kirche eine Messe für einen Erdenbürger, der als letzten guten Drink eine halbe Flasche Abflußreiniger zu sich genommen hat – Schulden, zu jener Zeit noch ein vernünftiger Grund für einen Selbstmord.

Urplötzlich habe ich das Gefühl, daß draußen im Regen meine treulose Mama steht und das Pfarrhaus beobachtet. Unter derartigen Zwangsvorstellungen leide ich oft, weil ich in ihr eine Art gutartige Hexe sehe, welche mit ihrer Rückkehr den Fluch, der auf mir lastet, aufzuheben vermag, sozusagen ein Prinzessin-küßt-Frosch-zum-Prinzen-Aberglaube. In Wahrheit aber habe ich Sehnsucht nach ihr, verspüre dringend das kindliche Bedürfnis, den spezifischen Geruch der Mutter zu inhalieren. Maria gibt mir alles, was ein verwaistes Rümpfchen benötigt: Liebe, Pflege, Trost. Doch da sie selbst diverse Schlagseiten hat und die Rolle der tadellosen Mutter nur kümmerlich verkaufen kann, komme ich mir bisweilen wie ihr Vater vor, oder sagen wir besser wie ein Vater mit stark inzestuösen Gedanken. Deshalb erträume ich mir eine schaurig romantische Legende von meiner Rabenmutter. Ich phantasiere zum Beispiel, daß meine Familie einem Adelsgeschlecht angehört, das von dunklen Mächten verfolgt wird, und daß die arme Frau aus reinem Verantwortungsgefühl gezwungen war, mich auszusetzen, um damit die Spur von dem Sohn abzulenken. Natürlich ist sie dennoch ganz liebende Mutter und verspürt den Drang, in solchen Nächten, wenn sie ihre Verfolger im Schutze meteorologischer Störungen kurzfristig abschütteln kann, mich zumindest von ferne zu betrachten. Dann aber frage ich mich wieder, warum die blöde Kuh nicht einfach zur Polizei geht, wenn sie doch so bedroht ist, und dieser Widerspruch zwischen Fiktion und Logik treibt mich schier zur Verzweiflung.

Ich lenke den Rollstuhl zur Fledermausgaube des Dachstuhls und schaue hinaus durch die Scheiben, die der heftige Regen mit einem Tränenschleier überzieht. Dort unten, gegenüber der Kirche, an der Ecke, wo eine schummerige Straßenlaterne aus dem rissigen Bürgersteig emporwächst, sehe ich sie. Sie steht direkt unter der Laterne, und das gelbe Licht umhüllt ihre Erscheinung mit einer goldenen Aura, was sie für mich noch unwirklicher macht. Ihre Augen, die mich voll heißen Verlangens anhimmeln, sind wie von Laserlicht angestrahlt, so sehr glühen sie, und so intensiv ist die Liebe meiner Mutter zu mir. Der Regen hat ihre Haare klatschnaß werden lassen, und besonders deutlich sehe ich ihre weinrot geschminkten Lippen.

Dann greift sie in die Tasche ihres mausgrauen Mantels und holt eine Schachtel Zigaretten und Streichhölzer heraus. Sie steckt sich einen Glimmstengel in den Mund, formt die Hände zu einer windschützenden Halbkugel und zündet darin die Zigarette an. Und diese rasche, klischeehaft männlich-coole Geste zerstört irgendwie das melodramatische Aquarell von der Mutti, die aus qualvoller Entfernung nach dem Sohn schmachtet.

In Wirklichkeit, in der betrüblichen Wirklichkeit nämlich ist es gar nicht meine leidgeprüfte Mutter, die sich dort an der Laterne die Beine in den Bauch steht. Es ist ein junger Mann, vielleicht zwanzig, fünfundzwanzig Jahre alt, löchriger Mantel, zerschrammte Schuhe, Typ armer Student. Er befindet sich außerhalb des Laternenlichtkegels, so daß er lediglich von dem schwachen Widerschein erfaßt wird und in seinem geheimnisvollen Gehabe und seiner totalen Reglosigkeit wie ein Spion aus einem Kalter-Krieg-Streifen wirkt. Mindestens einmal in jeder

147

Jahreszeit kommt er hierher und beglotzt wie ein desorientierter Spanner stundenlang mein Fenster. Ob er mich hinter der Scheibe sieht, vermag ich nicht zu beurteilen, denn kein einziges Mal macht er Anstalten, mit mir in Kontakt zu treten. Die Gewißheit, mich hinter diesem Fenster in Sicherheit und bei Jupiter und Maria in Geborgenheit zu wissen, scheint ihm zu genügen.

Mit der Einbildungskraft, die bis an die Grenze einer Psychose heranreicht, versuche ich ihn aus meinem Blickfeld zu verbannen und an seine Stelle wieder die geliebte Mutter zu projizieren. Die ersehnte Illusion entsteht nur zögernd, anfangs noch recht fadenscheinig, dann immer stärker werdend, den jungen Mann verdeckend und schließlich ganz im gewohnten goldenen Glanz erstrahlend. Meine engelsgleiche Mutter, von ihrem Weltraumflug für ein paar Zigarettenzüge zurückgekehrt, vor dem Fenster ihres Sohnes.

Aber in Wirklichkeit ist es nie meine Mutter, die dort unten steht, es ist immer nur er, immer nur er. Ich hasse ihn! . . .

. . . »Heimstatt für christliche Männer« ist in das im Lauf der Jahre durch Regen und Wind beinahe schwarz korrodierte Messingschild eingraviert. Verwesung und Verfall liegen über dem Altbau, der wie ein furchteinflößendes, anachronistisches Bollwerk aussieht und dessen Tür das Schild schmückt. In diesem schrecklichen Stadtteil, den man in den Sechzigern wohl für eine Segnung der Menschheit hielt, wirkt er wie ein bösartiger Tumor, den der Bauchirurg vergessen hat, wegzuoperieren. Ein morbides, jede Hoffnung auf Freude und Zuversicht vernichtendes Grau liegt über dem Gebäude. Gesichtslose, von abscheulichen Zweckbauten dominierte Straßen, in denen die einzigen Farbtupfer die schreienden Sonderangebotsplakate der Supermärkte sind. Eine kleine, von Hundescheiße überzogene Stadtpark-Nachmache beherbergt ausschließlich Penner, die sich gegenseitig die Nasen blutig hauen und denen die

Schnapsflasche an den Mund festgeschraubt zu sein scheint. Der Himmel paßt sich der deprimierenden Fäulnis auf der Erde an, denn auch er hüllt sich in tristes Grau; dichte, graue Wolken so weit das Auge reicht, so daß man geneigt ist zu vergessen, was überhaupt eine Sonne ist.

»Dein Adoptivvater liegt im Sterben«, hat mich mein Betreuer unterrichtet, in einem Ton, als würde er sagen: »Dein Wellensittich hat Asthma.« Er ist die Gefühlsarmut in Person, sozusagen die wandelnde Katatonie. Nur beim Thema Fußball taut er ein wenig auf; sein Transistorradio, das er an das rechte Ohr preßt und aus dem pausenlos das von Funkstörungen überlagerte, ekstatische Röcheln des Spielberichterstatters dringt, ist aus seinem schmierigen Erscheinungsbild sowenig wegzudenken wie die Waage aus der Hand der Justitia. Mit größter Andacht und Prägnanz verfolgt er das Bundesligageschehen und protokolliert die aktuellen Tabellen, als wolle er darüber eines Tages eine Professur ablegen. Weshalb er sich für den Dienst des Schwerbehindertenpflegers entschieden hat, bleibt ein Rätsel.

Der Fußballdepp schiebt mich durch die trüben, nach Moder und undefinierbaren Medikamenten riechenden Gänge des Sanatoriums, das gleichzeitig ein Altersheim ist. Wir befinden uns in einer Institution der katholischen Kirche, die sich um den Lebensabend ihrer ausgelaugten Gottesmänner kümmert und schließlich auch um das Auswandern in die Gefilde, wo der Lohn für die lebenslange Loyalität hoffentlich zu empfangen sein wird. Die Heimstatt für christliche Männer ist eine Todesstatt. Greise, die ausgewickelten Mumien gleichen und flüsternd dummes Zeug vor sich hin sabbeln, kommen mir auf Rollstühlen entgegen. Meistens werden sie von pergamenthäutigen Nonnen geschoben, die mich in ihren schwarzweißen Trachten an Gruftwächterinnen erinnern. Vor dem Fenster sehe ich den angegliederten Friedhof, auf dem jede Menge fabelhaft verarbeiteter schwarzer Marmor steht. Wer hier ankommt, hat wenigstens ein Ziel vor Augen.

Ich werde in die Intensivstation geschoben. In den schmucklosen Rollbetten, aufgereiht wie parkende Autos in einer Tiefgarage, siechen Überbleibsel von einstigen Gottesdienern, die ihr Leben lang von ihren Kanzeln gepredigt haben, daß ER Barmherzigkeit kenne. Jetzt, da sie am eigenen Leib erfahren, daß der Sachverhalt etwas komplexer ist, beginnen sie an ihren vollmundigen Versprechungen zu zweifeln. Bei meinem Anblick fragt sich so manch ein tumoriger Heimstattchrist, ob er wohl bereits die Brücke zum Anderland passiert hat und nun als Strafe für sündige Träume über Andergeschlecht vor dem Schafott gelandet ist, für dessen ersten Vorboten er mich halten mag. Sie werden von diversen bizarr gurgelnden und zischenden Überlebensapparaturen und matronenhaften Krankenschwestern drangsaliert und besitzen nicht einmal mehr die Kraft, ein überflüssiges Vaterunser an ihren Gott ohne Gnade zu senden. Aus dem Fenster am Ende des schlauchartigen Raumes dringt das diffuse Licht des bedeckten Himmels. Der Tod, er ist hier ganz heimisch geworden, da gibt es keinen Zweifel.

Mein taktsicherer Betreuer schaltet sein Transistorradio ein, klebt es an sein Ohr und stoppt den Rollstuhl vor Jupiters Bett. Aber ich erkenne meinen Ziehvater nicht wieder. Der Mann, der unter einer hauchdünnen Decke liegt, wiegt höchstens fünfundvierzig Kilo, hat ein chinesengelbes, qualverzerrtes Gesicht und einen solch milchigen Blick, als befinde er sich in Trance. Schläuche, in denen kunterbunte Tinkturen fließen, wuchern ihm aus Nase und Armen. Das soll der energische Dicke sein, der einst seinen goldenschimmernden Osterhefezopf selbst buk und einen Schweinebraten derart zuzubereiten verstand, daß einem schon beim ersten Bissen vor Genuß die Sinne schwanden? Dann jedoch versucht der Sterbende ein mattes Lächeln, und als vernehme ich das schwache Echo eines längst verstummten Rufes, erkenne ich auf einmal in diesem knochigen Zombiegesicht den einzigen Menschen, den ich im Leben jemals geliebt habe. Was habt ihr mit seinem Bauch gemacht? will ich schreien. Was habt ihr mit seinem verdammten Bauch gemacht, ihr Schweine!

Jupiter aber will kein Wehklagen hören. Statt dessen reißt er müde Witze über seinen miserablen Zustand. Ob es mir gelungen sei, seinen roten Lieblingsburgunder hineinzuschmuggeln. Und daß man ihn bei seiner Beerdigung doch bitte mit dem Schmarrn verschonen möge, den er in seinem vierzigjährigen Berufsleben fast wöchentlich selber über frischgebackene Grabbewohner gesprochen habe. Er lacht über seine eigenen Witze. Doch die Witze sind gar keine, und das Lachen ist ein Winseln. Dann veranstalten wir ein bißchen zähflüssigen Small talk. Die medizinische Betreuung hier sei beispielhaft, jaja. Und der Vatikan schicke jedem Patienten einen vom Papst eigenhändig unterschriebenen Genesungsgruß, haha.

»Daniel, bevor ich diese Welt der Lammfilets und Heidelbeerpfannkuchen verlasse, muß ich dich über einen wichtigen Punkt in deinem Leben aufklären«, platzt er plötzlich in das verlogene Geflöte hinein, und der Radiosprecher vermeldet gerade ein Tor. Jupiter fordert meinen Betreuer auf, in das Nachtschränkchen zu greifen und eine schwarze Akte herauszunehmen. Dieser kommt der Bitte lustlos nach und legt die Kladde vor mich auf die Bettkante. Ich will protestieren, will nichts wissen über wichtige Punkte, will nur hier sitzen und mit diesem Mann amüsante Nichtigkeiten austauschen, bevor er mir wegstirbt. Doch Jupiter nimmt sich die Mysterien meines Lebens mehr zu Herzen als ich selber und fährt unbeirrt fort, in der Vergangenheit herumzuwühlen. Er erzählt von anonymen Briefen, die zehn Jahre nach der Adoption bei den Behörden eingingen, und von den darin enthaltenen konfusen Hinweisen auf meine Herkunft und die Umstände der Kindesaussetzung vor dem Kirchenportal. Er redet, lange Pausen der Ermüdung und der Hustenattacken einlegend, von irgendwelchen nebulösen Informationen, die die Polizei zwangen, die einstmals nicht mehr weiterverfolgten Spuren wiederaufzunehmen. Allesamt aber führten sie ins Leere bis auf einen unbestimmten Anhaltspunkt über eine Flüchtlingsfamilie aus dem Osten und immer wieder zu einem Namen. Den trug jedoch damals fast jeder zweite Flüchtling. Schließlich mußte die Rekonstruktion der Ereignisse erneut abgebrochen werden, sagt Jupiter bedauernd, und die anfangs aufgekeimte Hoffnung auf eine vollständige Aufklärung des Falles mußte begraben werden, als die ominöse Korrespondenz unversehens eingestellt wurde. Sämtliche gesammelten Fakten und Details befänden sich nun in dieser Akte, und jemand, der sich die Mühe mache, könne aus ihr vielleicht endgültige Antworten herauslesen.

Jupiter kann kaum mehr sprechen. Er schluckt so merkwürdig, als wolle er einen schlechten Geschmack loswerden.

»Ich habe dir das alles verschwiegen, Daniel, zuerst, weil ich dich nicht verwirren wollte, und dann später, nun ja, es lag so weit zurück, und du hast nie danach gefragt. Aber jetzt, da für mich allmählich die letzten Glocken zu läuten beginnen, soll es keine Geheimnisse mehr geben. Es ist wenig und ziemlich ungereimt, was ich dir bieten kann. Doch es ist dein Recht, die wahren Umstände deiner märchenhaften Vergangenheit zu erfahren.«

Ich will aber mein Recht nicht! Lieber möchte ich meinen Ursprung als ein unlösbares Rätsel sehen, das immer von neuem Anlaß zu unglaublichen Hypothesen und phantastischer Träumerei bietet. Soll sich am Ende meine feengleiche Kosmosmutter als ein Bauerntrampel aus Usbekistan entpuppen? Und soll meine Heimat, welche ich entweder in Eldorado oder in Atlantis vermute, nun plötzlich ein Kuhkaff in Kasachstan sein? Nein, nein und nochmals nein! Das oft und gern wiedergekäute

Märchen vom schelmischen Rümpflein, das es aus dem Reich der Drachen und Zauberer durch einen Fluch in die fade Welt der Aktion Sorgenkind verschlagen hat, darf nicht ein derartig banales Ende nehmen. Ich lass' mir doch nicht von so einer stinkenden Akte meine gloriose Historie in Stücke schlagen!

Dies soll Jupiter gleich erfahren. Er soll wissen, daß ich auf meine Herkunft und alles, was damit zusammenhängt, einen Dreck gebe. Manchmal ist die Legende wahrer als die Wahrheit, möchte ich ihm sagen.

Aber da ist die ganze Geheimnislüfterei Jupiter schon auf den krebszerfressenen Magen geschlagen; er ist überansprucht, schließt ermattet die Augen und läßt mich mit dieser blöden Akte auf der Bettkante und der hohl tönenden Stimme des Radiosprechers, die wichtigtuerisch die soeben verteilte rote Karte bekrittelt, allein zurück. Der letzte Eindruck, den ich von meinem Pflegevater mitnehme, ist so deprimierend wie sein ganzes christliches Leben. Er liegt unter der schneeweißen Decke, die bloß den abgedroschenen Vergleich mit einem Leichentuch verdient, atmet rasselnd durch den wie zu einem Schrei aufgerissenen, trockenen Mund und scheidet seine Exkremente dank medizinischem High-Tech ohne sein Zutun ganz bequem im Schlaf aus. Über dem Bett baumelt ein krummes, grauenerregend neumodisches Kruzifix, das »Jesus am Kreuz« im Stil einer Kinderkritzelei darstellt und mit einem clownesken Lächeln des Heilands die Siechenden zu verarschen scheint. Ein dauerndes Stöhnen und Jammern geht durch die Endstation Horror, bis ein schwarzer Vogel mit fürchterlich zerfleddertem Federkleid, offenbar ebenfalls ein Metastasenopfer, draußen auf der Fensterbank landet und mit einem stimmbruchhaften »Krachk!« alles übertönt. »Ich hab' jetzt Feierabend«, muntert mich mein einfühlsamer Betreuer auf, und wir verlassen die Schreckenskammer des Dr. Fu Man Chu.

Zwei Tage später stirbt Jupiter, und ich schaue kein einziges

Mal in diese geheimnisvolle Akte hinein, ja vergesse sie sogar. Trotzdem ahne ich ihren Inhalt, ich ahne von Tag zu Tag mehr ...

... Der Transporter, der mich zu den »Verzauberten Jägern« deportiert hat, kommt am Rande des roten Aschenweges endlich zum Stehen. Während der ganzen Fahrt hierhin haben zwei Krankenpfleger einen ungleichen Fight gegen mich ausgetragen, was kein Vorwurf sein soll, da ich es war, der sie durch ständiges Zappeln, wildes Bespucken und deftige Flüche zu Handgreiflichkeiten provoziert hat. Abwechselnd haben sie mich in den Schwitzkasten genommen, gewürgt oder mit leichten Schlägen traktiert. Am liebsten hätten sie mich aus dem Wagen geworfen – aber das ist verboten.

Weshalb ich mich gegen diesen Umzug so gewehrt habe, weiß ich selbst nicht mehr so genau, denn wenn man dem, was man mir versprochen hat, glauben darf, handelt es sich bei der Institution um eine Art Disney World für Rümpfe. Vielleicht aber ist es das befremdliche Gefühl, das seit geraumer Zeit in meinem Hirnkasten rumort, jene schreckliche Befürchtung, daß ich dort mit etwas konfrontiert werden könnte, das mein geistiges Fassungsvermögen übersteigt. Wie der Teenager den ersten Sex habe ich es mir herbeigewünscht und sehe dem Ganzen jetzt doch mit nackter Angst entgegen.

Die Griffe meiner Peiniger lockern sich, die Seitentür des Wagens wird aufgeschoben, jemand boxt mir in den Bauch, und ein Mann tritt mir entgegen, von dem ich gehofft habe, daß er keine angejährte Version des Gelegenheitsspions aus schummerigen Regentagen sein würde. Ich hatte gehofft, nein, gebetet hatte ich, daß seine lächerlich gelackte Erscheinung, so als käme er gerade von einer Fotosession für ein pseudoaristokratisches Herrenmagazin, in mir nicht diese unerklärlich vertrauten Gefühle auslösen würde. Aber dieses Gesicht, mein Gott, diese Ähnlichkeit!

Im selben Moment verleugne ich den Erkennungsschock; mein Verstand verhaftet das soeben Wahrgenommene und steckt es in ein verborgenes Verlies im Hinterkopf, wo weder Vernunft noch irgendein Erinnerungsarchäologe es je finden können. Ein eiserner Vorhang fällt vor all die schwindelerregenden Details meiner Biographie, hüllt sie in Finsternis, und aus Wahrheit wird Selbstverleugnung und aus Selbstverleugnung schließlich nur noch Vakuum.

Der Mann legt seine Hand auf meine Schulter und sagt, daß er schon so lange auf mich gewartet habe. Ich antworte ihm irgend etwas und übergebe mich dann auf sein teures Jackett. Doch während ich mich übergebe, versuche ich immer wieder beharrlich in sein Gesicht, in dieses vor Glück schier zerspringende Gesicht zu blicken. Und als sei es eine auf Hochglanz polierte Maske aus Chrom, sehe ich plötzlich darin die schaurige Spiegelung meines eigenen Gesichts und weiß jetzt, wer ich bin! Ich weiß, wer ich bin! Ich weiß, wer ich bin! . . .

»Ich wußte gar nicht, daß du auch so heißt«, sagte Hans, schüttelte verwundert den Kopf und schlug den Ordner wieder zu.

Die Sonne brannte von ihrem Feuerthron aus wie eine Heimsuchung auf die Küste herab. In diesem Meer aus Licht, welches nun jeden Bereich des Zimmers erfaßte, einen Krieg der sich gegenseitig bekämpfenden Reflexionen entfachte und sich durch den weißen Wandanstrich um ein Mehrfaches potenzierte, erwachte ich aus meinen Erinnerungen wie der Filmirre nach seiner Greueltat, wenn er das bluttropfende Gemüsemesser in seiner Hand erblickt hat. Tiefste Niedergeschlagenheit bemächtigte sich meines Gemütes. Es war mir unmöglich, zu bestimmen, wieviel Zeit inzwischen vergangen war und wie lange Hans in der Akte herumgestöbert hatte. Doch mit derselben Unberechenbarkeit, mit der diese versteinerten Bilder in meinem Bewußtsein explodiert waren, verloren sie nun wieder an Kontrast und Glanz und verblaßten schließlich ganz. Während meines Weggetretenseins hatte ich den Kopf unmerklich der Sonne zugewandt, was das leidvolle Erinnern durch ein quasipsychedelisches Verfahren forciert hatte. Die über mich hereingebrochene Dunkelheit war also in Wirklichkeit ein Übermaß an Licht gewesen. Nun jedoch, da ich aus der geistigen Ohnmacht aufgewacht war, wurde ich mir beinahe schockartig meiner schmerzenden Augen bewußt, die brannten, als habe man sie in Salz eingelegt. Hans erschien mir mit der Akte in seinen Händen und dem Staubwedel unter der Achsel wie hinter einer getönten Glasscheibe. Nur ganz allmählich stellten sich die alten Lichtverhältnisse wieder ein, und in dem immer heller werdenden Raum stellte der Betreuer meine Schicksalspapiere in das Regal zurück.

»Ich wußte gar nicht, daß du auch so heißt«, wiederholte er.

»Ich auch nicht«, entgegnete ich.

Bevor ich eine rätselhafte Unterhaltung mit Professor Sladek über mich ergehen ließ, passierte noch ein recht amüsanter Zwischenfall.

Hans hatte den Rollstuhl bereits in den Korridor chauffiert, an dessen Ende sich die Tür zum Büro des Hochgeschätzten befand. Dieser Gang, den zu beiden Seiten Basaltreliefs mit Motiven unserer dubiosen, in ihren waidmännischen Aktivitäten eingefrorenen »Verzauberten Jäger« schmückten, lag in einem abgeschiedenen Trakt und wurde durch ein paar Edelwandleuchten aus Milchglas lediglich in ein dämmriges Licht getaucht. Die Hälfte der Strecke lag schon hinter uns, als sich in der Ferne plötzlich eben jene Bürotür öffnete und Mercedes, die ziemlich in die Mangel genommen wirkte, auf den Gang trat. Wir fuhren direkt auf sie zu, während sie die Tür hinter sich schloß und uns entgegenstöckelte, scheinbar ohne mich zu erkennen. Ihr ramponierter Anblick gab mir noch den letzten

Ansporn für den Professorenmord, denn das Mordopfer in spe hatte dem Mädchen wirklich übel mitgespielt.

Ganz entgegen ihres farbenfrohen Stils trug sie diesmal ein rabenschwarzes einteiliges Kleid, dessen hyperenges Rockstück für eine halsbrecherische Gehbehinderung sorgte. Es ließ sie aussehen, als komme sie gerade von einer Beerdigung, und wurde vom Rundkragen bis zur Taille von einer Unzahl zierlicher Knöpfe zusammengehalten. Was mir jedoch den gerechten Zorn des Neidhammels in den Rumpf fahren ließ, war der verräterische Zustand, in dem sich das Kleid befand. Offenbar hatte es einen aufreibenden Materialermüdungstest hinter sich, denn einen so zerknautschten Fummel hatten meine textilkundigen Augen noch nie gesehen. Zudem erfüllte die obere Knopfreihe nicht mehr ihren Zweck und entblößte größere Regionen ihrer Mammutbrüste, die, wie ich zu meinem Entzücken bemerkte, von einem nach dem simplen Prinzip des Körbchens geschnittenen, schwarzen BH getragen wurden. Ihre Flammenhaare waren ein einziges chaotisches Vogelnest, und die ebenfalls schwarzen Seidenstrümpfe wiesen ansehnliche Laufmaschen auf. Überall um ihren Mund sah man verschmierten Lippenstift, nur nicht auf ihren fülligen Lippen. Herr im Himmel, kreischte ich gegen die Wände meines vor Überhitzung beinahe zerplatzenden Schädels, fehlt nur noch, daß ihr das milchige Sekret an der Innenseite der Schenkel herabrinnt. Ich hätte vor blindwütiger Eifersucht gern in meine Faust gebissen, wenn ich eine gehabt hätte, oder besser noch, geradewegs in Sladeks Hals. Alles in allem machte die Arme den Eindruck, als sei sie gerade von einem Werwolf oder etwas Ähnlichem angefallen worden.

Mercedes wankte auf unsicheren Schritten – die Mißhandlungen hatten offenbar orthopädische Schäden hinterlassen – bis auf eine Entfernung von zirka drei Metern auf uns zu, als sie mich plötzlich erspähte. Prompt veranstaltete sie daraufhin eine

Vollbremsung, schnitt eine Schreckensgrimasse und schleuderte vor lauter Nervosität oder vielleicht aus reinem Kreislaufversagen ihren signalroten Rucksack aus der Hand. Das gute Stück landete genau vor dem Rollstuhl, und zum Vorschein kam erstaunlicherweise statt Wimperntusche und Make-up-Töpfchen eine Unmenge von Papierkram. Sofort bückte sie sich und versuchte unbeholfen, alles wieder in den Beutel zurückzubefördern. Obwohl sie flink ans Werk ging, entging mir keineswegs, um welche Art von Papieren es sich hierbei handelte. Meist waren es kleine rote Heftchen mit dem goldfarbenen Aufdruck »Bank of Acapulco« oder »Bank of Mexico«, ich nahm an, Sparbücher. Der Rest bestand aus Unterlagen in Klarsichthüllen mit denselben oder solchen Aufschriften, die auf komplizierte Geldtransaktionen schließen ließen.

Bank of Acapulco? Bank of Mexico? Woran erinnerte mich das nur? Eigentlich an gar nichts. Außer vielleicht . . . »Du wirst es nicht für möglich halten, doch letztes Jahr verbrachten wir sogar unseren Urlaub in Acapulco!« hatte Hans an meinem ersten Tag während der großspurigen Führung durch das Heim am Rande erwähnt. Eine ziemlich laue Gedankenverknüpfung, wie ich mir eingestehen mußte. Doch trotzdem pulsierte in dieser auf den ersten Blick unsinnigen Assoziation etwas so beharrlich wie ein mikroskopisch kleiner Splitter im Fleisch.

Ich hätte gern weiter kombiniert, hätte die kühnsten Mutmaßungen über diese beiden scheinbar harmlosen Punkte angestellt, hätte, hätte, hätte – aber wie bloß, wenn ich doch gezwungen war, von meinem Kaiserstuhl aus auf die beiden im Körbchen schlummernden kolossalen Ostereier der vor mir knienden Mercedes aufzupassen!

»Ach Sie«, stammelte sie, während sie die letzten Papiere in den Rucksack hineinstopfte, und schaute etwas ängstlich zu mir auf, wohl ahnend, was meine hungrigen Linsen gerade fürs Zubettgehen abfotografierten. »Ach du«, korrigierte sie sich im nächsten Moment, ergriff mit der linken Hand den Rucksack, mit der Rechten den offenstehenden Kragenausschnitt und stand auf.

»Mercedes!« strahlte ich. »Was für ein Zufall. Gerade eben, als Hans und ich meine alten Hustler-Nummern katalogisierten, haben wir über dich gesprochen. Kleinen Abstecher in die Höhle des allmählich ergrauenden Löwen gemacht?«

»Daniel, nicht wahr?«

Ihre Hände schienen plötzlich überall gleichzeitig zu sein. In der Absicht, eine schnelle Restaurierung ihres aus den Fugen geratenen Looks vorzunehmen, fuchtelte sie fieberhaft an ihrer Haarpracht herum, steckte mit zittrigen Fingern die kleinen Knöpfe in die jeweils oberen oder unteren, jedenfalls immer in die falschen Löcher, so daß das Kleid sich in die Diagonale verzog, zerrte ihr Rockteil straff und versuchte erfolglos, den verschmierten Lippenstift von den Wangen zu reiben. Dabei blickte sie sich dauernd gehetzt um, als seien der KGB und die Mafia gleichzeitig hinter ihr her.

»Ja, ich glaube, wir kennen uns bereits«, stieß sie dann überflüssigerweise hervor. »Der Professor ist . . .«

»Erschöpft?«

»Wie bitte?«

»Frühjahrsmüdigkeit.«

»Ach so.«

»Ausgelaugt.«

»Was?«

»Der Professor, kann er mich noch empfangen, oder schläft er danach sofort ein, wie es die meisten tun?«

»Was meinst du?«

»Bank of Acapulco. Geld wechselt den Besitzer.«

»Hä?«

»Warst du auch dort?«

»Wo?«

»Als er in Mexiko urlaubte. Vielleicht eine Modenschau?«

»Ja, so lernten wir uns . . . He, soll das ein Verhör sein?«

»Was weiß er? Und wieviel?«

»Wichtig ist, wieviel du weißt, Daniel.«

»Über was?«

»Ich muß jetzt gehen«, sagte sie barsch, preßte den Rucksack fest an die Airbag-Busen und wirbelte an uns vorbei.

»Wir werden uns nie mehr wiedersehen, Mercedes!« rief ich ihr schmachtend nach. »Und wenn, dann bestimmt unter ganz traurigen Umständen!«

Doch sie gab keine Antwort mehr, und man hörte in diesem einsamen, trüben Korridor nur das metallene Klacken ihrer Stöckelabsätze, das gnadenlos weiterechote wie ein Stanzhammer unter einer Eisenkuppel. Durch das wenige, das sie von sich gegeben hatte, dämmerte es mir langsam, daß ich mit meinem Treiben, das ja äußerst spaßig begonnen hatte, eine Katastrophe heraufbeschwor. Eine Nummer zu groß für dich, Rumpfi, sprach ich in Gedanken zu mir selbst, wie Verrückte es oft tun. Doch genauso wußte ich auch, daß nichts mehr auf der Welt dieses Desaster aufzuhalten vermochte, ob mit oder ohne meine Unterstützung. Schließlich war ich, Gott weiß, nicht der einzige böse Bube in diesem vertrackten Poker.

»Entschuldige, Daniel, aber ich blicke kaum mehr durch, was hier gespielt wird«, meldete sich Hans aus der Ära der noch mit Dampf betriebenen Denkmaschinen zurück.

»Behalte dir deinen klaren Blick für die wesentlichen Dinge des Lebens, lieber Hans. Zum Beispiel für die Prozente, die die Angestelltengewerkschaft in der folgenden Tarifrunde für deine Berufsgruppe herausschindet, oder für die Tür da drüben, um anzuklopfen, damit der Herr der Ringe mich hereinbittet.«

Und so geschah es. Allerdings bat er mich herein, indem er nicht wie jeder normale Mensch einfach »herein« rief, sondern wie ein kranker Papagei in einem irrwitzig schrillen Ton »Jaja-

jaja« kreischte. Hans schob den Rollstuhl über die Schwelle und schloß die Tür von außen.

Schon beim ersten flüchtigen Hinsehen fiel mir auf, daß die Sladekschen Mentalschrauben sich seit der Weihnachtsfeierlichkeit um einige weitere Umdrehungen gelockert hatten. Die mittlerweile nicht mehr so kräftige Sonne beschien durch das Panoramafenster das Zimmer, welches merkwürdigerweise eine exakte Abbildung von meinem war, nur daß hier ein süßlicher Goldton vorherrschte. Warme klebrige Farben nahmen eine absurd weiße Büroeinrichtung in Beschlag, deren Schöpfer sich gar nicht erst die Mühe gemacht hatte, sie für arbeitende Menschen zu gestalten, sondern gleich als Ausstellungsstück für das Museum of Modern Arts. Sämtliche Regale waren verblüffenderweise krumm, und wuchtige Stahlseile, die von oben nach unten verliefen und Spannung simulierten, verliehen ihnen das Aussehen von nebeneinanderstehenden Flitzbögen. Bei dem Schreibtisch hatte sich der Künstler augenscheinlich von seinem Frühstücksspiegelei inspirieren lassen, denn das asymmetrische Design des kostbaren Stücks sah aus wie ein überdimensionales gebratenes Ei, nur daß in der Mitte der Dotter fehlte und die Tischplatte eben war. Der Schreibtischsessel war ein Chrominsekt, dessen tragenden Elemente wie Drehsockel und Füße aus dünnem Stahl bestanden. Übertrieben geschwungene oder dramatisch kantige Linien diktierten jedem Möbelstück eine schicke Unzweckmäßigkeit, die den Benutzer wahrscheinlich in helles Entzücken versetzen sollte, falls er gerade das Ambiente mit dem Kennerblick des Avantgardeschnösels unter die Lupe nahm.

Sladek saß mit zerzauster Frisur und offenem Hemdkragen auf dem Insektenstuhl hinter dem Spiegeleischreibtisch und stierte mir mit glasigen Augen entgegen. Filigrane Kopfhörer verstopften seine Ohren, deren Verbindungsdrähte in einem exquisiten Compact Disc Player auf dem Tisch mündeten. Über ein Flüssigkeitskristalldisplay auf dem Gerät konnte man den Lautstärkepegel, Höhen und Tiefen und die Dauer der gerade abgespielten CD ablesen, womöglich auch den Wetterbericht.

Die allmählich von Gold auf mattes Messing wechselnde Sonne bestrahlte den Professor von hinten, so daß er eine weich leuchtende Korona erhielt wie ein vom Himmel herabgestiegener oder eher gefallener Engel. Es schien, als sei seine ganze Brechreiz provozierende Manieriertheit über Nacht einer von Düsternis dominierten Natur gewichen. Er hatte braune Ringe der Erschöpfung, wahrscheinlich jedoch der geistigen Zerrüttung, unter den Augen, welche ein trüb schimmernder Schleier überzog. Ob er wohl mittlerweile Drogen nahm, fragte ich mich beiläufig. Hätte mich nicht gewundert! Dann begann wieder sein rechtes Augenlid zu zucken, und über sein Gesicht flog ein perplexer Ausdruck, als nehme er mich erst jetzt wahr.

»Deine Hand, Belinda! Finsternis umwölbt mich. An deinem Busen laß mich ruhen. Mehr wollt' ich tun, doch der Tod ist in mir. Der Tod ist nun ein willkommener Gast . . . Mehr wollt' ich tun, Daniel, doch der Tod ist in mir.«

Ich fühlte, daß mir ein einzelner Schweißtropfen vom Nakken das Kreuz hinunterrann und sich in der Gesäßfurche verlor. Das Adrenalin, das schlagartig jede Faser meines Körpers erfaßte, verwandelte mich für einen Moment in eine steinerne Skulptur. Nicht einmal zu atmen wagte ich, weil ich mir plötzlich wie der kleine Junge vorkam, den die gestrenge Mutter beim Doktorspielen mit seiner Schwester ertappt hat. Er hatte mir also soeben auf den Kopf zugesagt, daß er meine albernen Anstrengungen, ihn auf eine höhere Daseinsebene zu katapultieren, längst durchschaut hatte. Wie konnte ich auch nur so dämlich sein zu glauben, daß Herr Arnold nicht gleich Verbindung mit dem Erpresser aufnehmen würde, sobald er dessen Identität enträtselt hatte? Ein lachhafter Plan mit einer lachhaften Bilanz. Rumpf ein bißchen gaga sein!

Dennoch gelang es mir, Fassung zu bewahren. »Wußten Sie, daß Elektroschocks Wunder bewirken können, Professor?« sagte ich. »Glauben Sie mir, all diesen modischen Schnickschnack mit Musiktherapie und ähnlichem können Sie in der Pfeife rauchen. Die Steckdose im Haus erspart die Zwangsjacke. In Ihrem Falle schwöre ich auf hundert Volt!«

»Dido und Aeneas«, hauchte er und nahm die Kopfhörer ab.

»Ärzte von Ihnen?«

»Ich meine doch die Oper von Henry Purcell, Daniel. Zauberhafte Musik. Solltest du dir auch zu Gemüte führen.«

Er stimmte einen Singsang an, so als versuche ein kranker Hund Pavarotti zu imitieren.

»Dada dada dada... Jetzt kommt meine Lieblingsstelle: ›Mehr wollt' ich tun, doch der Tod ist in mir‹...«

»Wenn Sie mich fragen, Chef, hören Sie sich in letzter Zeit zu oft Opern an und kleiden sich zu oft schlampig und empfangen zu oft Besuche von Damen, die zwielichtige Papiere im Rucksack haben, und wiederholen außergewöhnlich oft diesen einen Satz. Vielleicht sollten Sie ein bißchen Urlaub nehmen und ein neues Buch schreiben. Titelvorschlag: ›Wie ich den Behinderten den größten Gefallen tat und mich in einem Faß Zino-Davidoff-Rasierwasser ersäufte‹. Kommen wir zur Sache. Worüber wollten Sie mit mir sprechen?«

Er drückte eine Muschel des Kopfhörers gegen sein rechtes Ohr und lauschte ungerührt weiter dem Geschmetter von Dido und Aeneas. Dabei summte er entrückt, als habe er keine Eile mit der Vernehmung. Was mich anging, so fiel mir ein Granitbrocken vom Herzen, da er von meiner mörderischen Intrige offenbar immer noch nichts ahnte. So schien es jedenfalls.

»Was?«

Er legte den Kopfhörer auf den Tisch, stand auf, spazierte an die Glaswand und spähte traumversunken nach draußen. Ich sah, daß ihm sein Hemd hinten aus der Hose hing. Aber meine

Reizschwelle war schon längst überschritten, so daß ich mich zu einer weiteren Neidaufwallung nicht mehr aufraffen konnte. Er amüsierte mich nur noch. Die Strahlen der Messingsonne machten ihn zu einer sakralen Lichtgestalt, zu einer unwirklichen Figur, die eigentlich nur das verkörperte, was er auch in Wirklichkeit war: mein Schicksal.

Am Himmel streifte eine einigermaßen geschlossene Formation Schwalben vorbei.

»Na, weshalb haben Sie mich hierhin bestellt, Chef?«

»Weshalb? Was glaubst du, weshalb?«

»Ich bin heute im Raten nicht so gut. Machen Sie's kurz und schmerzlos.«

»Tja, ich wollte dich eigentlich nur fragen, ob du bei uns glücklich bist, Daniel. Das ist alles.«

»Nun, niemand ist vor dem Tode glücklich zu nennen, Professor. Glück ist wie Gott, wissen Sie. Man weiß nie, ob man ihm irgendwann zufällig begegnet ist.«

»Das ist ganz falsch, Daniel. So darfst du niemals denken. Ich wünschte, es gäbe einen Menschen in meinem Leben, dem ich das zeigen könnte. Jemanden mit Gefühl, den ich nach Griechenland mitnehmen könnte, und wir stünden vor Altären und heiligen Quellen, und ich würde sagen: Schau, das Leben läßt sich nur begreifen durch tausend lokale Gottheiten. Nicht allein die alten Götter wie Zeus. Nein, lebendige Geister. Nicht nur in Griechenland, sondern auch hier bei uns. Geister von bestimmten Bäumen, Winkeln in einer Mauer, Pommesbuden, wenn du so willst, bestimmte Runzeln auf der Stirn von Menschen. Ich würde zu ihm sagen: Verehre so viele Götter, wie du findest, und noch mehr werden dir erscheinen.«

»Wenn ich für jeden weisen Spruch von Ihnen eine Mark bekommen würde, dann wäre ich ein armer Mann, Chef.«

Er zog seine Stirn in Falten, hob die rechte Hand gegen die Sonne und massierte wie besessen seinen Kopf. Zu seinem nervösen Augenzucken gesellte sich aus heiterem Himmel ein weiterer Spleen, der den ungeheuren Druck, der auf dem armen Knaben lastete, anschaulich demonstrierte. Wie ein religiöser, rosenkranzbetender Eiferer bewegte er eine Weile tonlos seine Lippen, hielt jäh inne, als erwarte er eine Antwort, um danach sein Gespräch mit sich selbst wiederaufzunehmen. Ehrlich gesagt, begann mir sein desolater Zustand ein wenig Kopfzerbrechen zu machen. Denn nie war er vom schnieken Erscheinungsbild Bryan Ferrys entfernter als in diesem Moment. Und wie er so grübelnd aus dem Fenster schaute, der friedfertigen Brandung in der Ferne eine einseitige Unterhaltung aufzwang und den Eindruck erweckte, als begänne er den Tag mit einer Scheibe feingeröstetem Toast und einer Flasche Wodka oder einer Familienpackung Valium, da tat mir dieser Mann plötzlich unendlich leid. So leid tat er mir, daß ich ihn am liebsten an Ort und Stelle gemeuchelt hätte, um ihn von seinen Sorgen zu erlösen.

Was aber war die Ursache für die Wandlung vom bestangezogensten Dr. Mabuse zum mit sich selbst plappernden Schizo-Eleven, der schwermütigen Opern lauscht? Irgend etwas Außergewöhnliches mußte sich in der Zwischenzeit ereignet haben. Immerhin hielt ich ihn doch einst für einen derart perfekten Menschen, daß ich vor selbstzerfleischender Scheelsucht das abstruseste Mordkomplott der Kriminalgeschichte in Gang gesetzt hatte. Und jetzt? Jetzt ließ er seine Turnbull-&-Asser-Hemden schamlos aus der Hose hängen. Gern hätte ich mir eingeredet, daß seine jämmerliche Verfassung in einer direkten Beziehung zu meinen garstigen Aktivitäten stand. Doch ich konnte es nicht recht glauben. Es mußte eine andere Erklärung für die jähe Metamorphose geben.

»Erinnerst du dich, was ich dir über die Delphine gesagt habe, Daniel?«

Die nun rasch alternde Sonne tauchte ihn allmählich in irisierende Farbtöne, und es hatte den Anschein, als würde er in diesem Strom aus Licht und Irrealität jeden Augenblick abheben, zu schweben beginnen und dann aus dem Fenster davonfliegen. Bevor dies eintrat, drehte er sich vom Fenster weg und schlurfte stirnreibend wieder zu mir.

»Delphine? Was für Delphine? Ich kenne nur diesen drolligen Fernsehdelphin. Wie hieß er doch gleich?«

Es war wie verhext, sobald der Kerl neben mir stand, bekam mein Gedächtnis Ladehemmung, und die zähe Paste des Vergessens legte sich über alles, was noch vor kurzem detailgenau erinnerlich war.

»Die Delphine. Ich sagte, daß wir uns immer nur das Blau des Meeres vorstellen können, aber kaum das Vorhandensein der intelligenten, sprachgewandten Wesen, die darin leben. Daß unsere Imaginationskraft ziemlich eingeschränkt ist, wenn es gilt, uns in andere Daseinsformen einzufühlen. Und genauso verhält es sich mit dem Phänomen des Glücks, finde ich. Es ist immer nur das Glück aus der Schablone, hinter dem wir herjagen und das letzten Endes nie hält, was es verspricht. All diese stereotypen, törichten Dinge, die wir im Fernsehen sehen und die lediglich laue und schale Gefühle der Freude hinterlassen, wenn wir sie besitzen. All diese Superlandhäuser in Südfrankreich mit seltenen antiken Ofenplatten an den Wänden, all diese wunderbaren, gebildeten Superehefrauen, die sich in Ikebana üben, all diese Autos mit Lastwagen-PS-Stärke, all dieser verdammte Superscheißdreck! . . .«

»Sie sprechen doch nicht etwa von sich selbst, Professor?«

»Ich spreche von uns, Daniel, den Menschen.«

»Ach, Sie meinen, ich sollte mich besser am Anblick der Paarung von Mücken oder so was ergötzen, anstatt darüber zu lamentieren, daß ich so bin, wie ich bin?«

»Ich meine, daß wir es den Delphinen gleichtun sollten. Sie genügen sich eigentlich selbst, und doch suchen sie immer wieder den Kontakt zu uns. Warum bloß? Warum bloß?«

»Sie sind zu faul zum Jagen und hoffen, daß wir sie mit Gratisfischstäbchen beglücken, wenn sie gar lustig schnattern oder ein paar lahme Sprünge vollführen. Dieser blöde Fernsehdelphin, wie hieß er noch mal? Der Name liegt mir auf der Zunge . . .«

»Hör zu, Daniel. Ich werde eine lange Reise antreten, und ich hoffe, du wirst deine Aufgabe zur Zufriedenheit aller erfüllen, bis wir uns wiedersehen.«

Er kniete sich allen Ernstes vor mich hin und hielt mich mit beiden Händen wie eine vom Absturz bedrohte kostbare Vase an der Taille fest. Seine Blicke, die mich bis ins Mark meines Seins durchdrangen, schienen etwas bedeuten zu wollen, das offenbar mit Worten nicht zu erklären war. Das zuckende Auge kam mir auf einmal wie ein verschmitztes Zwinkern vor, als müsse er zu dieser List greifen, um die Zweideutigkeit des Gesprochenen zu signalisieren. In seiner fahrigen Mimik glaubte ich den Wunsch nach einem stillschweigenden Abkommen zu erkennen und die Besorgnis, daß ich ihn mißverstehen könnte. Das Sonnenlicht hatte ihn jetzt abermals von hinten erfaßt, so daß seine zerzauste Mähne ein einziger brennender Busch war. Ja, auf eine mir völlig unbegreifliche Art flehte er mich an.

Obgleich ich bei der Andeutung seiner Reisepläne Frustration hätte verspüren müssen, blieb diese aus. Denn keine Sekunde zweifelte ich daran, daß Herr Arnold sein Werk zur Vollendung bringen würde, bevor Sladek zu seiner langen Reise aufbrach. Warum ich mir so sicher war, vermochte ich allerdings kaum zu erklären. In diesem Psychokuddelmuddel schien die Gesetzmäßigkeit von Ursache und Wirkung inzwischen gänzlich aufgehoben zu sein.

»Aufgabe? Was für eine Aufgabe? He, Professorchen, Sie reden wie ein Schmierenhypnotiseur mit Zwirbelbart und rollenden Augen. Außerdem sind Sie unrasiert und, mit Verlaub,

Sie dunsten einen Körpergeruch aus, der sonst nur Wanderkröten nach der Begegnung mit den Reifen eines Tanklastzuges anhaftet.«

»Jeder muß das tun, was er tun muß, nicht wahr, Daniel?«

»Sie meinen, ich müsse mich mit der Horoskoparbeit mehr ins Zeug legen?«

»Ja, ja. Horoskope sind eine wichtige Sache. Denn Sterne lügen bekanntlich nicht.«

»Aber Sie! Und zwar wie gedruckt. Sie wollen mir doch nicht erzählen, daß Sie mich wegen dieser Delphinkacke zu sich gerufen haben! Was soll der Quatsch: ›Bist du glücklich? Wirst du deine Aufgabe zur Zufriedenheit aller erfüllen?‹ Reden Sie endlich Tacheles, Mann!«

Er erhob sich vom Boden und ging zu seinem Schreibtisch. Er schien mit sich selbst zu ringen, als befände er sich in einem kritischen Entscheidungsstadium.

»Was willst du hören?«

»Was ich hören will? Ich möchte zum Beispiel wissen, weshalb Sie mir das Zimmer mit dem besten Ausblick zugedacht haben. Oder was das Foto dieser vergilbten Marshall-Plan-Lady an meiner Wand zu bedeuten hat?«

»Gefällt dir das Zimmer nicht?«

»Kommen Sie, weichen Sie nicht aus.«

Er ließ sich auf seinen Stuhl mit der spärlichen Polsterung nieder, setzte sich die Kopfhörer auf und fummelte an den Knöpfen des Discmans, bis Musik ertönte. Die Stimme der Sopranistin, die eine Art Totenarie zwitscherte, war so laut und gellend, daß ich sie sogar von meinem Platz aus vernehmen konnte. Dessenungeachtet stellte Sladek den Lautstärkeregler immer höher.

»Das Zimmer, das schöne Zimmer. Es ist das einzige mit Blick auf den Leuchtturm. Ist dir das schon mal aufgefallen, Daniel? Ich dachte, da du in deiner Bewegungsfreiheit stark eingeschränkt bist und die Sicht auf die See mit der Zeit recht monoton wirken kann, würde der gewählte Ausschnitt etwas Abwechslung in dein visuelles Empfinden bringen. Ein bißchen Ästhetik muß sein, nicht wahr? Außerdem weiß man nie, welche Vorteile so ein ungehinderter Blick auf den Leuchtturm noch haben kann.«

»Und das Foto?«

Es fiel mir recht schwer, mich auf das zu konzentrieren, was er sagte, da ich jeden Augenblick damit rechnete, daß ihm beide Trommelfelle explodierten. Der Pegel des Trauergesangs hatte inzwischen Zimmerlautstärke erreicht. Dem Professor indes war von der lauscherzersetzenden Wirkung des Klangbombardements nichts anzumerken. Im Gegenteil, ein spitzbübisches Lächeln begann allmählich seine Lippen zu umspielen, als ahne er voll Schadenfreude, daß es mir schon leid tat, die letzte Frage gestellt zu haben. Nur Verwirrte stellten Fragen, deren Antworten sie längst wußten. Oder hoffnungslos Verzweifelte, die selbst um den Preis der Lüge andere Antworten hören wollten. Doch es schien, als ob der gute alte Professor es mir nicht so leicht machen wollte.

Wie der besessene Folterknecht, der mangels eines Opfers mit sich selbst vorliebnehmen muß, ließ er die Musik quälend langsam zu einem Gebrüll anschwellen und legte mit hintergründigem Amüsement eine endlose Kunstpause ein, als gebe er mir die Gelegenheit, die Frage selber zu beantworten. Die nunmehr tiefrote Sonne beschoß seine rechte Gesichtshälfte wie mit einem Varietélicht und verwandelte ihn in das Spottbild eines infernalischen Dämons, der sich genußvoll in der Sündenaufzählung des Ankömmlings weidet, der soeben vor den Toren des Hades angelangt ist. Seine irrsinnig funkelnden Augen waren lavaspeiende Flammenwerfer, die mich unausweichlich fixierten wie der Tiger den Pavian, der durch einen Fehltritt vom Baum gestürzt ist. Im Zimmer schienen plötzlich rosa

Wolken zu schweben, so daß ich alles wie durch einen zuckrigen Dunstschleier wahrnahm. Sladek grinste wissend.

»Dich interessiert die Frau auf dem Foto, die klassische unbekannte Frau? Frauen sind komische Wesen, Daniel. Im Gegensatz zu uns machen sie Wandlungen durch. Erst sind sie betörend, gleichen unnahbaren Engeln, als gehörten sie nicht in diese Welt, als kämen sie von einem exotischen Stern, um uns nur einen kleinen Besuch abzustatten. Dann aber verwandeln sie sich mit einem Mal in hemdsärmelige Praktiker, indem sie Haushalte aufbauen, Wohnungen einrichten und Kinder aufziehen. Man ist dann versucht, zu glauben, daß sie für diese Dinge ein heimliches Studium absolviert haben. Männer sind anders. Sie setzen sich für jede Gelegenheit, für jede erdenkliche Situation eine andere Maske auf. Doch in ihrem Innern bleiben sie immer die gleichen. Diese Frau in Schwarzweiß, sie konnte leider nicht alle Wandlungen vollziehen. Sie starb sehr jung, bevor . . . Hörst du mir zu, Daniel?«

»Ja, ja, aber so genau wollte ich es eigentlich gar nicht wissen, Professor. Hans! . . .«

»Diese Frau, Daniel, sie kam von sehr weit her, aus dem Osten, und als sie im Gelobten Land eintraf, starb sie. Sie starb, während sie ein Kind gebar, unter den entsetzlichsten Schmerzen, die ein Mensch je ertragen hat – was ist denn, Daniel, du machst plötzlich einen so aufgewühlten Eindruck. Gefällt dir meine Geschichte nicht?«

»Offen gesagt, nein. Hans! Hans! Sie sind ein Scheißkerl, Sladek, und dafür werden Sie bald in der Hölle schmoren!«

»Ich weiß. Deine Fotofrau hatte aber einen anderen Sohn, Daniel. Er war zwölf Jahre alt, als sie, im achten Monat schwanger, mit ihm die Flucht antrat. Der Vater hatte sich vorsorglich an einem Deckenbalken aufgehängt, bevor die Häscher der Regierenden ihn lebenslänglich in irgendeinen Gulag verfrachten konnten. Mutter und Sohn flüchteten wochenlang zu Fuß und ernährten sich unterwegs von Abfällen. Es war eine Reise voller Gefahren, denn Soldaten hielten das Land besetzt, und Denunziation war an der Tagesordnung. Als sie ihr Ziel endlich erreichten, hätten sie glücklich sein müssen, aber sie waren derart erschöpft und unterernährt, daß sie zur Freude keine Kraft mehr aufbringen konnten. Und dann gelangten sie auf diesen Acker, auf diesen gottverlassenen Acker. Es regnete in Strömen, ein wahrer Monsun ging auf sie nieder. Sie standen auf dem Acker und sahen schemenhaft den Kirchturm einer kleinen Ortschaft am Horizont. Da setzten plötzlich die Wehen ein – langweilt dich die Geschichte über die Fotofrau, Daniel? Warum reißt du so sonderbar deinen Kopf hin und her? Schade, daß du dir die Ohren nicht zuhalten kannst.«

»Ammenmärchen, Sie erzählen nichts als Ammenmärchen, Sie verlogenes Schwein! Hans! Hans!«

Endlich stürzte Hans ins Zimmer und schaute perplex abwechselnd mich und dann wieder Sladek an. Er war sich unschlüssig darüber, wie er reagieren sollte, und breitete hilflos die Arme aus.

»Schaff mich hier raus!« herrschte ich ihn an.

»Sie bekam das Kind auf diesem Acker, Daniel«, sagte Sladek wehmütig, und ich sah, daß seine Augen sich mit Tränen füllten.

»Los, raus hier!« kreischte ich.

Hans zuckte die Achseln und machte sich daran, den Rollstuhl aus dem Büro hinauszuschieben.

»Ihr Sohn half ihr bei der Entbindung, soweit es in seinen Kräften stand. Entbindung ist aber kaum das passende Wort für das, was auf diesem Acker geschah. Daniel, sie blutete fürchterlich, ein richtiges Blutbad war das, und den kleinen Jungen überkam nackte Panik, weil er nicht wußte, wie er seiner so gepeinigten und unmenschliche Laute ausstoßenden Mutter helfen sollte. Er sah den Kopf seines Bruders herauskommen und zog daran. Und obwohl er sich mit diesen Dingen nicht auskannte, spürte er doch instinktiv, daß es sich bei diesem Baby um kein normales handelte . . .«

»Sie Hurensohn!« brüllte ich, während ich das Büro verließ. »Sie verdammter Hurensohn!«

»Er trennte die Nabelschnur mit seinen bloßen Zähnen durch, Daniel!« rief er mir nach, als wir uns längst auf dem Gang befanden. »Seine Mutter tat ihren letzten Atemzug, während gleichzeitig das Neugeborene seinen ersten tat und schrie und schrie und schrie. Er beerdigte sie im Schlamm, Daniel, er warf die Leiche einfach in einen Graben und schüttete sie mit Schlamm zu, weil er sich immer noch verfolgt fühlte und keine Spuren hinterlassen wollte. Das war der Beginn eines traurigen Lebens, Daniel, wenn du eine Vorstellung davon hast, was Verantwortung, was niemals aufhörende Schuldgefühle bedeuten. Schuld, Daniel! Schuld! Schuld! . . .«

Der Fahrstuhl, der zum Wärterhaus des Leuchtturms führte und der von winzigen Deckenstrahlern dezent beleuchtet wurde, war ein kleines Wunderwerk an technischer Raffinesse. Da er vorwiegend von Behinderten genutzt wurde, hatten seine Konstrukteure auf die übliche Steuerung über eine Tastenkonsole verzichtet und ihn mit einem intelligenten Selbsterkennungssystem ausgestattet. Durch optische Sensoren, die in die Türpfosten eingelassen waren, registrierte er seine vor den Eingängen stehenden Gäste automatisch und fuhr je nach Bedarf nach unten oder nach oben, um sie in Empfang zu nehmen. Drängelten sich Fahrgäste sowohl vor dem unteren als auch vor dem oberen Eingang, so bediente er zunächst jene, die seiner gegenwärtigen Position am nächsten waren.

Der Kasten schwebte mit gedämpftem Summen himmelwärts. Von der letzten häßlichen Szene betroffen, wie man so schön sagt, schwiegen Hans und ich uns hartnäckig an. Auf dem einundvierzig Meter langen Weg nach oben blieb genug Zeit, um die explosive Stille zu genießen, eine Stille, der die Gefahr innewohnte, daß wir vor lauter Anspannung jeden Augenblick einen markerschütternden Schrei ausstoßen würden, der uns dann mit absoluter Sicherheit den Verstand rauben würde. Hans verzichtete sogar auf sein nervöses Fingertrommeln an den Rollstuhlgriffen und ließ sich nicht anmerken, daß es angesichts der merkwürdigen Vorfälle in den vergangenen Stunden in seiner Hirnschale mächtig rumorte. Statt dessen blätterte er seelenruhig in seinem Filofax-Organizer, wie um anzudeuten, daß Topmanager wie er Wichtigeres zu tun hätten, als sich mit solchem Neurosenfirlefanz zu beschäftigen. Wie so oft wurde ich kaum schlau aus ihm, weil er die feine Linie zwischen vornehmer Zurückhaltung und maßloser Naivität vorzüglich zu verwischen verstand.

Als der Fahrstuhl sein Ziel endlich erreichte und die Türen sich automatisch öffneten, wurde ich mit der atemberaubendsten Aussicht meines Lebens konfrontiert. Aus unerfindlichen Gründen hatte ich bis dahin nie den Wunsch verspürt, den Leuchtturm zu erklimmen und mich darin umzuschauen. Jetzt sah ich, was ich die ganze Zeit verpaßt hatte. Das Herz des Bauwerks, das rotierende Leuchtfeuer, dessen von gewaltigen Gürtellinsen erzeugten Strahlensterne sicher viele Kilometer weit zu sehen gewesen waren, hatte man leider entfernt und durch ein nicht minder gewichtiges Spiegelteleskop ersetzt. Radar sei Dank hatte das einst monumentale Seezeichen irgendwann die entwürdigende Rolle des aparten Küstenaccessoires übernommen, und die Glastrommeloptik und die fußballgroßen Glühlampen waren auf den Müll gewandert.

Sladeks Talent, das Gestrige mit der Moderne zu versöhnen, hatte sich jedoch auch hier bewährt. Wie selbstverständlich prunkte in der Mitte des Wärterdecks das Spiegelteleskop, das wie eine kolossale Strahlenkanone anmutete und an der Unterachse von einer hufeisenförmigen, in den Eisenboden montierten Riesengabel umklammert wurde. Die verschiedenen Teile des Fernrohrs wie Haupt- und Umlenkspiegel, Detektorsysteme und die Elektronik waren über kräftige Stahlträger miteinander verbunden. Die Konstruktion verjüngte sich, leicht geneigt und gleichsam das Aussehen eines Wigwams imitierend, zum Haltekreuz des oberen Fokus'. Während das Teleskop selbst sich nach dem Prinzip der Wippe auf- und abschwenken ließ, ließ sich die Gabel ihrerseits auf einer Kugellagervorrichtung drehen. Dadurch war es möglich, das Fernrohr an jeden Punkt des Himmels zu richten. Das I-Tüpfelchen der Konstruktion bestand aus einem zirka zwei Meter breiten Spalt im Kuppeldach, der von einem vertikalen, elektrisch ausfahrbaren Schirmsegment einfach verdeckt werden konnte, wenn keine Sternenbeobachtungen stattfanden.

Hans schob mich an der Anlage vorbei, wobei ich ehrfürchtig den Kopf einzog, in der aberwitzigen Befürchtung, ausgerechnet jetzt könne sich ein Schräubchen lockern, eine zerstörerische Kettenreaktion auslösen und den ganzen Klimbim über mir zum Einsturz bringen. Es hatte wirklich etwas unbeschreiblich Prickelndes, hier oben zu sein. Die kreisförmige Wand des Raumes hatte man komplett durch schaufensterhohe Scheiben ersetzt, so daß mittels dieses kantenreichen, transparenten Vielecks eine überwältigende Rundsicht gewährleistet war. An wolkenlosen Tagen konnte man vermutlich landeinwärts Hügel- und Bergketten in der Ferne ausmachen und an der Kimm der See die Krümmung der Erde studieren. Das unheimliche Knirschen des aus Eisenplatten bestehenden Turmmantels im Wind erzeugte keine schlechte Gänsehaut, und das sanfte, kaum merkliche Wanken des Kolosses trug nicht gerade dazu bei, daß man in hemmungslose Euphorie geriet. Und doch fühlte man sich an diesem luftigen Ort wie aller faßbaren Wirklichkeiten enthoben, wie in einem angenehmen, süße Schauer des Wohlbehagens heraufbeschwörenden Traum, der zwar absolut verdreht ist, aber die wenigen Realitätsbruchstücke derart berückend aufzuarbeiten versteht, daß man nimmermehr aufwachen möchte.

Herr Arnold war ein pittoresker Bestandteil dieses Szenarios. Er kniete draußen auf dem rings um den Turm führenden Außensteg und bosselte mit unterschiedlichen Instrumenten, die er seinem wohlbekannten Werkzeugkasten entnahm, an der Brüstung. Die Lackschicht der Gitter war stark abgeblättert und die Farbe kaum mehr bestimmbar. Hinter ihm war keine Sonne mehr zu sehen, sondern nur noch die Nachwehen einer grandiosen Abenddämmerung, die ein Firmament in tiefem Lila und Blau hinterlassen hatte. Die ruhige See spiegelte diese Farbtöne schwach wider, doch innerhalb weniger Minuten würde die Dunkelheit hereinbrechen, und auf den Wogen würde dann nur noch der klare Schein des dünnen Einviertelmondes zu sehen sein, der bereits aufgegangen war.

»Eigentlich liegt der ideale Standort für ein Teleskop von solcher Reichweite zweitausend Meter über dem Meeresspiegel und hat mehr als zweihundert wolkenlose Nächte pro Jahr«, belehrte mich Hans, während wir uns Arnold näherten. »Doch Sladek wäre nicht Sladek, würde er nicht auch noch mit dem Wissenschaftsministerium klüngeln. Der Minister höchstpersönlich war nämlich ein Studienkumpel von ihm. Und so ergab es sich zur Verwunderung, aber mehr noch zur Verärgerung hochrangiger Astronomen und Physiker, daß das Elefantenbaby nicht auf einem Tafelberg in Namibia oder auf den Kanarischen Inseln hochgezogen wurde, sondern ausgerechnet an diesem ungewöhnlichen Ort. Sicher ein gefundenes Fressen für die Skandalpresse, wenn sie es je erfahren würde. Zumindest erfüllen wir die Grundvoraussetzung, daß wir nicht in der Nähe von größeren Ansiedlungen gelegen sind, die den nächtlichen Himmel erhellen und die Luft verschmutzen.«

Bereits von weitem bemerkte ich, daß Herr Arnold von der glühendheißen Zange des ohnmächtigen Grolls und des ausweglosen Jammers zerquetscht wurde. Keuchend und wie von einer tonnenschweren Last zu Boden gedrückt, kauerte er neben dem Geländer und riß mit grimmiger Miene und einem monströsen Gabelschlüssel an den Schraubenmuttern der Gitterverankerungen. Der im Lauf der Jahre angesetzte Rost hatte jedoch alle Elemente zu einem Teil aus einem Guß zusammengeschweißt, und wie sehr unser Hausmeister auch zerrte und stieß, es ließ sich nichts lockern. Nichtsdestotrotz schien es mir, als wäre der zornige Gesichtsausdruck des Jägers keineswegs die Folge vom Kampf Mensch gegen Schrauben. Nein, hier verliefen offensichtlich die innere und äußere Handlung parallel, wie Dramaturgen sich auszudrücken pflegen. Das heißt die psychischen Vorgänge des Individuums verbildlichten sich gewissermaßen in seinem aktuellen Tun. Ich wohnte also einem symbolischen Akt bei. Meine Hoffnungen in das Gelingen des Projekts steigerten sich ins Ekstatische.

»Es ist verrückt«, langweilte Hans weiter, wahrscheinlich nicht mehr zur Bremsung seines aus Verlegenheit geborenen Redeflusses imstande. »Aber wir benutzen das Ding höchstens zwei Monate im Jahr, und selbst während dieser Zeit müssen wir es noch mit anderen Instituten teilen. Den Rest der Zeit liegt es einfach still. Ich glaube, wenn ein spinnerter Wissenschaftler sich hier reinschleichen und heimlich seine Forschungen betreiben würde, bekämen wir es gar nicht mit. Aber wenn wir uns alle Jubeljahre wieder für ein Gruppenfoto mit dem Teleskop als Hintergrundmotiv zusammenfinden, ist das selbstverständlich eine sensationelle Sache. Es gibt keine Illustrierte auf der Welt, die das steinerweichende Bild nicht abdruckt.«

Der Rollstuhl kam etwa dreißig Zentimeter vor Thaddäus' Händen zum Stehen, und der Gequälte zerrte in einem letzten verzweifelten Aufbäumen mit solcher Wucht an der Sechskantmutter, daß sie unerwartet nachgab, mit einem schrillen Quietschen eine halbe Umdrehung zuließ und ihn auf seinen Hintern plumpsen ließ. Der Hausmeister stieß ein befreites Stöhnen aus.

»Rost!« sagte er. »Rost bis ins Herz des Eisens! Das ganze Geländer ist total verrostet. Und wer muß den Krempel wieder austauschen? Natürlich ich. Wenn es in diesem Laden gerecht zuginge, müßte man mich klonen oder wie das heißt, damit ich in zehnfacher Gestalt zu Werke gehen und wenigstens die Hälfte der Arbeit bewältigen könnte. Würde mich auch mit dem fünffachen Gehalt zufriedengeben.«

Ich sah furchtsam in den Abgrund hinab. Wie eine Weltraumrakete, die durch einen tollkühnen Diebstahl vom NASA-Areal weggeschafft und in das Entenhausen der Rümpfe verpflanzt worden war, ragte der gebrechliche Leuchtturm nur ein paar Schritte neben dem Plateaurand des Steilhanges empor. Von dieser felsterrassenartigen Ebene bis hinunter zu der Brandung erstreckte sich noch einmal ein steiler Abgrund von gut hundert Metern, so daß die Entfernung zwischen dem Turmrondell und dem Meer grob hundertfünfzig Meter betragen mußte. Im spärlichen bläulichen Changieren des Himmels sah ich unten die gemächlich wankende Oberfläche des Wassers, von der etwas entsetzlich Lockendes ausging. Gewaltige Wellen attackierten ohne Unterlaß den Ring aus scharfen Klippen, welcher die Küste bildete, fraßen sich in die Brandungshohlkehlen der pockennarbigen Felsen hinein und zogen sich unter demselben Gebrüll, mit dem sie gekommen waren, nach einer Weile wieder zurück. Der Gedanke, von hier oben hinunterzustürzen, hatte sowohl etwas Anziehendes als auch unaussprechbar Schreckliches an sich, ein Gedanke, der im Reich der Bathophobie beinahe wie selbstverständlich aufkommt. Würde der Augenblick des Falles ein orgiastisches Schweben sein, das für alles Erlittene im Leben entschädigte wie der Kuß eines Engels?

Oder doch nur ein unbeholfenes Purzeln, das einem vor Todespanik noch vor dem Aufprall den Verstand raubte? Fest stand nur, daß kein Springer den Flug von den Vögeln zu den Fischen überleben würde. Entweder würde er unten an den emporragenden Klippen zerschellen, oder die ewig gierigen Wellenrowdies würden ihn so lange prügeln und würgen, bis er mit gebrochenen Knochen und zermatschten Innereien auf dem Grund des Meeres landete.

Herr Arnold nahm die nächste Mutter in Angriff, setzte den Gabelschlüssel an und riß mit Brachialgewalt am Hebel. Dabei zog er eine derart schmerzverzerrte Grimasse, als operiere man ohne Betäubung an seinen Genitalien.

»Wenn einem wenigstens gedankt würde«, sagte er bitter. Dann kam ein stechendes Ächzen aus seiner Kehle, und die Mutter, die durch die geduldige Arbeit des Grünspans lediglich als eine unförmige Erhebung an der nach unten zeigenden Eisenlasche des Geländers erkennbar war, löste sich diesmal überraschend schnell.

»Mein Sterben zieht sich noch ein Weilchen hin, mein Junge, aber die Dankbarkeit auf dieser unchristlichen Welt ist längst ausgestorben, das ist so sicher, wie der Neger am liebsten in den Busch scheißt! Du kannst dich heutzutage für eine gute Sache abrackern und so viel Schweiß investieren, daß man damit die Sahara in einen verdammten Ozean verwandeln könnte, aber ein Dankeschön brauchst du dafür nicht zu erwarten. Und ein Fehler nur, und sie zerren dich vor einen fettärschigen Richter, der dich außer für die Sache, wegen der du angeklagt bist, noch für den Ausbruch des Zweiten Weltkriegs haftbar macht. Ihr Kerle macht es goldrichtig . . .«

Er warf einen verächtlichen Blick auf Hans, in dessen konsternierter Miene wie in einem offenen Buch die unterschiedlichsten Interpretationsbemühungen der konfusen Anklage abzulesen waren.

»Dank und Schulterklopfen erwartet ihr für eure Arbeit erst gar nicht. Hauptsache, das Gehalt wird immer dicker und die Wochenarbeitszeit regelmäßig noch mal um fünf Stunden gekürzt. Für die Maloche, wo man sich den Arsch aufreißen muß, haben sie ja einen Idioten wie mich gefunden. Meine Generation hat für euch die Betten gemacht, damit ihr euch reinlegen und erst mal schön durchfurzen könnt. Doch hört man sich um, bin ich gar nicht das liebe Heinzelmännchen, sondern so ein alter Stinker, der auf den Müll der Geschichte gehört. Kein Dankeschön, nix!«

Nun, eigentlich hätte ich nach diesem aufschlußreichen Vortrag umkehren und mich, frei vom Bangen vor unkontrollierbaren Entwicklungen, auf die nächsten Morgen- und Abenddämmerungen freuen können. Denn was ich über die momentane Seelenlage des Danksüchtigen durch behutsames Einfühlungsvermögen in Erfahrung bringen wollte, wurde mir ja hier geradezu auf dem Silbertablett serviert. Wie sollte ich Arnolds plötzliche Sinnkrise anders deuten als das erfolgreiche Resultat meiner monatelangen Korrespondenz? Meine Vorgehensweise, die auf den ersten Blick so phantastisch erschien, hatte offenbar derart ins Schwarze getroffen, daß der arme Mann das Dilemma, in dem er sich befand, in völlig unverblümter Manier jedem Dahergelaufenen auf die Nase band. Kurzum, Arnold fühlte sich durch die Erpresserbriefe ganz offensichtlich in eine fatale Zwangslage gedrängt, und nur noch ein letzter Knuff auf die eiternde Wunde würde genügen, um ihn in blindwütige Raserei zu versetzen und süße Rache an demjenigen nehmen zu lassen, der ihm solche Höllenqualen zugefügt hatte.

Alles schien wieder so simpel und berechenbar wie am Anfang, mehr noch, alles paßte wieder so schwindelerregend gut zusammen. Und dieser Punkt, exakt dieser war es, über den ich jetzt auf keinen Fall nachdenken durfte. Sonst bestand die Gefahr, daß ich an Ort und Stelle überschnappte . . .

Thaddäus würdigte Hans, der auf die unsinnigen Anschuldigungen hin vor unterdrücktem Protest zu beben und zu schnauben anfing, keines Blickes und machte sich über die nächste oxydierte Mutter her. Gabelschlüssel erfaßte Schraubenteil, Hand praktizierte Hebelwirkung, Zähne bissen zusammen, Gesicht wurde zur Fratze, Mund stieß Keuchleute hervor, und schwuppdiwupp! eroberte sich der Mensch wieder einmal ein Stück Zivilisation zurück, das ihm die Natur abluchsen wollte. Das rechteckige Gitter, welches lediglich einen Ausschnitt der Kreisbalustrade ausmachte, war nun losgeschraubt und wakkelte in den vom Boden abstehenden Verankerungsschlitzen. Herr Arnold erhob sich und packte mit beiden Händen das Geländerteil.

»Zurücktreten!« befahl er.

Er stemmte das Eisengitter aus der Befestigung, schleppte es an die Glasfront des Wärterhauses und stellte es an dessen Rahmenpfeiler ab.

»Macht jetzt keine hektischen Bewegungen, Jungs, andernfalls lernt ihr die Sehnsucht eines Fallschirmspringers kennen, der ohne Fallschirm auf Reisen ist. Was ist der Anlaß eures Besuches, meine Herren?«

Die demontierte Brüstung ähnelte nun einem Gebiß, dem ein Schneidezahn fehlt. Da ich mich genau vor dieser häßlichen Lücke befand, schlug meine Höhenangst einen Salto mortale. Gleichwohl mußte ich mir fix einen Grund für mein Kommen einfallen lassen. Ursprünglich hatte mir ein inhaltloses und ziemlich ausschweifendes Gespräch über die schöne Aussicht vorgeschwebt, von dem ich gehofft hatte, daß es sich ganz von selbst ergeben würde. Doch jetzt erschien mir der Vorwand fadenscheinig, eines perfekten Mörders nicht würdig. Ich registrierte mit einem Mal, wie schlecht ich doch für solcherlei diffizile Kabale vorbereitet war – ein weiteres Indiz für meinen langsam, aber sicher aus den Fugen geratenden Geisteszustand.

»Mein Rollstuhl, Herr Arnold«, improvisierte ich schließlich, »ich, ich möchte irgendwie, daß er schneller wird. Mir ist klar, daß es eine Aufgabe für die Werkstatt ist. Aber Sie wissen ja selbst, wie bürokratisch die dort sind, und Sonderwünsche werden gar als Angriffe auf die Errungenschaften der Arbeiterbewegung aufgefaßt. Also wenn Sie die Kiste flotter bekämen, wäre mein Dank Ihnen für immer gewiß.«

Der Jäger ging zu dem Einschnitt in der Brüstung zurück, kniete sich linksseits neben das Geländerelement und nahm das Ringen mit den widerspenstigen Muttern erneut auf.

»Junge, du tust ja gerade so, als säßest du in einer Formel-1-Karre, aus der ich fünfzig Stundenkilometer extra herausschinden soll. Ein Rollstuhl wie unter deinem Hintern ist aber nichts anderes als ein Elektromobil in Liliputanerformat. Den kannst du höchstens schneller kriegen, wenn du ihn an einen Schnellzug hängst. Natürlich könnte man die Regelelektronik umgehen und dem Motor mehr Strom aus dem Akkumulator zukommen lassen. Da der Motor aber in diesem Fall die zur Verfügung stehende Energie auf einmal verbraucht, stößt er innerhalb von ein paar Sekunden an seine Leistungsgrenze. Folge: Er wird heiß, die Drähte der Wicklung brennen durch, und der Akku ist leer. Du könntest also ungeheuer schnell beschleunigen, ganz kurz eine Spitzengeschwindigkeit erreichen und stündest dann mit einem Totalschaden da.«

»O ja, o ja!« mimte ich die Begeisterung eines Kindes, das sich auf die Fahrt mit dem Autoskooter freut. »Bitte frisieren Sie meinen Feuerstuhl genauso um.«

»Daniel, ich weiß nicht, ob ich das zulassen darf«, stänkerte mein überbezahlter, kurzarbeitender und undankbarer Spielverderber. »Immerhin kostet dieser Motor den Steuerzahler eine Menge Geld. Weshalb brauchst du so etwas, um Himmels willen?«

»Weshalb, weshalb – ach komm schon, Hans, du stellst

Fragen, als hättest du den goldenen Pokal für den Spießer des Jahres gewonnen. Hast du niemals die Serie ›Der Chef‹ mit Raymond Burr gesehen? Der hat sogar eine Flinte und ein Tonbandgerät in seinen Rollstuhl einmontiert. Im Vergleich zu diesem Gefährt ist meins ein wahrer Ochsenpflug. Der Behinderte von Welt besitzt solchen Schnickschnack eben. Stell dir vor, ich überquere gerade eine Straße, und da rast einer dieser besoffenen Verkehrsrabauken mit einem Affenzahn auf mich zu. Da muß ich doch die Turbotaste drücken, ich meine, blasen.«

»Streitet euch nicht, Jungs. Spaß muß sein«, sagte Arnold, wobei der obligatorische Ingrimm in seinem Gesicht einem infantilen Enthusiasmus wich. Offensichtlich hatte ich seinen handwerklichen Stolz herausgefordert und den Spieltrieb in ihm geweckt, so daß er jetzt zu allem entschlossen schien.

»Von einer Zerstörung des teuren Gerätes halte ich auch wenig. Doch eine Vorrichtung für den Notfall kann wirklich nicht schaden, Herr Pfleger. Es erfordert nur einen Handgriff, und ihr könnt von Glück sagen, daß ich meine Wundertüte dabei habe.«

Ehe Hans ein weiteres Veto einlegen konnte, öffnete er seinen sechsstöckigen Handwerkskasten und gewährte uns Einsicht in die darin ruhenden Schätze. In der stufenförmig nach zwei Seiten aufklappbaren Blechtruhe entfaltete sich ein kreatives Chaos, das jeden Do-it-yourself-Freak auf dieser Welt vor Neid hätte erblassen lassen. Man sah hinab in verschlungene Schluchten mit Zangen, Schraubenziehern, Sägeblättern, Polierscheiben, Raspeln und Spiralbohrern, allesamt in verschiedenen Größen und Formen. Auch größere Geräte wie eine Schlagbohrmaschine, ja sogar eine Handkreissäge befanden sich darunter, so daß ich mich unwillkürlich fragte, wie der alte Knabe diese Lade den ganzen Tag mit einer salbungsvollen Miene, als schreite er übers Wasser, tragen konnte, ohne daß ihm der Arm abfiel. Sozusagen als Humus für das ganze Gerümpel dienten lose herumliegende Nägel und Schrauben, Elektrokabelrollen in verwirrender Buntheit und anderes undefinierbares Material, das diesen Planeten wohl zusammenhält.

Wie ein erfahrener Blinder langte unser unverwüstlicher Hausgeist in das Kuddelmuddel, fischte allerhand technischen Plunder wie Spannungsmesser und Lötpistole heraus und begann dann voller Eifer in den Gedärmen des Rollstuhlmotors herumzudoktern, als wäre ich ein zur Runderneuerung abkommandierter Roboter. Mit solcherlei fesselndem Geschick vollführte er die Manipulation, daß selbst Hans dieser Faszination erlag und sich schließlich zu ihm niederkniete, um die Sache von nahem zu genießen. Meine körperliche Unvollkommenheit verhinderte es leider, mich auf ihre Ebene zu begeben. So war ich gewissermaßen gezwungen, in dem aufkommenden kühlen Wind das endgültige Ende des Tages und die Geburt der Sterne am tiefblauen Himmel zu bewundern.

Es war einer jener Abende, an denen man von dem Wunsch beseelt wird, mit dem Kosmos zu verschmelzen. Das Leuchten der Sterne am Firmament intensivierte sich; die Himmelskörper schienen in einem geheimnisvollen Rhythmus zu pulsieren, als sandten sie Botschaften in einer codierten Lichtsprache in die Welt. Die Luft war klar, und der Geruch nach Algen und das sanfte Rauschen des Meeres stiegen bis zu mir in diese imposante Höhe empor. All diese Eindrücke überwältigten mich, so daß ich den kühlen Wind kaum mehr spürte. Eine meiner Gehirnhälften konzentrierte sich auf die augenschmeichelnde Darbietung des Sternendoms, während die andere, jene, die für Mister Hyde reserviert war, mit einigen Dingen ins reine zu kommen versuchte.

Aus dem anfänglichen Spiel war ein schleierhaftes Ritual geworden, für das mich eine schrullige Gottheit als Zeremonienmeister ausgesucht hatte. Der Ausgang dieses Rituals war mir absolut unklar, klar war nur, daß es sein schreckliches Ende finden würde, ob mit oder ohne mein Zutun. Infolgedessen machte es wenig Sinn, die leidige Angelegenheit weiter hinauszuzögern oder besondere Vorsicht walten zu lassen. Ergo mußte ich nun zum Finale der Intrige schreiten und einen bestimmten Zeitpunkt für die Kulmination setzen, das heißt, ich mußte Herrn Arnold endlich wissen lassen, wann genau für ihn die Stunde geschlagen hatte, diesen verfluchten Schweinepriester von Sladek vom Erdboden zu tilgen. Allerdings hatte ich keine Idee, wie ich mit meiner zeitraubenden Methode den letzten und endgültigen Brief verfassen und auf die Schnelle zu ihm schicken sollte, ohne daß jemand mir dabei in die Karten lugte.

Ich sah geradewegs in das Funkeln der Sterne, das mich verzauberte, ja paradoxerweise trunken und hellsichtig in einem machte. Der Pseudohoroskopist in mir erfreute sich an tatsächlichen oder vermeintlichen Fixsternkonstellationen, die sich wie optische Täuschungen zu klassischen Bildern der Astrologie vereinigten, wenn man sie nur lange genug betrachtete. Leuchtete da nicht die »Jungfrau«, aus sieben Gestirnen bestehend und einem geknickten Richtungspfeil ähnelnd? Und dort, der »Löwe«, eher einer Maus mit Schwanz als einem Löwen gleichend! Waage, Zwillinge und Stier, mir schien, als sähe ich sie plötzlich alle auf dem nördlichen Himmelszelt, und damit nicht genug, ich hatte den Eindruck, als würden diese Gruppierungen wie bei einer Doppelbelichtung von ihren jeweiligen Zodiakussymbolen überlagert. Ein Sog ging von dem düsteren Meer der Unendlichkeit mit seinen grell flimmernden Bojen aus, ein unerträglich lockender Ruf, als wenn Sladek es instinktiv gewußt hätte, daß allein die Sterne die Erfüllung der Gepeinigten sind. Allzu bereitwillig hätte ich mich mit Haut und Haaren von dieser ewigen Macht verschlingen lassen, hätte mich anstandslos in die Sladeksekte eingeschrieben, wenn nicht gerade durch den Einfluß des Sternenbrimboriums mit einem

Male die Lösung meines nagenden Problems vor mir aufgetaucht wäre wie eine plötzlich aus der Urmaterie hervortretende funkelnagelneue Sonne. Ich kam wieder zur Besinnung und wußte jetzt, wie ich auf dem leichtesten Wege Arnold die allerletzte Botschaft zustellen konnte.

»Geschafft!« jauchzte Thaddäus, und auch Hans, obgleich er nur in beobachtender Funktion tätig gewesen war, wirkte plötzlich wie die glückliche Kuh, die trotz aller Sterilitätsatteste überraschend ein Kalb geworfen hat. Beide lächelten mir freudig zu. Ich erwiderte ihr Gefeixe, neigte den Kopf und erblickte eine rechteckige weiße Kunststofftaste, welche mit zwei Metallringen an die linke Armstütze des Rollstuhls festgeschraubt war. Sie sah aus wie eine herkömmliche Haustürklingel. Extrem dünne Drähte führten seitlich aus ihr heraus, verliefen an der Unterseite der Lehne bis zum Rückenkissen und verloren sich dann in Richtung Motor. Ich nahm an, daß meine Gönner von mir eine Reaktion wie nach einer Wunderheilung erwarteten, die ich natürlich mit einer raffinierten Kombination aus Fassungslosigkeit und Dankbarkeit pflichtschuldigst vortäuschte. Voller Genugtuung ergriff daraufhin Arnold das erklärende Wort, wobei er mit dem zu einem Zeigestock umfunktionierten Schraubenzieher wie ein Dozent mal auf diesen, mal auf jenen Punkt zielte.

»Schiefgehen kann praktisch gar nichts, mein Junge. Siehst du diese Taste hier? Wenn man die drückt, wird die Regelelektronik praktisch neutralisiert und der Motor mit der geballten Ladung aus dem Akku versorgt. Derselbe Effekt, der bei einer Glühlampe zu beobachten ist, wenn sie mehr Volt abkriegt, als für sie vorgesehen ist: Für einige Sekunden leuchtet sie hell auf wie ein Blitz, bis der Glühfaden verbrennt. Aber da ist eine kleine Sicherung eingebaut. Die ganze Sache kann nur funktionieren, wenn der Motor schon auf höchster Leistung arbeitet. Die Gefahr, daß der Rollstuhl auf Knopfdruck aus dem Stand losprecht oder daß irgend jemand aus Versehen die Turbowirkung auslösen könnte, ist also nicht gegeben. Es liegt allein an dir, wann du dir deine Droschke ruinierst.«

»Wunderbar, Herr Arnold! Wenn Sie mir nur noch erklären möchten, wie ich diese Taste bedienen soll. Vielleicht ist Ihnen aufgefallen, daß der Herrgott mich zu allem anderen als zum Knöpfedrücken erschaffen hat.«

»Ach so, ja, natürlich. Bei einer Notsituation, in der es um Leben und Tod geht und du den Extraschub bitter nötig hast, läßt du dich einfach seitlich auf die Taste fallen, und die Rakete zischt ab. So einfach ist das. Aber bitte widerstehe der Versuchung, es gleich hier auszuprobieren. Der Rollstuhl ist durch den ganzen Hokuspokus immer noch nicht flugtauglich geworden. Außerdem würde die Angelegenheit auch für mich und deinen Freund flugtechnische Folgen bezüglich unserer Arbeitsstelle nach sich ziehen.«

Nein, da es sich ja in Wahrheit lediglich um eine törichte, aus der Verlegenheit geborene Schnapsidee gehandelt hatte, dachte ich nicht im Traum daran, das getunte Fuhrwerk auf die Probe zu stellen. Ich vergaß den Unsinn auf der Stelle.

Nur einmal, nur einmal probierte ich es aus, in dieser einen bestimmten, heißen Nacht, in der ich tatsächlich einen Menschen umbrachte . . .

Ein seliges Gegrinse umspielte unsere Mundwinkel wie die frisch gestillter Säuglinge, und das imponierende Tableau, zusammengestellt aus Leuchtturm vor Sternenhimmel, anheimelnd rauschender See, dankbarem Rumpf auf frisierter Höllenmaschine nebst aufopferungsvollen Helfern, hätte eigentlich nur noch die Einblendung des Schriftzuges THE END vollkommener machen können. Doch irgendwie traute ich dem romantischen Bild nicht. Daß ich die Beglückung nur vorgaukelte, war ja nichts Neues. Aber als Thaddäus und Hans mich so samariterhaft anlächelten, glaubte ich in diesem Lächeln auch ein wenig Spott zu erkennen. Ich weiß nicht mehr genau, ob diese Vermutung auch auf Hans zutraf, doch wie sich später herausstellte, hatte mich Arnold an jenem Abend auf dem Leuchtturm in der Tat insgeheim ausgelacht.

Mein getreuer Sancho Pansa und ich überließen den multifunktionalen Jäger seinen verrosteten Muttern und begaben uns heimwärts. Gleich im Fahrstuhl äußerte ich den Wunsch, an meinen Arbeitsplatz im Observatorium gebracht zu werden, da ich durch den Anblick der Sterne zum Aufsetzen eines besonders sinnigen Horoskops inspiriert worden sei. Es war unglaublich, doch zwischen all dem hemmungslosen Lügen und Betrügen gelang es mir manchmal wirklich, die Wahrheit zu sagen. Hans begrüßte mein Begehren und bat von sich aus, in der Zwischenzeit zu Abend essen zu dürfen. Seine Anwesenheit hätte das Vorhaben ohnehin kaum gefährdet, aber so war es noch sicherer.

Nachdem Hans mich im Observatorium abgeliefert hatte, verschwand er in Richtung Kantine, irgend etwas von Kohlrouladen auf dem Speisezettel trällernd, die seine Lieblingsmahlzeit seien. Im Saal herrschte ein wohltuender Frieden, der unter anderem daher rührte, daß der ganze Raum bis auf einige brennende Leselampen auf den Konsolen und Arbeitstischen im Dunkeln lag. Nur ein paar Brüder und Schwestern lagen im Clinch mit ihren Computern, doch alles ging so leise und rücksichtsvoll vonstatten, daß man sich geradezu einsam fühlte. Eine andere Ursache für soviel Beschaulichkeit lag sicherlich an dem Sternenpanorama, das hier unten durch die links gelegene, abgeschrägte Glasfront in seiner ganzen Pracht zu bewundern war. Durch sie hindurch sah ich auch den Leuchtturm, an dessen Außendeck der Arnoldsche Schattenriß weiterhin heftige Reißbewegungen an der Balustrade vollführte.

Zu den Unermüdlichen am Abend gehörte Gertie, die zur

Abwechslung mal mit dem sogenannten Zoom-Key am Rechner arbeitete. Dieses Computereingabegerät, das speziell für Behinderte entwickelt wurde, deren Bewegungsmöglichkeiten erheblich eingeschränkt sind, basiert auf einem herkömmlichen Grafiktablett. Gertie trug auf dem Kopf ein Lederband, dessen Schläfenteile eine Metallgabel umfaßte. Aus der Spitze der Gabel wuchs ein leichtes, abwärts geneigtes Röhrchen, an dem wiederum ein elektronischer Spezialstift angebracht war. Vor ihr auf dem Tisch lag das Grafiktablett, auf dessen Oberfläche Tastenfelder von verschiedenen Größen festgelegt waren, die bei Bedarf schnell geändert werden konnten. Jedes Tastenfeld ließ sich nach Wunsch beschriften, mit Symbolen oder sogar Fotos belegen. Mit dem Elektrostift wurden dann die Felder berührt und so Befehle an den Computer geschickt. Eine zwischengeschaltete Software übersetzte die Anweisungen für das Anwendungsprogramm. Gertie hatte ihr Grafiktablett mit den zum Erstellen eines Horoskops erforderlichen Zeichen und Begriffen der astrologischen Terminologie belegt. Des weiteren befanden sich darauf technische Befehlssymbole, um den imaginären Himmelsglobus in Form eines Kreises mit den individuellen Berechnungsdaten zu beschriften und zu markieren. Dieser zur Voraussage nötige Kreis, dessen Umrandung die Ekliptik mit dem Band der zwölf Häuser bildete, leuchtete auf einem grünen Hintergrund vor ihr auf dem Monitor. Ferner lagen auf ihrem Tisch in chaotischer Unordnung Tabellen des Gestirnstandes, geographische Positionstabellen, Häusertabellen und Logarithmentabellen.

Als sie mich erblickte, tauchte hinter ihren massiven Brillengläsern ein mattes Begrüßungslächeln auf. Lediglich ein Halogenstrahler von der Größe einer kleinen Taschenlampe, der sich wie eine Tropenschlange über den Tisch krümmte, warf einen Lichtkegel auf ihr Grafiktablett, der sich in ihrem aufgequollenen Gesicht schwach reflektierte. Ihre Schulterfinger bewegten sich selbstvergessen wie das Schwingen der Glieder eines exotischen Meeresbewohners. Und auch sie selbst schien in ihrer absurd gedrungenen Stämmigkeit und mit diesem komischen Ding auf dem Kopf nicht ganz von dieser Welt zu sein. Plötzlich fiel mir auf, daß die Szene wie bei der Begegnung mit Thaddäus die absolute Verschmelzung von Innenwelt und Außenwelt symbolisierte. Denn während da draußen die pompöse Sternenshow ablief, geschah auf eine abstrakte Art und Weise in Gerties Geist das gleiche. Doch ihre Leidenschaft, die Deutung der Sterne, war inzwischen von einer Therapie in eine Manie umgeschlagen, und deshalb stand sie in Wirklichkeit den kosmischen Wundern entfernter denn je gegenüber. Für sie waren die astralen Mysterien nichts weiter als Konjunktionen, Quadraturen, Aszendenten – alles hohle Begriffe für ein anfänglich faszinierendes Ritual. Aber wenn der Ritus zur Mathematik wurde, verlor er seinen Sinn, verkümmerte zu einem langweiligen Spleen. Hätte sie nur einen Blick in diese einzigartige Nacht riskiert, wäre ihr vielleicht aufgegangen, warum Menschen einst ihr Schicksal mit diesen wanderlustigen, strahlenden Edelsteinen in Verbindung gebracht hatten.

»Hast du das von dem Meteoriten gehört?« fragte sie, ohne von ihrer Tafel aufzuschauen.

»Nein. Hat sich etwa der Besitzer gemeldet?«

»Er kommt immer näher. Und es wird allmählich zur Gewißheit, daß er in unseren Breitengraden aufschlagen wird.«

»Ach, wenn er doch den Richtigen träfe!«

»Manchmal habe ich das Gefühl, als begnüge sich die kosmische Macht nicht mit bloßen Zeichen, sondern wolle die Menschen mit handfesteren Mitteln zur Räson bringen. Das alles interessiert dich nicht besonders, oder?«

»Aber wie kannst du nur so etwas denken, liebe Gertie? Wenn jemand den Einfluß kosmischer Kräfte auf das Kismet ernst nimmt, dann ist es dein ergebener Rumpf. Mag die neunmalkluge Welt da draußen sich mit psychologischen, soziologischen, biologischen, überhaupt mit logischen Ursachen auseinandersetzen. Wir jedoch, die wir auf diesem Planeten der unbarmherzigen Schwerkraft humpeln und lahmen und mittels kurioser Räderwerke fortbewegt werden müssen, wissen längst, daß unser Handeln von außerhalb der Stratosphäre gelenkt wird. Glaubst du denn, ich weiß deine Arbeit nicht zu würdigen? Nun ja, oft bin ich zynisch und sage Dinge um des Witzes willen. Aber hier drin...« Ich visierte mit dem Kinn die linke Brusthälfte an. »... hier drin, Gertie, empfinde ich in Wahrheit Bewunderung, nein, Hochachtung für deinen Beitrag am Enthüllen existentieller Geheimnisse.«

»Ach, das hast du aber schön gesagt«, hauchte sie allen Ernstes. Ich war drauf und dran loszuprusten, was ich nur durch eiserne Selbstkontrolle zu unterdrücken vermochte.

»Ich wünschte, alle diese skeptischen Witwen würden so denken wie du.«

»Was für Witwen?«

»O Daniel, jetzt arbeiten wir schon seit Monaten Stuhl an Stuhl, und du hast immer noch keine Ahnung, was ich hier treibe. Der Grund, weshalb ich bei der Illustriertenarbeit durch dich entlastet werden mußte, ist der, daß ich höchstpersönlich die Horoskope dieser reichen Witwen betreue. Weißt du, es sind extrem astrologiegläubige Damen, die jedoch, nun, wie soll ich sagen, Sternendeutung mit Okkultismus verwechseln. Milde ausgedrückt, pflegen sie sehr althergebrachte Ansichten, ja verlangen gewissermaßen die faßbare Magie.«

»Sie glauben von einem Krüppel gingen unisono hellseherische Kräfte aus, weil dieser ja eine Ausgeburt der Hölle ist, nicht wahr? Schließlich hat ihn ja die dunkle Macht nicht umsonst mit einem dauerhaften Mal, einer Entstellung oder einer Brandmarkung versehen. Willkommen im Mittelalter!«

»Ja, so ähnlich. Jedenfalls sind die Damen ganz versessen auf meine Künste und möchten ihre Horoskope ausschließlich in meinem Beisein erklärt bekommen. Professor Sladek treibt die Klientinnen für mich auf.«

»Und als Dank gibt es nicht nur das übliche Honorar, sondern das gesamte Erbe in Form einer Spende für das Heim.«

»So ist es.«

»Hast du das kontrolliert?«

»Was meinst du damit?«

»Na, ob die Reichtümer nach dem Ableben der schrulligen Damen tatsächlich auf das Konto der ›Verzauberten Jäger‹ wandern.«

»Natürlich habe ich es nicht kontrolliert. Aber wie sollte es anders sein?«

»Ach, ich könnte mir da einige andere Konten vorstellen. Zum Beispiel in Acapulco.«

»In Acapulco? Hast du jetzt endgültig den Verstand verloren?«

»Das dauert noch eine Weile. Würdest du mir einen Gefallen tun und ein Diktat entgegennehmen? Es handelt sich um ein Horoskop.«

»Du möchtest ein Horoskop aufsetzen? Wie willst du das schaffen, wo du dir doch nicht einmal die Elementarkenntnisse der Lehre angeeignet hast?«

»Ruhig Blut, Gertie, es ist nur ein Ulkbrief an einen Freund, der morgen Geburtstag hat.«

»Hans!« jubelte sie, neigte sich mit dem Oberkörper seitlich auf das Grafiktablett und löste mit ihrer rechten Dreifingerhand die mit den astrologischen Zeichen belegte Schablonenfolie von den Metallklammern.

»Es ist Hans, stimmt's? Er feiert morgen seinen dreißigsten Geburtstag.«

»Hans? Ähm, nein, nein, ein anderer Freund, weit weg, kennst du nicht.«

»Wer's glaubt, wird selig!«

Sie ließ die Folie auf den Tisch neben ihre Unterlagen fallen und fingerte dafür aus einem Fach eine andere, welche nach dem Prinzip der Schreibbrille mit den Buchstaben des Alphabets, Silben und Wortkürzeln gekennzeichnet war. Nachdem sie diese unter starkem Geächze auf das Grafiktablett befestigt hatte, berührte sie mit dem elektronischen Stift einige Befehlsfelder, woraufhin das Horoskop-Programm vom Bildschirm verschwand. Kaum war es weg, da wurde auch schon das Textverarbeitungsprogramm geladen, und der Cursor leuchtete auf. Gertie drehte sich in einer Mischung aus Skepsis und höhnischer Erwartung zu mir und harrte ungeduldig der dummdreisten Ungereimtheiten, welche meinen Mund verlassen mochten. Wir beide mußten schon ein ungewöhnlich bizarres Bild abgeben, wie wir in dieser Lichtinsel inmitten der Finsternis hockten und geheimnisvolle Dinge ausheckten. Gerties Kopf zitterte ein wenig, so daß sich die Vibration auf den wie ein Rüssel aussehenden Stirnstab übertrug. Ich dagegen kniff die Augen zu und stierte voller Konzentration auf den Monitor, als erscheine dort jeden Augenblick die Offenbarung. Die Szene hätte ein erschütterndes Foto abgegeben, das die Segnungen des technischen Fortschritts für den Schwerbehinderten im allgemeinen und für Rümpflinge im besonderen dokumentierte.

»An den verzauberten Jäger, der kurz vor seiner Entzauberung steht.«

»Wie bitte?«

Meine metallen behornte Stenotypistin runzelte die Stirn.

»Das ist der Text. Du kannst jetzt anfangen, zu tippen, Gertie.«

Sie zuckte mit den Schultern und hämmerte mit sichtlichem Widerwillen den Elektrostift auf die Buchstaben und Silben des Grafiktabletts. Ich sah, wie die auf dem Bildschirm auftauchenden einzelnen Buchstaben sich im Schneckentempo zu Wörtern und schließlich zu ganzen Sätzen reihten. Wenn Gertie glaubte, daß ich mich jetzt blamieren würde, hatte sie sich geschnitten. Sie war nämlich während unserer kollegialen Partnerschaft eine viel bessere Lehrerin gewesen, als sie sich vorstellen konnte. Ihr astrologisches Geplapper hatte längst Spuren auch in meinem erdverbundenen Schädel hinterlassen. Gewiß, der Brief sollte eine Kopfnuß beinhalten, die allein der Empfänger zu knacken imstande sein würde. Dennoch wollte ich es mir nicht nehmen lassen, die Botschaft aus Rücksicht auf Gertie nach allen Regeln der Kunst zu gestalten.

»Lieber Freund,
der Abend des 13. April, an dem wir bestimmt auf einer weitaus intimeren Ebene als bisher Bekanntschaft schließen werden, sollte für uns beide Anlaß zu gespannter Vorfreude sein. Für Dich deshalb, weil Du alles, was Du an Überflüssigem mit Dir trägst, abladen kannst, und für mich deswegen, weil ich es Dir mit Begeisterung abnehmen werde. Anläßlich dieses besonderen Tages habe ich die Sterne befragt und möchte Dir hiermit meine Erkenntnisse mitteilen.«

Gertie peitschte die neckische Wünschelrute energisch hoch und nieder und trommelte den Elektrostift wie ein mutierter Specht auf das Tablett, wobei sich immer mehr Falten der Mißbilligung in ihr Gesicht gruben. Ich nutzte ihre abgelenkte Konzentration, um rasch in die vor mir auf dem Tisch liegenden Tabellen des Gestirnstandes, genannt Ephemeriden, zu schielen, auf denen die im voraus berechneten Bewegungen der Himmelskörper bereits vorgedruckt waren.

»Dabei zeigt Pluto eine Bedrohung an, die er von seiner früheren Stellung bei 7 Grad Löwe mitbringt, als Mars im

12. Haus stand. Genau am 13. April wirft er diesen Spannungsaspekt in Dein 10. Haus, das danach unter einem langwierigen Neptunquadrat leiden wird . . .«

»Das ist doch kompletter Unsinn, Daniel!« platzte Gertie endlich heraus und unterbrach, zornrot angelaufen, das Kopfdiktat. Ulkbrief hin, Ulkbrief her, daß jemand Schindluder mit ihren geheiligten Regeln trieb, ging ihr über die Hutschnur.

»Die Analyse paßt überhaupt nicht zu Hans' Konstellationen. Pluto bei 7 Grad Löwe? Das war . . .«

Auch sie überprüfte die Ephemeride.

»Das war 1940/41. Worauf willst du hinaus? Mars im 12. Haus, das hätte etwas mit gewaltsamen Ereignissen in einer Anstalt zu tun. Und diese Spannung soll jetzt auf sein 10. Haus geworfen werden, also in den Bereich seiner öffentlichen Wirkung? Neptunquadrat im Bereich der Öffentlichkeit, das kann sich hierbei nur um eine Verleumdung handeln.«

»Spaß, Gertie, Spaß. Eine nur dem Menschen wesenhafte Eigenschaft, die zwischen Widerspruch, Tragik und geistiger Ohnmacht angesiedelt ist. Sie ruft die bis heute kaum erforschte Reaktion des sogenannten Lachens hervor. Jedenfalls bei normalen Menschen.«

Sie grunzte irgendwas Unaussprechbares in sich hinein, wandte sich wieder ihrem Grafiktablett zu und gab sich der Haltung einer Sekretärin hin, die von ihrem aufgeblasenen Chef zu Unrecht angeschnauzt worden ist. Der Chef fuhr unbeirrt mit dem Diktat fort.

»Allerdings ließe sich diese Spannung über das 2. Haus ausgleichen, sofern Jupiter rechtzeitig den 270. Grad überläuft. Jupiter jedoch läuft nur einmal über diese Stelle, an der interessanterweise mein Saturn steht, danach würde nur noch Neptun wirken. Wie Du weißt, können wir den

Stand der Sterne nicht beeinflussen, lieber Freund. Aber in diesem Fall hast Du immerhin die Wahl, ob Du die von Mars im 12. Haus gesetzten Spannungen im 10. Haus oder im 2. Haus ausgleichen willst. Wie Du siehst, ist der 13. April ein eminent wichtiges Datum, denn Pluto bewegt sich unaufhaltsam weiter.

Gruß und Kuß,
Dein Spiegelmann.«

Wie ein Vulkan, aus dessen Schlot lediglich eine dünne Rauchsäule emporsteigt, obgleich es in seinem Innern alarmierend brodelt, lehnte sich Gertie mit beherrschter Sanftheit zurück, nachdem sie das letzte Wort getippt hatte. Dann schüttelte sie bedächtig den Kopf. »Lieber Daniel, dies ist kein Horoskop, sondern ein Attentat. Was verkündest du da von Ausgleich über das 2. Haus? Es geht also um Geld, oder wie ist das zu verstehen? Sobald Jupiter über den 270. Grad geht – damit kann doch nur eine Summe gemeint sein! Da aber steht dein Saturn, das heißt, du meinst es verdammt ernst!«

»Ja, mein Freund schuldet mir etwas Geld. Würdest du nun geruhen, den Text auszudrucken, Kollegin?«

Sie tat es, indem sie dem Grafiktablett noch ein paar robuste Stubser versetzte. Während der Drucker die Botschaft unter einem dumpfen Summen, welches in der Leere des Saales recht gespenstisch wirkte, zu Papier brachte, überlegte ich, inwieweit ich Gertie durch diesen verrückten Akt in meine Machenschaften gezogen hatte. Sicher, sie war keineswegs phantasiearm, und mein befremdliches Treiben in den letzten Monaten mußte wohl nicht nur ihre Aufmerksamkeit erregt haben. Die Finesse bestand jedoch darin, daß eben jeder Beteiligte immer nur Zeuge eines einzigen Ausschnitts des Mysterienspiels wurde, so daß er sich auf den Rest keinen Reim machen konnte. Alle hielten also einzelne Puzzlestücke in den Händen, die für sich allein kein Bild ergaben. Ausschließlich der Autor kannte die gesamte Handlung und konnte den Spielverlauf nach Gutdünken manipulieren. Aber auch der Autor besaß genügend Phantasie, um sich eine ganz andere Variante auszumalen, daß nämlich die vermeintlich Ahnungslosen dieser vertrackten Posse in Wirklichkeit den Autor manipulierten! Doch war so etwas überhaupt möglich? Ein Schachspiel, in dem die Figuren mehr wußten als der Spieler selbst?

Gertie riß das Ausgedruckte von der Endlospapierrolle und hielt es mir mit ihrer reduzierten Hand entgegen.

»Du hast nichts verstanden, Daniel«, sagte sie irgendwie traurig. »Schlimmer noch, du hast alles mißverstanden. Du glaubst, du könntest die Sterne bespotten, indem du die Menschen in ihrem Namen hinters Licht führst. Doch in Wahrheit hältst du dich nur selber zum Narren, weil auch dein närrisches Tun von ihnen vorherbestimmt ist. Ich bin gar nicht so abergläubisch, wie du denkst, und weiß sehr wohl, daß in unserer eigenen Brust die Sterne unseres Schicksals funkeln. Doch jeder findet irgendwann die Metapher für sein Leben. In meinem Falle sind es die Sterne. Du dagegen erscheinst mir wie dieser rastlose Meteorit, der nirgendwo eine Heimat findet und somit verdammt ist, immer und ewig durch das Weltall zu schießen.«

»Und dir rufe ich zu, liebe Gertie, daß so manch einer auf die Sternenstunde wartet, bis ihm die irdische entflieht. Wenn du nur noch die Güte besäßest, den Zettel unter meinen Hintern zu klemmen.«

Mit einem beunruhigend geheimnisvollen Lächeln beugte sie sich über den Rollstuhlsitz und steckte mir das Papier unter den Abschnitt meines Körpers, wo eigentlich das Gesäß in die Oberschenkel hätte übergehen sollen. Dann trafen sich unsere Blicke, und für einen Sekundenbruchteil flammte vor meinem geistigen Auge ein greller Déjà-vu-Blitz auf. Schon mal da gewesen. Aber was? Ja genau, dieses maliziöse Lächeln! Dasselbe Lächeln in Arnolds Gesicht, als ich ihn gebeten hatte, mir sein Waffenarsenal zu zeigen. Und wiederum dasselbe Lächeln im Gesicht des Kranken, als er wie auf Bestellung das Material über das Euthanasieprogramm präsentiert hatte. Und nun Gertie. Ein richtig geselliger Club, der sich in tiefgründigem Lächeln übte. Aber zu welchem Zweck?

Ich blies in das Steuerungsröhrchen und lenkte den Rollstuhl aus dem Saal hinaus. Dabei verspürte ich am Ansatz der Wirbelsäule ein leichtes Kribbeln, weil ich wußte, daß mich Gerties idiotisches Lächeln verfolgte wie ein Fluch.

Ich war derart in Gedanken versunken, daß ich regelrecht erschrak, als ich mich plötzlich außerhalb des Gebäudes befand. Ganz allmählich erlangte ich die Orientierung wieder und merkte, daß ich das Haus durch den Haupteingang verlassen hatte und nun die schmale Rampe parallel zu dem Treppenaufgang hinunterfuhr. An einer der Jägerstatuen vorbei, die mich plötzlich ebenfalls mysteriös anzugrinsen schien, beschrieb ich unten eine Rechtskurve, so daß der Leuchtturm in weiter Ferne vor mir aufragte. Thaddäus hatte in der Zeit, in der sein letzter Schicksalsbrief aufgesetzt worden war, tüchtige Arbeit geleistet und bereits die Hälfte der Balustrade abmontiert. Obgleich ich ihn vorhin aus dem Fenster dort oben auf der Galerie hatte herumgeistern sehen, war er von hier draußen nicht zu erkennen, da er offenbar auf der vom Heim abgewandten Seite zu Werke ging. Bevor nicht das ganze Geländer abgerissen war, würde er sich wohl keinen Feierabend gönnen. Ich durfte jetzt keine Zeit mehr verlieren, denn Hans mußte inzwischen von der Kantine in das Observatorium zurückgekehrt sein, um Gertie über mein Reiseziel zu befragen. Selbstverständlich würde sie ihm keine befriedigende Antwort geben können. Aber seine Gluckeninstinkte würden ihn bald automatisch die Fährte des Kükens aufnehmen lassen.

Der Wind war unterdessen etwas kräftiger geworden, so daß das Papier unter meinem Hintern wie eine Fahne zu flattern anfing. Leider hatte Gertie das gute Stück nur an einem winzigen Winkel befestigt, und ich mußte auf diesen Bereich mein ganzes Gewicht verlagern, damit es nicht davonflog. Doch durch die steife Brise ermutigt, intensivierte das Blatt seine Flugübungen, derweil ich den asphaltierten Weg zum Leuchtturm nahm. Wie von einem Ameisenstaat attackiert, hampelte ich während der Fahrt auf dem Sitz hin und her und veranstaltete die unmöglichsten Verrenkungen, um ja den Papierzipfel nicht zu verlieren. Das Horoskop jedoch gab einfach keine Ruhe, es wollte frei sein und unbedingt davonfliegen, wahrscheinlich zu diesen verfluchten Sternen, um an ihrer Konstellation seinen eigenen Wahrheitsgehalt zu überprüfen.

Noch hundert, dann etwa fünfzig, schließlich nur mehr zwanzig Meter trennten mich nun von meinem Ziel. Ich war fast am Leuchtturm angelangt, da stieß der Windgott mit der ganzen Bösartigkeit, die ihm zur Verfügung stand, ins Horn, und der Fetzen rutschte unter meinen vier Buchstaben noch ein Stück weiter heraus und hätte beinahe unwiderruflich Reißaus genommen, wenn ich nicht im letzten Moment eine Serie von Mikrohüpfern hingelegt hätte, um auf diesem verflixten Blatt wieder ein paar Quadratmillimeter an Boden zu gewinnen. Dennoch blieb die Situation brenzlig, da ich mir durch solcherlei Rumpfakrobatik nur das wenige zurückerobert hatte, auf dem ich schon vorher gesessen hatte.

Auf meinem kostbaren Schatz teils hockend, teils liegend, erreichte ich endlich den Leuchtturm in der Haltung eines von einem besonders garstigen Anfall heimgesuchten Rheumatikers und näherte mich langsam der Fahrstuhltür. Ich fühlte mich irgendwie erniedrigt. Gleichzeitig haßte ich mich selbst, weil die vergangenen Minuten mir meine Unzulänglichkeit wieder einmal kraß vor Augen geführt hatten, Minuten, in denen mir mein Leben vorkam wie eine Strafe. Situationen, derer zweijährige Kinder mit einem schlappen Reflex Herr wurden, wuchsen sich für mich zu gefährlichen Abenteuern aus. Der ungeheuere Zorn, der, solange ich denken kann, mein treuer Begleiter ist, elektrisierte abermals jeden einzelnen Nerv meines Rumpfes und bot mir eine hübsche Palette von Rachephantasien an. Ich suchte mir jene aus, in der Herr Arnold mit seinem scharfen »Genickfänger« Sladek ganz langsam Arme und Beine amputierte.

Das Papier flatterte weiterhin knatternd unter den erschöpften Muskeln meiner rechten Hinterbacke wie das Vorsegel eines in Unwetter geratenen Kahnes, als ich endlich vor dem Aufzug stoppte. Just in diesem Augenblick veränderte sich irgend etwas. Zunächst wußte ich nicht, was es war, weil es sich mit unglaublicher Plötzlichkeit vollzogen hatte. Dann jedoch erfaßte ich die ominöse Veränderung. Das Geräusch des Windes war mit einem Mal weg, ja nicht genug damit, Gevatter Wind hatte sich höchstpersönlich im wahrsten Sinne des Wortes in Luft aufgelöst. Er hatte wohl gedreht oder legte gerade ein Päuschen ein oder war ein paar Kilometer weiter gezogen, um anderen armen Teufeln wichtige Papiere unter ihren Ärschen wegzuklauen.

Nun, meinetwegen konnte der Wind zwecks einer Geschlechtsumwandlung nach Honolulu abgereist sein. Ich fuhr ganz dicht an die Aufzugstür, die sich sofort öffnete. Doch ich hatte keineswegs vor, selbst in die Kabine zu fahren, da sie mich wie eine mobile Mäusefalle sogleich gefangengenommen und nach oben zu demjenigen befördert hätte, dem ich jetzt auf gar keinen Fall begegnen wollte. Statt dessen verlagerte ich das Gewicht von der Pobacke, welche den Schrieb festhielt, auf die andere, neigte den Kopf ein wenig nach rechts und blies das Papier, in Richtung des Fahrstuhls zielend, vom Sitz herunter.

Da der dumme Spruch, daß alles, was schiefgehen kann,

auch schiefgehen wird, wie alle dummen Sprüche auch diesmal zutraf, landete das Blatt natürlich nicht in der Kabine, sondern etwa zwanzig Zentimeter davor auf der Betonplattform. Während ich vor Verzweiflung und Wut zu zittern begann und mein Magen in einem Säureanfall Harakiri beging, überlegte ich beiläufig, welcher dumme Spruch wohl auf diese mißliche Sachlage passen würde. Vielleicht, nobody is perfect? Nein, eher Sport ist Mord! Selbstverständlich war nicht ausgeschlossen, daß der Zettel auch in dieser Position Thaddäus' Augenmerk auf sich gelenkt hätte. Als Saubermann, der er war, würde er das Blatt beim Verlassen des Fahrstuhls bemerken, es aufheben und auf die unbekannten Schmutzfinken fluchen, dabei flüchtig die Überschrift des Gedruckten lesen und schließlich die gesamte Botschaft verschlingen. Aber noch wahrscheinlicher war es, daß er das Papier in blinder Empörung über die niederträchtige Umweltverschmutzung sogleich zerknüllen würde, um es bei nächstbester Gelegenheit in den Müllkübel zu werfen. Vielleicht würde auch der Wind seine Arbeit wiederaufnehmen und es davonwehen. Folglich bestand die größte Aussicht auf Erfolg, wenn das Papier mit der Schriftseite nach oben auf dem Boden der windgeschützten Kabine lag. Der Fahrstuhlgast würde sich dann notwendigerweise etwas länger mit ihm beschäftigen müssen.

Der Schlamassel, in dem ich steckte, verstärkte sich eigentlich nur unwesentlich durch das, was ich sah, als ich den Kopf anläßlich eines Kontrollblickes über die Schulter drehte: Hans kam gerade in der Ferne aus dem Heim heraus. Es wunderte mich nur, daß er nicht sich selbst karikierend mit einem Schmetterlingsnetz in der Luft herumfuchtelte, um damit den Ausreißer wieder einzufangen. So oder so, mein ganzes Trachten und Streben war verflucht, und daß alles bis jetzt so erstaunlich glatt gelaufen war, beruhte einzig und allein auf einer Selbsttäuschung meinerseits. Denn mal ganz ehrlich, welche

Indizien sprachen denn dafür, daß meine kranken Winkelzüge zu irgendeinem greifbaren Ergebnis geführt hatten? Nun gut, mit ein bißchen gutem Willen konnte man an Arnolds Physiognomie Bedrängnis und heimlich brodelnden Zorn ablesen. Aber vielleicht litt der Kerl neuerdings an Verstopfung oder Hämorrhoiden. Das war jedenfalls angesichts seines hohen Alters viel wahrscheinlicher, als daß er sich über meine lustigen Briefe grämte. Jawohl, ich hatte mir die ganze Zeit nur etwas vorgemacht, und das gegenwärtige Mißgeschick war nur die Krönung meiner lachhaften Sisyphusarbeit. Es hatte nicht sollen sein. Noch ein dummer Spruch!

Ich wandte mich von Hans ab, der hurtigen Schrittes auf mich zueilte, wie ein Schwachkopf winkte und zu allem Überfluß auch noch wie über die Pointe eines Scheißwitzes überschäumend zu lachen schien, und stierte wieder das Papier an. Es hätte nicht viel gefehlt, und ich wäre entweder in Tränen ausgebrochen oder vom Rollstuhl gehüpft, um mich kreischend auf dem Boden zu wälzen, bis mir der Schaum vorm Mund gestanden hätte. Da aber wurde ich unvermutet bei mir selbst Zeuge des Phänomens, daß Gemütsverfassungen von einer Sekunde zur anderen umschlagen und in ihrer Folge die subjektive Sicht auf die Welt revolutionär verändern können. Es war die unergründliche Mechanik der Hydro- und Thermodynamik, die mich so schlagartig mit einem positiven Schub bedachte, denn wie ich so verzweifelt den Zettel anglotzte, drehte sich der Wind erneut oder entsann sich seiner vernachlässigten Pflichten, jedenfalls begann er wieder sachte um meine Ohren zu wehen. Der Wind kehrte also zurück, aber so zaghaft und unschlüssig, als seien die Klappen eines Belüftungsschachts nur einen Spaltbreit geöffnet worden. Das Blatt vor den Reifen des Rollstuhls regte sich daraufhin, bäumte sich auf und schwebte über einem hauchdünnen Luftkissen eine Weile ratlos mal da-, mal dorthin. Dann jedoch – mein tapferes Rumpfenherz setzte ein paar Takte aus – wurde es von einem kühnen Windstoß erfaßt, überschlug sich einmal und flatterte geradewegs in den Fahrstuhl hinein. Dort blieb es genau in der Mitte der Kabine mit der bedruckten Seite nach oben liegen.

Ich stieß mit dem Rollstuhl schnell rückwärts und veranlaßte so, daß sich die Tür automatisch schloß. Es war vollbracht! Und während ich meinen heißen Ofen puste- und saugtechnisch um hundertachtzig Grad wendete und wieder auf die Asphaltbahn manövrierte, setzte der erwähnte psychologische Umpoleffekt ein. Von der erfolgreichen Bilanz berauscht, erschien mir mein ganzes teuflisches Tagewerk nun auf einmal nicht im mindesten sinnlos und lächerlich, sondern ganz im Gegenteil absolut genial. Ich war schon ein toller Hecht, will sagen, viele Gesunde schafften es nicht einmal, ihrer vereinsamten Oma einen Weihnachtsgruß zu schreiben und abzuschicken, wogegen ich ...

Gutgelaunt tuckerte ich Hans entgegen, so daß wir uns wohl in der Mitte des Weges treffen würden. Obwohl in seinem Gesicht das dämliche Gegrinse über die Tollheiten seines Schützlings so festgeschraubt schien wie ein Nummernschild an einem Auto, glaubte ich darin auch viele Fragezeichen zu erkennen. Sicherlich würde seine erste Frage lauten, was ich hier draußen getrieben hätte. Oder wo das mit Gerties Hilfe erstellte Horoskop geblieben wäre. Doch wie immer würde mir schon eine faule Ausrede einfallen, eine saftige Lüge, eine pseudologische, zum Schreien komische Erklärung, die bei jedem Normalsterblichen einen Lachkrampf ausgelöst hätte. Aber nicht bei Hans. Er würde mir glauben, weil er an das Gute im Menschen glaubte, weil er schlicht und einfach unschuldig war. Weil er, ja, so abgeschmackt das auch klingen mag, ein guter Mensch war.

Wie sehr ich, Rindvieh, das ich war, mich auch darin getäuscht hatte, sollte der folgende Tag beweisen.

Daß der Abschied bloß ein sentimentaler Vorgang zwischen dem Davonziehenden und dem Zurückbleibenden ist und daß er lediglich einen kurzen Kummer hervorruft, das mag eine Feststellung von Gefühlsinvaliden sein. Nein, der Abschied ist nicht nur ein akutes Ereignis, das zum Zeitpunkt des Voneinanderscheidens stattfindet, sondern ein unerklärliches Phänomen, das schon weit, weit vorher einsetzt. So wie jeder sensible Mensch es merkt, wenn etwas, sagen wir, eine Beziehung oder ein Lebensabschnitt, sich dem Ende zuneigt, selbst wenn es zunächst nicht den Anschein hat, so spürt er auch, daß der Abschied von einer nahestehenden Person überfällig ist, auch wenn oberflächlich betrachtet davon gar keine Rede sein kann. Es ist ein Gefühl des innerlichen Sterbens, des Sterbens des Gehenden in einem selbst. Plötzlich und ohne Vorwarnung bricht diese Ahnung über einen herein, am Anfang einer Panikattacke gleichend, dann allmählich der Trauer weichend, schließlich sich in der Melancholie vergilbter Erinnerungen verlierend, bis der Abschied zur eisernen Gewißheit wird, obwohl der Abschiednehmende, der selber von seinem Unglück nichts weiß, noch anwesend ist.

Solche rätselhaften Intuitionen begannen mich am späten Abend des dreizehnten April heimzusuchen, jener Nacht, an der Sladek ermordet werden sollte.

Abschied von Sladek?

In einem gewissen Sinne ja. Doch vor allem war es Hans, der ging und nie wieder zurückkam.

Das Datum für den krönenden Abschluß meines Plans war freilich keineswegs zufällig ausgewählt worden, brach doch mit dem Dreizehnten das Wochenende an, an dem gewöhnlich mehr als die Hälfte der Betriebsgenossen von ihren Familienmitgliedern in die heimischen Täler geholt wurden. Dort spielten sie für ein, zwei Tage Sohn oder Tochter oder Familienmonster, tranken Kaffee und aßen Kuchen, gingen ihren Lieben unheimlich auf den Geist, so daß sie in der Regel spätestens am Sonntag wieder bei den »Verzauberten Jägern« ausgesetzt werden mußten. Zudem wußte ich aus Erfahrung, daß Sladek sich eigentlich nie richtig Feierabend gönnte, sondern bis in die späten Abendstunden in seinem Büro blieb, vermutlich, um neue Turnübungen aus dem Kamasutra für die Brainstormings mit Mercedes einzustudieren. Diese Fakten waren fraglos auch Herrn Arnold bekannt, und deshalb würde er voraussichtlich bei Nachteinbruch zur Tat schreiten, so daß er sich halbwegs sicher fühlen konnte, völlig unbeobachtet durch die Flure zu schleichen. Ich dagegen brauchte nichts weiter zu tun, als Hans so lange in meinem Gemach festzunageln, bis ein Schuß zu hören war, um damit das berühmt-berüchtigte Alibi zu gewährleisten. Wie schon mehrfach erwähnt, benötigte ich selbstverständlich genauso dringend ein Alibi wie Madonna eine Kontaktanzeige in der Zeitung. Trotzdem wollte ich nicht für die Schätze der Titanic auf das Vergnügen verzichten, während des fröhlichen Talkens den erlösenden Fangschuß zu vernehmen. Daher bot Hans' Geburtstag den geradezu perfekten Anlaß. Wir würden uns im Kerzenschein gegenübersitzen, an Bachs Wohltemperiertem Klavier erquicken, dabei ein wohltemperiertes Gesöff kosten und scheinheilig auf unser beider Leben zurückblicken. Dann würde der Schuß durch das Gebäude hallen, und wir würden vor Schreck von unseren Sitzen aufspringen – das heißt, Hans würde aufspringen, wahrscheinlich würde ich meinen Platz behalten – und gleichzeitig »huch!« ausrufen.

Das mit dem Kerzenschein sollte sich bewahrheiten, der Rest nur in einer komödiantischen Variante.

Nicht nur ich hatte mich den ganzen Tag über in einer Art Schwebezustand befunden, auch Hans war in ähnlicher Stimmung gewesen. Als Grund für sein geistesabwesendes Verhalten diagnostizierte ich den sogenannten Dekadeschock, welcher häufig jugendwahnbefallene Zeitgenossen erwischt, die ihren dreißigsten Geburtstag eher durchleiden als feiern. Lustlos, ohne rechte Konzentration lümmelten wir am Mittag ein bißchen bei Gertie herum, aßen ohne Appetit in der Kantine, trieben kraftlose Gymnastik in den Therapieräumen und bildeten uns anschließend vor dem Fernseher durch eine Game-Show, in der ein reichlich weggetreten wirkender Bademeister mit einem lieblichen Päderastenlächeln sage und schreibe einen Toyota-Kleinwagen, eine komplette Windsurfingausrüstung, eine kombinierte Kaffee-Espresso-Maschine, ein 12-Gang-Rennrad und eine sechswöchige Reise auf die Bermudas gewann, indem er die Waffe erriet, mit der Cäsar ermordet wurde. Da sollte doch noch jemand behaupten, auf dieser gottvergessenen Erde gäbe es keinen gerechten Lohn für harte Arbeit! Doch seitens Hans keine Reaktion. Der unglaubliche Gewinn entlockte meinem so trübsinnig dreinschauenden Hans nicht mehr und nicht weniger als einen verstohlenen Furz. Wenn ich nicht instinktiv gewußt hätte, daß der Höhepunkt des Tages noch bevorstand, wäre ich selbst in diese deprimierende Stimmung verfallen.

Dann brach also der ersehnte Abend über unser Reich der Trolle und Wechselbälger herein, und plangemäß animierte ich Hans, es sich nach dem Essen mit opulentem Proviant an Partyfressalien in meinem Spinnennetz gemütlich zu machen. Schnell waren langstielige Kerzen auf meinen sechs vergoldeten Kandelabern (kostbare Erbstücke von Jupiter) angezündet, das Wohltemperierte Klavier zum Klingen gebracht, Lachsschnittchen und Chardonnay kredenzt und eine Atmosphäre aus gehobener Festlichkeit und Geisterstunde erzeugt. Der Ritter von der traurigen Gestalt stopfte mir periodisch eine Handvoll toten Fisch in den Mund und reichte Wein nach, wobei er mißmutig an seinem eigenen Glas nippte. Es wollte und wollte keine Freude aufkommen. So verging die Zeit mit dem Austauschen von Nichtigkeiten, dem Vortragen von ein paar müden Herrenwitzen meinerseits, deren Pointen ihm allesamt über den intellektuellen Horizont gingen, und der Fachsimpelei über die Übertragung der in der Instrumentalmusik gewonnenen satztechnischen Souveränität auf die Vokalkunst im Schaffen Johann Sebastian Bachs. Gleichwohl verstand ich es, dem Abend zu vorgerückter Stunde, als der Alkohol wenn schon nicht stimmungshebend, so doch gewissermaßen rein pharmazeutisch zu wirken begann, eine Spitze aufzusetzen.

»Greif bitte hinter dich in das Bücherregal, Hansi. Ich glaube, da liegt etwas, was dir gehört.«

Ein gespieltes Erstaunen zeigte sich in seinem bekümmerten Gesicht, und er lächelte schwach, schob die Bände »Flächenbombardements/Gestern und heute« und »Napalm – ein Füllstoff macht Geschichte« beiseite und fand das in silbernes Geschenkpapier eingewickelte Paket.

»Für mich?« fragte er artig. Ja, es war für ihn. Ich hatte es am Morgen heimlich von einem anderen Pfleger in der Stadt besorgen und dort verstecken lassen.

»Herzlichen Glückwunsch zum Dreißigsten, lieber Freund. Nun ja, ab jetzt läßt natürlich die Potenz allmählich nach, und was als eine harmlose Bauchwölbung anfängt, entwickelt sich zu einem chronischen und peinlichen Problem. Ach ja, die Augen, bestimmt mußt du dir bald auch eine Brille anschaffen oder einen Stock. Vielleicht bekommst du auch einen Buckel oder so was. Aber sonst hat es nur Vorteile. Du kannst zum Beispiel am hellichten Tag mitten im Gespräch einnicken, ohne daß man es dir übelnimmt. Oder nette uniformierte Kinder begleiten dich über den Zebrastreifen oder wer weiß wohin . . .«

»Hör auf, hör auf!« lachte er endlich laut auf und streifte das Papier vom Karton. Er öffnete den Deckel, und zum Vorschein kam Bachs Gesamtwerk in Gestalt von zweiundfünfzig

Compactdiscs. Er wollte eine Dankoffensive starten, doch ich ließ ihn nicht gewähren.

»Tut mir leid, ich hätte dir lieber einen Pullover gestrickt, aber du weißt ja, wie schwer es heutzutage ist, an echte Merino-Wolle zu kommen.«

Er schüttelte weiterhin lachend den Kopf, doch ich merkte, daß die Schwermut, die den ganzen Tag auf ihm gelastet hatte, wieder in seine Gemütsarterien zurückkroch, so daß die Lachfalten in seinem Gesicht plötzlich wie eingemeißelt wirkten.

»Hans, Bruder, du mir im Innern Verwandter«, hob ich an, während ich einen diskreten Blick auf den Radiowecker auf dem Nachtschränkchen warf. Trotz trüber Stimmung war die Zeit relativ schnell vergangen. Die grünen Leuchtziffern zeigten nun elf Uhr zehn an, und ich bemerkte, daß in das Gebäude eine beklemmende Ruhe eingekehrt war. Wenn der Teufelei ein Erfolg beschieden war und mich meine besondere Gabe, die Handlungsweisen von Menschen vorherzusagen, nicht trügte, mußte Herr Arnold in diesem Augenblick irgendeine seiner Waffen laden. Wenn Mutter Natur nicht so eine Pfuscharbeit geleistet hätte, hätte Hans jetzt sehen können, wie meine Hände zitterten. Nichtsdestotrotz spielte ich die Rolle des verständigen Behinderten, der als einziger seinem intakten Freund über die schwere Stunde wegzuhelfen versucht ohne jedwelche Anzeichen von Ruhelosigkeit. Doch oben in meinem Kopf purzelten die Gedankenatome mit solcher Heftigkeit durcheinander, daß ich Thaddäus schon durch die Gänge tapsen hörte, linkisch gebückt, mit den Augen rollend und wie ein tollwütiger Köter sabbernd und die Zähne bleckend: harr, harr, harr!

»Älterwerden ist ein ganz natürlicher Vorgang so wie, ähm, sagen wir mal, Sterben. Oh, das war wohl ein böser Fauxpas. Ich will damit sagen, es gibt keinen Grund zum Trübsalblasen. Denn gerade die dreißiger Jahre des Mannes gelten als seine goldenen. Man ist plötzlich von der fixen Idee besessen, Gewichte zu stemmen oder wie ein Verrückter durch die Wälder zu laufen. Außerdem deutet man Rückenschmerzen als Krebs und das Ansteigen des eigenen Alkoholkonsums als Lebensstil à la Hemingway. Oder man verspürt den dringenden Wunsch, ein Kind in die Welt zu setzen, damit man dem armen Wurm all den Mist erzählen kann, den im Bekanntenkreis kein Schwein mehr hören mag. Erste Vorahnungen, was Alterssex bedeutet, beginnen einem zu dämmern, wenn man feststellt, daß man an Frischfleisch fotografischer Natur mehr Spaß empfindet als an weiblichen Organismen in greifbarer Nähe. Und man verfällt in den Wahn, sich auf Biegen und Brechen ein Häuschen bauen zu müssen, als sei man obdachlos. Aber das Allerbeste: Man freut sich auf die Vierzig!«

Hans hatte meinem Vortrag mit ratlosem Schmunzeln gelauscht, aber dies war, wie ich glaubte, bloß eine mildtätige Geste für den Erzähler, vergleichbar mit den Portemonnaiekrümeln, die man dem zerlumpten, permanent Evergreens reproduzierenden Straßenmusikanten hinwirft. Hinter seiner karitativen Maske verbarg sich grenzenlose Abwesenheit. Er spielte mir etwas vor, was mir nicht so richtig in den Kopf wollte, da ich noch nie von einem Fall gehört hatte, bei dem jemand wegen seines methusalemischen Alters von dreißig Lenzen in endogene Depression geschlittert war.

»Meine Güte, so einen Scheiß habe ich ja im Leben noch nicht gehört«, schnaufte er nach einer längeren Pause endlich. Der fortgeschrittene Alkoholpegel hatte für eine allgemeine Enthemmung zumindest auf sprachlichem Gebiet gesorgt. Dann musterte er mich irgendwie bedauernd, als wäre ich ein Blöder, der sich beim Versuch, in der Nase zu bohren, ein Auge ausgestochen hat.

»Daniel, Daniel, was hast du nur für ein Problem mit meinem Alter?«

»Wie meinen? Kein Problem mit dem Alter? Also, wenn du

kein Problem mit dem Alter hast, habe ich damit auch keins. Hans, kapierst du denn nicht? Mit meinen Kalauern wollte ich doch nichts anderes, als der Verlegenheit aus dem Wege zu gehen, dir danken zu müssen. Du bist so unerträglich rein, so zum Erwürgen fürsorglich und so schrecklich gutgläubig. Wenn ein Planet existierte, dessen Bevölkerung ausschließlich aus Schwerbehindertenpflegern bestünde, dann wärst *du* bestimmt dort Gott! Herr im Himmel, du bist derart vernarrt in deine Arbeit, daß ich mich manchmal frage, ob du dir damit nicht dein Leben versaust. Weißt du, in der Jugend glaubt man, man wandle auf dem einzig richtigen, dem wahren Weg. Erst später merkt man, daß es doch nur ausgetretene Pfade sind. Gutsein, lieber Hans, ist auch ein bißchen Schlechtsein. Man kann aber nicht die Flecken auf einem weißen Tuch loswerden, indem man ein anderes weißes Tuch drüberstülpt. Deshalb ist es besser, denke ich, ein wenig der eigenen Schlechtigkeit zu frönen, als an dem Guten zu leiden. Langer Rede, kurzer Sinn, fang endlich an zu leben, Hansi, und hör auf, die beste Zeit deines Lebens an so einen Stinkstiefel wie mich zu verschwenden . . .«

»Das ist es nicht! Das ist es nicht!« schrie er auf einmal und fuhr wie ein Gummigeschoß von seinem Stuhl in die Höhe. Bachs Œuvre flog ihm aus den Händen; die einzelnen Kunststoffhüllen drifteten in der Luft auseinander und hagelten dann auf den Boden. Als hätte in seinem Schädel eine Explosion von Kopfschmerzen stattgefunden, griff Hans sich an beide Schläfen und begann dann wie ein Hospitalismusopfer heftig den Oberkörper auf- und abzuwiegen. Ich mußte gestehen, daß der Kerl mir langsam unheimlich wurde. So ein Affentheater wegen eines weiteren Jährchens. Schließlich lag er ja nicht im Totenbett, ist doch wahr! Der Schuß, den Herr Arnold hoffentlich bald abgeben würde, bekam jetzt für mich einen doppelten Erlösungscharakter. Denn einerseits auf die Exekution meines geliebten Feindes zu warten und anderseits dieses durchgedrehte Riesenbaby bei Laune zu halten, ging allmählich über meine Kräfte.

Hans schritt im Zimmer wie von fidelen Geistern verfolgt atemlos auf und ab und schien mit sich selber zu reden.

»Du weißt gar nichts, Daniel, ach, du weißt gar nichts«, stieß er hervor und schmiß verschwenderisch mit dramatischen Gesten um sich. »Ich bin nicht das Unschuldslamm, für das du mich hältst. Ich habe schlimme Dinge getan, ganz schlimme Dinge.«

»Hans, die Strafe für das Knacken eines Kaugummiautomaten ist nicht die Hölle. Schau mich an: Ich besitze ein Video in meiner Sammlung, in dem drei Puertoricanerinnen es mit einem Maultier treiben. Am Ende bricht das arme Vieh vor Erschöpfung ohnmächtig zusammen. Na und? Ich fühl' mich trotzdem prima.«

»Keine Zeit für Witze, o nein, mein Leben ist schon lächerlich genug. Weißt du, ich habe Dinge getan, die wirklich nicht witzig sind. Wirklich böse Dinge. Ich habe mich an euch vergangen.«

»An uns vergangen? Wie soll ich das verstehen? Bist du schwul oder was?«

»Nein, nein, an euch Behinderten habe ich mich versündigt. All die Jahre. Ich habe euch bestohlen.«

»Tja, das ist in der Tat nicht sehr witzig. Bevor du weitersprichst, könntest du mir vielleicht einen Gefallen tun und die Schatulle, worin ich das Geld aufbewahre, aus dem Schrank holen.«

Er warf seinen Kopf nach hinten und schickte einen gellenden Lacher in die von den brennenden Kerzen stickig gewordene Luft, einen Lacher von der Art, wie ihn vollends dem Größenwahn verfallene Bösewichter mit Weltherrschaftsgelüsten in amerikanischen B-Pictures draufhaben.

»Ich rede nicht von hundert Mark, Daniel, auch nicht von tausend Mark, auch nicht von hunderttausend Mark!«

Er lachte schon wieder dieses unwirkliche Filmlachen, während ich mich langsam zu fragen begann, ob bei dieser kuriosen Entwicklung der Nacht am Ende nicht »Vorsicht Kamera« ihre Finger im Spiel hatte.

»Du redest von Millionen, richtig?«

»Richtig! Richtig! Richtig!« brüllte er und verzerrte sein Gesicht zu einer Grimasse, als sei ihm soeben ein Magengeschwür geplatzt. Ich dagegen wollte endlich wissen, ob ich einer wahren Beichte oder dem Ausbrechen einer Psychose beiwohnte. Hans als Al Capone? Eine mehr als abenteuerliche Vorstellung.

»Und wie hast du uns um die Millionen betrogen, lieber Hans? Indem du die Bettpfannen unter unseren Ärschen weggestohlen und als Alteisen verhökert hast?«

»Du hast keine Ahnung, wie nah du der Wahrheit bist, Daniel, auch wenn ich nur ein schäbiger Komplize war. Doch ab heute nacht wird das Schwindeln und Betrügen ein Ende nehmen. Es muß aufhören, ein für allemal, sonst verliere ich den Verstand. Diese Schuldgefühle fressen mich noch bei lebendigem Leibe auf, wenn das so weitergeht.«

Er schaute fiebrig auf seine Armbanduhr.

»Ich muß weg, den Termin einhalten.«

»Was für einen Termin denn, verdammt noch mal? Mein Gott, Hans, was ist plötzlich in dich gefahren? Ich erkenne dich ja kaum mehr wieder. Nun beruhige dich erst mal und erzähle mir ganz langsam zum Mitschreiben, was los ist.«

»Keine Zeit, keine Zeit. Ich muß ihm klipp und klar sagen, daß ich nicht länger gewillt bin, mich für diese Verbrechen herzugeben, seien sie auch für einen guten Zweck. Die ganze Welt ist voller Schmutz, Daniel, und jeder gerät hinein, gleichgültig, wie sehr man auch bemüht ist, sich davon fernzuhalten.«

Wie in einem schlechten Traum, in dem um den Träumenden herum die haarsträubendsten Dinge passieren, ohne daß er fähig wäre, selbst in die Handlung einzugreifen, mußte ich im Gefühl demütigender Ohnmacht zusehen, wie er sich der Tür näherte. Ich öffnete und schloß den Mund, doch außer heißer Luft brachte ich nichts heraus.

»Es wird nicht lange dauern«, sagte er und ergriff die Türklinke. »Wenn die ganze Sache ausgestanden ist, habe ich wenigstens ein reines Gewissen.«

Mit größter Selbstüberwindung schüttelte ich die Lähmung endlich ab und erlangte meine Sprache wieder.

»Hans, wohin gehst du?« schrie ich wie von Sinnen. »Und was hat das alles zu bedeuten? Ich habe die Schnauze voll von diesen beschissenen Geheimnissen und Überraschungen! Verflucht, bin ich denn hier in der Klapsmühle?«

»Na, wo werde ich wohl hingehen, Daniel? Natürlich zum Professor Sladek. Er erwartet mich. Wenn ich zurück bin, erzähle ich dir alles.«

»Nein! Erstens wirst du nirgendwo hingehen, nicht jetzt, und zweitens erzählst du mir jetzt sofort alles!«

»Unmöglich. Ich sagte schon, daß wir einen Termin haben.«

»Mitten in der Nacht?«

»Ja, fand ich auch komisch. Aber der Professor ist nun mal ein vielbeschäftigter Mann.«

Mit weit aufgerissenen Augen und einem Schwächeanfall nahe giftete ich meinen einst so pflegeleichten Pfleger an. Ich war inzwischen geneigt zu glauben, daß er im Verlauf der letzten Stunden von obskuren Geheimdiensten durch eine schlechte Kopie ausgetauscht worden war. Mir fiel wirklich nichts mehr ein, wie ich verhindern konnte, daß er gleich irgendwo in den Gängen mit Herrn Arnold zusammenprallte oder gar im Büro des Verehrungswürdigen in eine unappetitliche Jagdszene hineinplatzte. So glotzten wir uns eine Weile unschlüssig an, bis er sich einen Ruck gab, die Tür öffnete und einen Schritt nach draußen tat.

»Aber du kannst mich jetzt nicht verlassen«, sagte ich schließlich wenig überzeugend.

»Wieso nicht?« Auch er klang ohne Hoffnung.

»Weil, weil ich hungrig bin und durstig und weil mir kalt ist und heiß und weil ich dringend scheißen muß und schlafen, Hans, du mußt mir helfen, das ist dein Job!«

»Gedulde dich fünf Minuten nur, Daniel, dann bin ich wieder zurück und erfülle dir jeden Wunsch.«

»Geh nicht«, flehte ich ihn an. »Bitte geh nicht.«

Ein düsterer Ausdruck huschte über sein Antlitz, als ahne er ebenfalls, daß dies ein Abschied für immer sei und daß keine Macht der Welt ihn wieder zu mir zurückbringen würde. Nun war es also soweit, und ich wußte, daß er es wußte. Warum er trotzdem ging, weiß ich bis heute nicht. Vermutlich weil ihn die Schuldgefühle tatsächlich bei lebendigem Leibe aufzufressen drohten. Aber noch glaubhafter scheint mir die Erklärung, daß er seinem öden Leben eine radikale Wendung geben wollte, was ihm mit diesem Akt ja auch tatsächlich gelang.

Hans gab keine Antwort, und das letzte, was ich von ihm sah, war sein jungenhaftes, tief betrübtes Gesicht in dem immer kleiner werdenden Türspalt, bis er die Tür ganz schloß. Hans, Hansi, Hänschen, nur noch eine wehmütige Erinnerung mehr in meinem Poesiealbum der tausendundeinen Frevel...

Ich wartete, linste auf den Wecker und wartete. Die ersten Kerzen erloschen; das warme Licht, das dämmrige Wogen an die Wände warf, reduzierte sich von Augenblick zu Augenblick, machte so jeden Gegenstand, jeden Winkel des Raumes schummeriger, schattenreicher, unheimlicher. Ich wartete fünf Minuten, wartete zehn Minuten, wartete fünfzehn Minuten.

Dann fiel der Schuß. Ich hörte es ganz deutlich. Ein dumpfes, schier sich selbst verschlingendes Geräusch. Danach Stille.

Ich hätte jubeln müssen, Rufe des Frohlockens ausstoßen, ja anfangen, den Teufel anzubeten. Aber es war unfaßbar – ich fühlte nichts, einfach gar nichts. Keine Genugtuung und keine Hochstimmung. Denkbar, daß es vielleicht an diesem ominösen Schuß lag, der wie ein überbetontes Stichwort in einem Theaterstück gefallen war. Irgendwie gestellt und irreal. Viel wahrscheinlicher jedoch rührte die Enttäuschung von meiner hochgesteckten Erwartungshaltung her. Was hatte ich denn erwartet, was nach diesem ersehnten Geräusch geschehen würde? Daß sich das Farbenspektrum verschieben und ich die ganze Welt plötzlich in Rosa sehen würde? Oder daß Fanfarenklänge ertönen und Engelsscharen Halleluja singen würden? Unsinn, Robert Sladek war so tot wie J. S. Bach. Und Thaddäus Arnold hatte ihn umgebracht. Ein Segen für das Rumpfgeschlecht. Vergelt's Gott!

Aber – ein bescheidener Zwischenruf war schließlich gestattet – wenn Sladek der Menschheit Lebewohl gesagt hatte, was war dann aus Hans, dem Millionendieb, geworden? Ich meine, selbst wenn man sich beim Stellen der Frage wie ein Spielverderber vorkam, war doch dieser Punkt heikel genug, um daran ein paar Spekulationen zu verschwenden. Man durfte ja wohl noch fragen, nicht wahr? Der Experte in meinem Kopf, der für die Antworten zuständig ist (ein forscher, praktisch veranlagter Bursche mit einem gewinnenden Lächeln), entgegnete prompt, daß Arnold Hans sozusagen in einem Abwasch mit erschossen hatte, was zwar bedauerlich, doch in Anbetracht der verzwickten Situation unumgänglich gewesen sei. Jammerschade, aber nachvollziehbar. Nur hatte ich bis jetzt keinen zweiten Schuß gehört. Wie also mußte man die Logik vergewaltigen, damit dieser Krampf einen Sinn ergab?

Da meine wirkliche Stärke das Warten ist, Warten auf Körperreinigung, Warten auf denjenigen, der mir das Essen in den Mund löffelt, Warten auf ein Wunder, kam ich darum allmählich vom Fragen ab und verlegte mich auf das bewährte Warten, das alsbald eine glückliche Ehe mit dem Schlafen einging. Irgendwie behielt ich alles im Auge, den Radiowecker, die nacheinander niederbrennenden Kerzen, die Tür, doch nahm ich all dies immer mehr wie durch das von Algen verschmutzte Sichtfenster eines vorsintflutlichen Taucherhelms wahr, so nebulös und trübe. Dann aber schwebte ich endgültig davon...

...und zwar schnurgerade in einen Traum. Plötzlich brannten alle Kerzen lichterloh, als wären sie in Wahrheit mit Gas betriebene Kerzenattrappen, die die ganze Zeit auf Sparflamme geglimmt hatten und nun erst ihr ganzes Potential entfalteten. Es war eine phantastische Helligkeit, die in den Augen stach, keiner mir bekannten Lichtquelle zuzuordnen, außer vielleicht der grellen Flamme, die beim Schweißen entsteht. Wie in den vorangegangenen Träumen hatte mein wundersamer Rumpf seine Arme und Beine wieder ausgefahren, und ich stand inmitten dieses hyperhellen Zimmers und himmelte die Fotografie der UFA-Diva an der Wand an. Von ihrem Gesicht ging ein unwiderstehlicher Sog aus. Ich verspürte den Drang, irgendwie in dieses Bild hineinzukriechen, auch schwarzweiß zu werden, mich schließlich neben sie hinzustellen, quasi zu einem Teil der Fotografie zu erstarren und von meinem hohen Platz aus für ewig auf die lebendige Welt herabzuschauen.

Aber dazu kam es nicht. »Daniel! Daniel! Daniel!« hörte ich plötzlich jemanden rufen, ohne zunächst bestimmen zu können, aus welcher Richtung die Stimme kam. Ich wandte mich von der Wand ab und schaute mich im Zimmer um, welches eine einzige Orgie von Licht, Reflexen und Strahlenkränzen war. Trotzdem konnte ich durch diese schillernde Schicht draußen den Sternenhimmel sehen, der seinerseits die bescheidenere Variante einer Lightshow veranstaltete. »Daniel! Daniel!« hörte ich wieder, frenetisch und sehr fordernd. Ich schritt an den Kandelabern vorbei zum Panoramafenster und schaute hinaus.

Sladek stand auf der Galerie des Leuchtturms und winkte mir freudig zu. Er trug den klassischen Pinguinfrack von der Weihnachtsfeier, und die wild wedelnde Hand hielt einen Chapeau claque. Der schicke Aufzug ließ ihn aber nicht nobel wirken, sondern wie einen heruntergekommenen Zauberer aus einem drittklassigen Tingeltangel. Obwohl der Leuchtturm in weiter Ferne lag, sah ich ihn doch in seiner ganzen schäbigen Erscheinung deutlich, ja fast in Reichweite vor mir, wie eine Großaufnahme im Film, die man zu Erklärungszwecken für den Zuschauer ungeschickt in eine Totale einmontiert. Robert Sladek winkte mit seinem Zaubererhut frohlockend, ganz offensichtlich in Zeitlupe, und überall um ihn herum funkelten Myriaden von apfelgroßen Sternen, als wären sie groteske, abgegriffene Requisiten aus derselben Groschenrevue, von der er sich die Kleidung geborgt hatte. Und immer und immer wieder rief er »Daniel! Daniel! Daniel!« wie ein ältlicher Huckleberry Finn, der Tom Sawyers Fenster mit Steinchen bewirft, um ihn in die abenteuerliche Nacht zu entführen.

Ich tat ihm den Gefallen und öffnete das Schiebefenster, wiewohl mir gleich zu Beginn Ungutes schwante. Eine herrlich frische Meeresbrise strömte in meine Lungen.

»Die Delphine, Daniel, die Delphine!« schrie Sladek mit dem prahlerischen Gehabe des Zirkusdirektors und zeigte auf die See, die sich vor uns ausbreitete wie die Unendlichkeit. Mein Blick folgte seinem Arm zu der Stelle im Wasser, welche erstaunlicherweise ebenfalls wie ein vergrößerter Ausschnitt eines Gemäldes greifbar nah schien. Und tatsächlich, mit einem Mal schossen zahlreiche Delphine aus den Wellen hervor, formten sich in der kritischen Höhe, wo die Schwerkraft ihren Tribut fordert, zu ästhetischen Bögen und planschten dann wieder laut in die Ursuppe hinein, um eine Sekunde später erneut aus ihr hervorzuhechten. Herr im Himmel, es war eine richtige Delphinshow! Mir stockte der Atem, denn so etwas Wunderbares hatte ich wahrhaftig noch nie gesehen.

»Verstehst du jetzt, Daniel? Verstehst du?« rief der Professor mit glänzenden Augen, wobei er den Eindruck machte, als würde ihm vor Begeisterung jeden Moment einer abgehen. Ja, irgendwie verstand ich ihn, weil ich mich nämlich ebenfalls zu diesen Wesen hingezogen fühlte, die mir so fremd waren und doch so vertraut wie Materialisationen geheimer Sehnsüchte aus dem Unterbewußtsein. Ihre fremde Welt, die nur aus Wasser und Echoortung bestand, erschien mir plötzlich so geläufig wie meine eigene Welt des Sauerstoffes und der Qual. Die Mäuler, die wie zu einem Lachen aufgerissen waren, die weise schauenden, jedes Detail exakt erfassenden Augen, die mit ungeheurem Kraftaufwand betriebenen, schnellen, dennoch äußerst eleganten Bewegungen, all das schien nun ein selbstverständlicher Teil von mir, mehr noch, ich verstand sie, die Delphine.

Dann jedoch zerbrach der Traum, wurde unversehens von einem grauen, öligen Belag überzogen. Meine Gefühle der Verbundenheit und Wärme schlugen in pure Angst um, als wenn ich bisher alles durch eine gigantische Glasscheibe betrachtet hätte, die nun in tausend Scherben zersplitterte. Als praktizierten bestialische Taucher unsagbare Dinge, färbte sich das Wasser auf einmal mit Blut, das aus dem Untergrund wie ein Atompilz aufstieg und sich sehr rasch an der Oberfläche ausbreitete. Die Delphine schossen wieder aus den wild schäumenden Wellen empor – aber nein, es waren gar keine Delphine. Körper waren es, nackte menschliche Leiber, verwundet, verstümmelt, mit grausamen Verletzungen versehen, aus denen das Blut in gewaltigen Fontänen herausspritzte. Und das Furchtbare war, daß mir diese Horrorgestalten so verdammt bekannt vorkamen. Denn wenn ich mich nicht täuschte, bestand der Schwarm aus Hans, Gertie, VS, Edi, Herrn Arnold, dem Kranken und Mercedes. Sie vollführten artistische Sprünge, explodierten aus dem Blutmeer hoch in die Luft, schlugen sogar Kapriolen und preschten wieder in den roten Saft hinein wie pervertierte, kleine Moby Dicks. Doch obwohl in ihnen noch so viel quirliges Leben zu sein schien, wußte ich, daß sie allesamt längst tot waren.

Ich schaute entsetzt zum Leuchtturm und zu Sladek hinüber, der mittlerweile jegliche Begeisterung vermissen ließ. Enttäuschung hatte seine Miene erfaßt, als sei ihm ein Zaubertrick mißglückt. Er hielt den Kopf, auf dem der Zylinderhut etwas schief saß, schamvoll von mir abgewandt.

»Die ganze Welt ist voller Schmutz, Daniel, und jeder gerät hinein, gleichgültig wie sehr man auch bemüht ist, sich davon fernzuhalten«, wiederholte er die Worte von Hans traurig, bis unter dem Hut ein Blutrinnsal hervorsickerte und eine dünne, unregelmäßige Spur über das ganze Gesicht zog.

Im Anschluß daran hörte ich einen Schuß und wachte auf. Die Kerzen waren alle erloschen, und das Zimmer wurde nun lediglich vom schwachen Schein der Sternennacht erhellt. Ich wußte nicht, wie lange ich geschlafen hatte, glaubte jedoch, daß es nicht lange gewesen sein konnte.

Der Schuß, der zweite Schuß, wenn es überhaupt einen zweiten gegeben hatte ... Zwanghaft versuchte ich mir einzureden, daß kein weiterer Schuß gefallen war, sondern daß der erste irgendwie Zugang zu meinem Traum gefunden und dort gewissermaßen widergehallt hatte. Aber in meinem tiefsten Innern, wo Selbstlügen schon genug Schaden angerichtet hatten, wußte ich es besser. In dieser Höllennacht wurden zwei Morde begangen.

Es sollten nicht die letzten bleiben ...

6. KAPITEL

»Lazarus, komm heraus!«

Johannesevangelium, Auferweckung des Lazarus

Professor Sladek war tot. Seine Frau Henriette hatte ihn iden-tifiziert, das heißt abzüglich dessen, was einmal sein Kopf gewesen war. Leider kam ich selber nicht in den Genuß, einen letzten Blick auf den Dreiviertelprofessor zu werfen. Ich bin nur deshalb über die näheren Umstände so gut informiert, weil Kasimir mich darüber in Kenntnis gesetzt hat. Überhaupt Kasi-mir . . .

Doch halt! Den Ereignissen vorzugreifen, hieße die Fairneß-pflicht gegenüber dem Kriminalhistoriker zu verletzen und seine Erfassungsarbeit unnötig zu komplizieren. Andererseits ist es eine unbestreitbare Tatsache, daß die vorliegende Ge-schichte, die für mich persönlich eigentlich erst nach dem Mord so richtig in Schwung kam, von jedem beliebigen Punkt aus erzählbar ist. Theoretisch hätte ich sie auch am Schluß begin-nen und in umgekehrter Chronologie wiedergeben können – das heillose Durcheinander wäre trotzdem das gleiche geblie-ben. Aber Ordnung muß sein, und da perfekte Mörder nicht nur Ordnungsfanatiker, sondern Zerrbilder von Ordnungsfa-natikern sind, gelobe ich, auf die genaue Reihenfolge der Ge-schehnisse zu achten, auch wenn diese sich nach Sladeks Ent-schwinden regelrecht überschlugen.

Auf das marternde Mutmaßen, ob denn nun tatsächlich ein weiterer Schuß gefallen war oder nicht, und falls ja, wie groß die Zeitspanne zwischen den beiden Schüssen war, folgte nach etwa einer Stunde endlich wieder der Schlaf. Diesmal blieb er aller-dings traumlos und dauerte bis zum späten Vormittag des fol-genden Tages, was auf die Wirkung des in Übermaß gebecher-ten Weines auf der Geburtstagsfeierlichkeit zurückzuführen war. Als ich um etwa elf Uhr dreißig aufwachte, fühlte ich mich, als hätte man mit meinem Rumpf die ganze Nacht hindurch Rugby gespielt. Mein offenbar in einem Schraubstock eingezwängter konstant pochender Kopf stand kurz vorm Auseinanderbersten, und der Rachen war so stark ausgetrocknet, daß ich befürchtete, er würde wie ein Gebilde aus brüchigem Pergament zu Staub zerfallen, wenn ich auch nur eine einzige Schluckbewegung probierte. Wie mechanisch blickte ich mich im Zimmer nach Hans um, in dem törichten Glauben, daß er mit den Vorbereitungen der Morgenzeremonie zu Gange sein mußte, während ich hier auf dem Rollstuhl meinen Rausch ausschlief. Sicher würde er gleich mit einem beschwingten Liedchen auf den Lippen die Tür hereingetänzelt kommen, ein erfrischendes Katerfrühstück nebst einem riesigen Pokal Alka Selzer servieren und dabei seine üblichen albernen Neuigkeiten ausbreiten. Jawohl, auch notwendige Übel konnten zu lieben Gewohnheiten werden, die man nimmer mehr missen mochte.

Dann jedoch brach die Realität wie ein eiskalter Schauer über mich herein. Hans hatte kein Frühstück vorbereitet. Er hielt sich auch nicht in der Toilette auf, um lauwarmes Wasser in die Badewanne einzulassen. Nein, er war letzte Nacht weggegangen, um seinen Gaunereien ein Ende zu setzen, und nicht mehr zurückgekehrt. Schüsse waren gefallen, und wahrscheinlich hatte ihn eine Kugel getroffen oder am Ende gar beide. Tja, so ging es zu an Orten, wo Leute ohne Arme und Beine Mordkomplotte ausheckten, wo an Korsakow-Syndrom Erkrankte Erpresserbriefe aufsetzten, welche von Mongoloiden zu siebzigjährigen Männern transportiert wurden, die ihrerseits wiederum mit Elefantenbüchsen durch schummerige Flure schlichen, um opernkundige Professoren kaltzumachen. Als Schwerbehindertenpfleger, der nach Feierabend mit Millionen jonglierte, durfte man sich nicht wundern, wenn da auf einmal blaue Bohnen um die Ecke zischten und man eines schönen Tages mit einem tellergroßen Loch im Bauch in seinem Blut lag.

»Hilfe!« hörte ich mich plötzlich rufen, zunächst in dem dringenden Bedürfnis nach echtem psychiatrischen Beistand, weil ich befürchtete, jetzt endgültig den Verstand verloren zu haben. Aber dann dachte ich wieder, daß mir kein Psychiater auf der Welt diese im wahrsten Sinne des Wortes irre Story abkaufen würde und daß man mich am Ende tatsächlich für verrückt erklären würde. Deshalb entschied ich mich schnell für eine andere Strategie.

»Hilfe! Hilfe! Helft mir! Holt mich hier raus!«

Es klingt unglaublich, doch trotz meines Rumpfdaseins hatte ich noch nie zuvor in meinem traurigen Leben in so einer Situation gesteckt. Es waren ja immerzu diese fürsorglichen Heiligen um mich gewesen, die ihre Pflichten mit Übereifer erfüllt hatten. Ich versuchte noch ein paarmal lautstark, Aufmerksamkeit zu erregen, bis ich zwischen den Brüllpausen allmählich registrierte, daß von draußen tumultartiger Lärm hereindrang. Ob die Beerdigungsfeier schon stattfand? Unsinn, dafür war es noch zu früh. Oder vielleicht hatten sie Thaddäus bereits des Mordes überführt und lynchten ihn gerade. Gar nicht so abwegig, der Gedanke.

Ich sog die Lungen voll Sauerstoff und riß den Mund sperrangelweit auf, um den bisher rabiatesten Hilferuf auszustoßen. Doch just in dem Moment wurde die Tür aufgerissen, und ins Zimmer platzte ein höchstens siebzehnjähriges Mädchen hinein, das wie ein Blumenkind aus der Retorte aussah. Ich konnte mir kaum vorstellen, daß derartige Kleidungsstücke und Accessoires, die an ihrem spindeldürren Twiggy-Körper wie museale Kleinode hingen, überhaupt noch hergestellt wurden. Es war unfaßbar, aber die blonde Jungfer trug doch tatsächlich ein selbst gebatiktes, spiralnebelgemustertes T-Shirt, darüber eine Häkelweste, gepatchworkt aus kunterbunten Blümchenmotiven, und eine waschechte Jeans mit Schlag. Eine klobige Aluminiumhalskette, an der ein Peacezeichen baumelte und indische Ledersandaletten rundeten das Bild der Woodstocknovizin ab. Also wirklich, ich hatte immer gedacht, diese Gestalten wären heutzutage nur noch als gußeiserne Denkmäler vor Sixties-Kultschuppen irgendwo in London aufzufinden. Entweder befand ich mich immer noch in einem Traum, oder ich war mittlerweile so verkalkt, daß ich den Überblick über die neuesten Jugendtrends gänzlich verloren hatte. Man wurde halt alt. Nichtsdestotrotz schien das organische Material in der altertümlichen Verpackung nicht von schlechten Eltern zu sein, und unter anderen Umständen hätte ich mich vielleicht zu einer eingehenden Röntgenträumerei hinreißen lassen.

Das Gesicht von Fräulein Flower Power, welches im Gegensatz zu dem antiken Aufzug ganz und gar die kernige Gesundheit der Neunziger ausstrahlte, war in Panik verzerrt. Ihre Arme, die hilflos in der Luft fuchtelten, und der zu einem stummen Entsetzensschrei aufgerissene Mund ließen vermuten, daß sie unlängst mit einem gespenstischen Ereignis konfrontiert worden war: typisches Verhalten von Aushilfskräften, die bei einer Streßsituation sofort den Kopf verloren. Hinter ihrem Rücken im Flur sah ich ganze Kolonnen von Leidensgenossen gefolgt von ihren Pflegern desorientiert hin und her rennen wie eine Herde von Wildpferden, bei der der Leithengst unerwartet in Rente gegangen ist.

»Ein Unglück! Ein Unglück!« stammelte sie, und die Farbe ihrer bereits rot angelaufenen Nase wurde noch kräftiger. Folgerichtig brach sie im nächsten Moment in eine hysterische Heulerei aus.

»Sie sagen es, ein Unglück!« schnauzte ich sie an. »Ich schreie mir schon seit einer Stunde die Stimmbänder aus der Kehle, und kein Schwanz kümmert sich drum! Betreuung wie im Kongo kriegt man hier geboten!«

»Tut mir leid, aber etwas Furchtbares ist geschehen.«

»So? Wurde der Verkauf von Patschuli eingestellt?«

»Professor Sladek ist ermordet worden. Er wurde erschossen. Man fand ihn in seinem Büro. Oh, es ist furchtbar, furchtbar!«

Sie vertiefte sich erneut in eine bombastische Schluchzarie, wobei sie mit beiden Händen ihr Gesicht knetete, um sich total auf den Kummer zu konzentrieren.

»Na, so furchtbar ist das auch wieder nicht . . .«

Blitzartig nahm sie die Hände vom Gesicht und funkelte mich mit dem stahlharten Blick des Staatsanwalts an, als hätte ich irgendwas mit der Sache zu tun. Unverschämtheit!

»Und das Erschreckendste ist: Man hat auch Herrn Arnold erschossen.«

Wie ich's mir gedacht hatte – der Schlaf dauerte noch an, allein der Traum hatte gewechselt. Vielleicht sollte ich die Melanie-Imitation bitten, mich zu kneifen.

»Wen hat man noch erschossen?«

Es war keine Frage, sondern eher ein Reflex, so wie bei dem Huhn, das noch ein Weilchen weiterläuft, nachdem man ihm den Kopf abgehackt hat.

»Thaddäus Arnold, unsern Hausmeister.«

»Ich weiß, wer das ist, Sie, Sie grotesker Mensch! Schließlich lebe ich ja seit fast einem Jahr in diesem Zoo!« brüllte ich sie unangemessen laut an. In der Tat, es war ein Morgen der maßlosen Übertreibungen.

»Und was ist mit Hans, meinem Pfleger? Nimmt er die Spurensicherung vor, oder hat man ihn auch erschossen?«

Sie kaute mit zerknirschter Miene an ihrer Unterlippe und ließ die Augäpfel in sämtliche Himmelsrichtungen rotieren, um mich bloß nicht direkt anschauen zu müssen. Ihr war deutlich anzusehen, daß sie nicht der Überbringer der schlechten Botschaft sein wollte.

»Tja, ich bin nur eine Aushilfskraft und kenne ihn kaum. Aber ich glaube, er ist verschwunden.«

Nun war es an mir, in ein hysterisches Geheule auszubrechen. Doch statt dessen lachte ich – hysterisch.

»Verschwunden? Was meinen Sie mit verschwunden? Hat er etwa einen Abschiedsbrief hinterlassen, in dem geschrieben steht, ich verschwinde jetzt, ihr Arschlöcher?«

»Nein, nein. So wie ich es erfahren habe, behauptet die Polizei, daß er verschwunden wäre.«

Hans war tot, nicht verschwunden. Mit einem Mal war ich mir dessen so sicher wie Jesus seiner Sache so verdammt sicher gewesen war. Doch wenn man dem, was diese Trendgeschädigte verzapfte, Glauben schenken durfte, hatten Sladek und Thaddäus ebenfalls das Zeitliche gesegnet. Wer aber war dann für dieses skurrile Massaker verantwortlich? Etwa Edi, der sich als Briefträger unterfordert fühlte?

»Helfen Sie mir, ich möchte zum Tatort.«

Tatort! Gütiger Himmel, ich hätte mir nie einfallen lassen, daß ich jemals solch einen abgedroschenen Begriff in den Mund nehmen würde. Schweißperlen der tiefsten Scham traten mir prompt auf die Stirn.

»Es hat keinen Sinn. Die . . .« Sie stockte und gab würgende Laute von sich, als wolle sie sich gleich übergeben. »Die Leiche ist bereits abtransportiert worden.«

»Und was hat der Aufruhr da draußen zu bedeuten?«

»Die Beamten beschäftigen sich gerade mit Herrn Arnold. Und da Pietät in diesem Heim ein Fremdwort ist, wollen natürlich alle dabei sein, wenn er rausgetragen wird.«

»Ich auch!«

Unterwegs erfuhr ich von meiner gut unterrichteten Rollstuhlschieberin, daß der Waidmann nicht im Büro des Verehrungswürdigen, sondern in seiner eigenen Kellerwohnung gefunden worden sei. Seine thailändische Gattin, welche passen-

225

derweise die Nacht bei einer befreundeten Landsmännin in der Stadt verbracht hatte, entdeckte ihn am frühen Morgen. Während wir uns in den Strom der Neugierigen einreihten, die trotz ihrer diversen Deformationen ein ungeheures Fortbewegungsgeschick an den Tag legten, tauchten in meinem brummenden Kopf Bilder der Entscheidungsschlacht zwischen Sladek und Arnold auf, die ich zu interpretieren versuchte. Ich sah Thaddäus geradezu leibhaftig vor mir, wie er, aufgedonnert in edelstem Pirsch-Outfit, der Bürotür einen Tritt beibrachte, in den Raum stürmte und mit seiner Donnerbüchse auf den gerade erstaunt von seinem Discman aufschauenden Professor ballerte. Dann überließ er ihn mit der Bleiladung sich selbst und zog sich in seine Jagdhütte zurück. Doch Sladek lebte noch, er blutete zwar wie ein halbabgefertigtes Operationsopfer, ächzte und jammerte, doch er lebte. Er besorgte sich seinerseits eine Waffe (allein Gott weiß, woher), schleppte sich zum Jägerarnold und erschoß ihn, als der sich nach getaner Arbeit eine Prise Schnupftabak gönnte. Nun, nachdem der Rache zu ihrem Recht verholfen war, spazierte er pfeifend in sein Büro zurück, hörte noch ein paar tragische Opern und starb.

Diese Rekonstruktion war doch eigentlich sehr einleuchtend, oder nicht? Nur die undurchsichtige Rolle von Hans machte mir noch ein wenig Kopfzerbrechen. Vielleicht hatte er den beiden Revolverhelden bei ihrem feuersprühenden Zwist assistiert. Hilfsbereit war er ja schon immer gewesen, der Gute. Und nach dem Spektakel? Tja, danach beschloß er zu verschwinden. Einfach so. Wahrscheinlich ahnte er, daß es hier ohne die geistigen Ausfälle des Hochgeschätzten ziemlich langweilig zugehen würde, und gedachte der letzten Worte seines heißgeliebten Rumpfes, der ihm empfohlen hatte, aus seinem Leben etwas zu machen. Adios, Amigos, wir sehen uns wieder in Acapulco!

Quatsch! Nichts paßte zusammen, und wie man die Sache

auch drehte und wendete, sie entbehrte jeglicher Logik. War die Zubereitung der Blutsuppe so reibungslos verlaufen, bereitete einem das Auslöffeln derselbigen einige Schwierigkeiten. Alles schien plötzlich verquer und abstrus. Das heißt, bis auf einen wichtigen Punkt. Das Ziel meiner dämonischen Machenschaften war ja tatsächlich erreicht. Denn Professor Sladek hatte im Verlauf dieser Posse wirklich und wahrhaftig ins Gras gebissen, da gab es nichts dran zu deuteln. Im Grunde konnten mir die Folgeerscheinungen, diese kleinen Ungereimtheiten wie der Tod Arnolds und das vermeintliche Verschwinden von Hans vollkommen gleichgültig sein. Gleichwohl konnte ich das hartnäckige Gefühl nicht abschütteln, daß ich in der gestrigen Nacht durch eine Falltür gestürzt war und noch viele Falltüren auf mich warteten. Etwas Unvollkommenes haftete meiner Aktion an, was ich sehr ernst nahm, da mir doch die Gefahren der Unvollkommenheit nur allzu bewußt waren.

Als wir das Kellergeschoß erreichten, fanden wir die Tür zu Arnolds Wohnung verschlossen vor. Zwei marzipanschweinartige Polizisten hatten sich wie unsere braven »Verzauberten Jäger« mit grimmigen Visagen davor aufgebaut und gifteten die schiebenden und drängenden Lahmen, Stotternden und sich gegenseitig in spastischen Zuckungen Übertreffenden an. Sehr zum Leidwesen meines Blumenkindes verschaffte ich mir unter wüstem Gefluche rasch Zugang in die vorderste Reihe der Schaulustigen, um einen Blick auf den Sterbeort des Hausmeisters zu erhaschen, falls die Tür sich zufällig einmal öffnen sollte. Die beiden Wächter fühlten sich von meiner impertinenten Nähe noch mehr abgestoßen und zeigten erste Anzeichen von Ekelstreß. Ihre korrekt gebügelten Uniformhemden begannen sich von den Achselpartien abwärts mit Schweiß vollzusaugen und in einen häßlichen Braunton zu verfärben. Pflichtbewußt sichteten sie mit fahrigem Blick die Runde der Elenden, als wenn ihr Schichtleiter sie gezwungen hätte, ihren Dienst in einer Grube mit Aussätzigen zu schieben. Man sah es ihnen deutlich an, daß sie den Auflauf am liebsten mit Elektrostäben, die man im Umgang mit Nutzvieh verwendet, auseinandergetrieben hätten. Schließlich platzte dem nervenschwächeren der beiden, einem Rothaarigen mit Knopfaugen und Bulldoggenbacken, auffallend großen Nüstern und dem obligatorischen Polizistenschnäuzer, der Kragen, und er tat einen bedrohlichen Schritt auf uns zu, wirbelte mit den Armen, als verscheuche er Hühner, und signalisierte deutlich, daß er im Begriff war, handgreiflich zu werden.

»Los, weg!« rief er. »Hier gibt es nichts zu sehen«, was eine glatte Lüge war. Ich erwägte gerade, eine Revolution anzuzetteln, zur Plünderung, Vergewaltigung und zur Guillotinierung der Herrschenden aufzurufen, um zum krönenden Abschluß die ganze Bude in Brand zu stecken und mich dann nach Kuba abzusetzen, als Sesam sich plötzlich wahrhaftig öffnete.

Irgendein Gesichtsloser huschte aus der Wohnung heraus, bahnte sich seinen Weg durch die Meute und verschwand. Danach wurde die Tür von dem anderen Posten sofort wieder geschlossen. Die ganze Aktion dauerte höchstens drei Sekunden, und der Pulk, in dem ich mich befand, beging den Fehler, seine gebündelte Aufmerksamkeit ausschließlich dem Herauskommenden zu schenken, anstatt die Gunst des Augenblicks zu nutzen und durch den Türspalt in die Arnoldsche Wohnung zu spähen. Ich jedoch packte die Gelegenheit beim Schopfe. Die Pupillen zielsicher in die Lücke zwischen Tür und Türrahmen gerichtet, nahm ich den aus der Wohnung tretenden Mann lediglich wie einen leisen Windhauch wahr. Der Akt glich so sehr dem lang ersehnten Treffer eines nach Sensationen jagenden Fotojournalisten, daß ich das anvisierte Motiv tatsächlich vom grellen Schein des in stroboskopischer Periodizität aufflakkernden Blitzlichtes überzeichnet sah und den ekstatisch ratternden Motordrive der Kamera zu hören glaubte.

Der Erfolg war überwältigend: Durch die finstere Diele sah man direkt in Thaddäus' privates zoologisches Museum, das er einst sein Wohnzimmer genannt hatte. Elch und Fuchs und andere Kreuchende und Fleuchende, repräsentiert lediglich durch ihre abgehackten Häupter, blickten von den Wänden diesmal voller Schadenfreude auf eine Szenerie, welche selbst die bemühtesten Rachephantasien von Tierschützern um Längen übertraf. Der graue Himmel warf einen morbiden Schein durch die Spitzbogenfenster auf den im Zentrum des Raumes grasenden ausgestopften Moschusochsen, auf dem unser Hausmeister saß wie ein von Betäubungspfeilen getroffener Jockey. Genauer gesagt, lag er mehr, als daß er saß. Mit der Brust berührte er den höckerigen Rücken des Viehs, sein Kopf mit den aufgerissenen Augen war zur Seite geneigt und die Arme hingen schlaff herab. Im ganzen bot er ein Bild der absoluten Erschöpfung. Wenn ich nicht gewußt hätte, daß er ein fanatischer Alkoholverächter gewesen war, hätte ich ihn glattweg für besoffen erklärt. Ich konnte mir die Vorstellung kaum verkneifen, wie er die Nacht mit seinem Kumpel Sladek durchgemacht hatte, bis dieser ihn in einem Anflug von spirituosem Wahnwitz halb aufforderte, halb zwang, auf das präparierte Tier zu steigen, um sich dann über den saukomischen Anblick kaputtzulachen. Arnold aber war nicht nach Lachen zumute gewesen, deshalb kuschelte er sich an den Hals des Ochsen und schlief augenblicklich ein – was alles natürlich nicht der Fall gewesen war. Keine durchzechte Nacht, kein albernes Gehampele auf Moschusochse, kein friedlich schlummernder Hausmeister. Allein die ungewöhnlich plazierte Leiche eines Greises, dessen Abgang niemand so recht verstand, am wenigsten ich.

Von dieser Entfernung aus konnte ich schlecht beurteilen, an welchem Körperteil ihn der Schuß erwischt hatte; ich sah nur einen kleinen Blutspritzer um seinen linken Mundwinkel, als hätte er gerade Johannisbeeren genascht. Männer in grauen

Anzügen standen bedächtig um das Objekt mit Zimmertemperatur herum und beglotzten es mit der Anteilnahme von Schlachthausangestellten. Einer von ihnen überwand sich, den im Trab eingefrorenen Ochsenreiter mit einer ziemlich in die Jahre gekommenen Leica zu verewigen.

Mein Interesse für Tote sowohl ausgestopfter als auch abgehangener Natur war fürs erste gedeckt. Ich war ungebadet, unrasiert und hatte keinen Stuhlgang gehabt. Meine Nerven waren zum Zerreißen gespannt. Und nachdem sich der magische Ausschnitt, der mir Einblick in den sachlichen Horror gewährt hatte, wieder schloß, stellte ich fest, daß das Dröhnen meines Kopfes im Verlauf der Aufregung keineswegs an Intensität eingebüßt hatte. In einem unerträglichen Zustand zwischen Abgespanntheit und rastloser innerer Unruhe befahl ich dem Mädchen, mich zurück in mein Zimmer zu befördern, da ich unbedingt noch ein paar Stunden schlafen wolle.

Was ich auch wirklich tat, sobald ich aufs Bett gelegt und überraschend zärtlich zugedeckt wurde. Bezeichnend für den Tagesschlaf, waren meine Träume diesmal sehr diffus und von einer überdrehten Hektik geprägt. Alles verschwamm vor meinen Augen zu einem klebrigen, wirren Bilderklumpen, der sich wie ein visueller Kaugummi verzerrte und verzog und von einer wankenden gallertartigen Schicht bedeckt zu sein schien. Ich sah Sladek und Arnold, wie sie sich auf den Fluren des Heimes eine waschechte Wildwestschießerei mit bizarr großen Revolvern lieferten. Irgendwie verfolgte jeder jeden, und jeder ballerte wie besessen auf den anderen, ohne daß die Kammern der Waffen sich leerten. Doch die verrückte Knallerei richtete wundersamerweise überhaupt keinen Schaden an, denn obwohl sie sich dabei mindestens hundertmal hätten wegpusten müssen, sprangen sie immer noch quicklebendig wie ausgeflippte Giftzwerge umher und setzten ihren sinnlosen Kampf fort. Und dann sah ich Hans. Er hielt einen prallgefüllten Sack in der

Hand, auf den eine Eins mit unzähligen Nullen und ein gewaltiges Dollarzeichen gepinselt waren. Der arme Kerl steckte im klassischen Kostüm eines Western-Bankkassierers: Ärmelschoner, Sichtschutzblende auf der Stirn, Fliege am Kragen. Auch Hans hatte eine Metamorphose zu einem Springteufel durchgemacht und rannte den beiden Duellanten andauernd hinterher, als wenn er sie versöhnen wollte. Pausenlos wedelte er mit diesem blöden Geldsack in seiner Hand, um zu demonstrieren, daß doch genug Kohle für alle vorhanden sei.

Jedenfalls wurde dieser oberflächliche Traum, der den Erlebnismüll in meinem Unterbewußten so tumb aufarbeitete, immer rasanter und undeutlicher, bis am Ende diese drei Gestalten wie in einer atemlosen Slapstickklamotte nur noch herumhüpften, sich tollkühne Verfolgungsjagden lieferten und aufeinander eindroschen. Schließlich verlor ich sogar die Lust am Träumen und beschloß, den Schlaf zu beenden. Als ich aufwachte, stand ein Penner vor mir.

Er schien die Gewohnheit zu haben, sich regelmäßig zu überfluten, oder er litt schon zu stark unter dem Tatterich, um seinen Strahl noch fachmännisch dirigieren zu können. Denn auch wenn seine beigefarbene Hose nicht gerade naß war, so zeigte sich doch darauf vom Schritt abwärts eine Spur von ominösen Flecken, die den oben geäußerten Verdacht aufkommen ließ. Der Mann mit dem aschfahlen Gesicht und der Ausstrahlung, als sei er der Rentenbehörde von der Schippe gesprungen, war mit einem schmutzigen Hemd und einer knatschgrünen Strickweste bekleidet. Doch den Gipfel der Geschmacklosigkeit markierte sicherlich der ihn brutkastengleich umhüllende, fadenscheinige Mantel. Krause, ungekämmte, zwischen strohblond und perlgrau schwankende Haare lugten unter einem zerbeulten Schlapphut hervor und gingen bis über die Ohren, was nicht bedeutete, daß ich es mit einem weiteren Hippie zu tun hatte, sondern lediglich auf unregelmäßige Friseurbesuche zurückzuführen war. Obgleich das schauderhafte Rasseln seiner Lungen bis zu mir zu vernehmen war, glühte in seiner linken Hand eine filterlose Zigarette, die er sich auch prompt zwischen die Zähne klemmte. Er zog daran, doch was er da aufführte, ging über das konventionelle Rauchen weit hinaus. Er unterzog den Glimmstengel einer Lippenmassage, ja schien ihn beinahe aufzufressen, während er den Rauch begierig inhalierte. Seine Augen weiteten sich dabei kartoffelgroß, und die Finger, die das Gift umklammerten, begannen zu zittern. Der ganze buckelige Korpus blähte sich mächtig auf, als sei in dessen Innern eine Blase der Ekstase explodiert.

»Kreuzer«, sagte er, nahm den Hut ab und verneigte sich in einer närrisch plumpen Geste der Höflichkeit. »Oberkommissar Kasimir Kreuzer.«

Er hatte schon ein paar Schnäpse intus, deren Gase aus all seinen Poren zu mir herunterwehten.

»Sie sind Daniel, ähm . . . wie war der Nachname?«

»Wer hat Sie hereingelassen?« entrüstete ich mich nicht gerade überzeugend.

»Ich selbst, mit Verlaub. Sie haben von den traurigen Vorfällen gehört?«

»Sladek, Arnold, tot, erschossen.«

»Leider. Komische Geschichte. Ihr Nachname, verflixt, eben wußte ich ihn noch . . .«

Er stopfte sich wieder die Kippe in den Mund, langte in die Mantelinnentasche und kramte ein ziemlich zerfleddertes Notizbuch hervor. Er blätterte unsystematisch darin herum, wobei ihm der Rauch in die Augen stieg, die daraufhin zu tränen anfingen.

»Ach, hier steht es ja. Magnus, Daniel Magnus. Ist das Ihr richtiger Name?«

»Hören Sie, könnten Sie nicht ein andermal vorbeischauen? Wie Sie ohne großen kriminalistischen Scharfsinn feststellen

232

können, gehöre ich der Sorte von Lebewesen an, die etwas Präparation benötigen, bevor sie einem Verhör unterzogen werden können. Falls Sie verstehen, was ich meine.«

Er versuchte ein schelmisches Lächeln, das auf seiner bleichen Visage unzählige Runzeln entstehen ließ.

»Oh, Mißverständnis, kein Verhör. Bloß ein paar harmlose Fragen. Dann verschwinde ich, und Sie sehen mich nie mehr wieder. Magnus, das ist der richtige Name, ja?«

»Verdammt noch mal, was haben Sie andauernd mit meinem Namen! Hegen Sie etwa den Verdacht, daß ich in Wahrheit ›Der Würger von Boston‹ heißen könnte? Und haben Sie noch nie etwas von Intimsphäre gehört? Auch wenn ich auf Sie wie eine halbe Portion wirken mag, bei der Sie auf zivilisierte Gepflogenheiten keine Rücksicht zu nehmen brauchen, haben Sie vielleicht trotzdem die Güte, Ihre Inquisition zumindest solange aufzuschieben, bis ich aus dieser hilflosen Position befreit und frisch gemacht worden bin!«

»Sie sind viel zu mißtrauisch«, sagte er, beugte sich hinunter und richtete mich ein wenig auf. Dann quetschte er das Kissen zwischen meinen Rücken und das Kopfende des Bettes, so daß ich provisorisch und unter Wahrung eines Scheins von Würde den Sitzenden mimen konnte. Während der ganzen Operation fuchtelte er mit der Zigarette gefährlich nahe vor meinen Augen herum, und ich überlegte flüchtig, ob dies wohl als eine Drohung zu verstehen sei. Zudem hüllten mich, den militanten Nichtraucher, die ekelerregenden Tabakschwaden ein, was ebenfalls als ein cleverer Einschüchterungsversuch bewertet werden konnte. Aber trotz des Dunstes blieb ich leider von seinem natürlichen Aroma nicht verschont: eine Kombination aus modrigem Altmännergeruch, abgestandenem, essigsaurem Schweiß und ätzenden Alkoholabsonderungen, kurz zum Davonlaufen – nur wie?

»Es betrifft Sie gar nicht persönlich. Das mit dem Namen

möchte ich nur deshalb genauer wissen, weil man mir sagte, daß Sie Waise seien. Magnus ist doch der Nachname Ihres Adoptivvaters, oder irre ich mich da?«

»Mein richtiger Nachname ist mir unbekannt. Ich wurde nämlich als Baby ausgesetzt. Aber ich dachte, es dreht sich sowieso nicht um mich.«

»So ist es. Und doch glauben wir, daß die ganze Angelegenheit in einem größeren Zusammenhang steht und auch Sie etwas angeht. Sehen Sie, in diesem Land werden jährlich zirka achthundert bis tausend Menschen ermordet. Dreiviertel von ihnen sind jedoch keineswegs Opfer von Mafiakillern mit Maschinenpistolen in Geigenkästen. Nein, in der Regel ist es der liebenswürdige Gemahl, der mit dem Zusammenbruch der Ehe nicht fertig wird und seiner Frau und den drei Kindern die Hälse aufschlitzt. Oder es ist der überschuldete Sohn, der die Erbschaftsangelegenheit ein wenig beschleunigen will und der gebrechlichen Mutter einen Klaps auf den Rücken verabreicht, während sie die Treppe hinuntersteigt. Ich will damit sagen, fast immer ist der Mörder in der näheren Umgebung, in der Verwandtschaft oder im engeren Freundeskreis zu finden.«

»Glauben Sie, Henriette, die Gattin des verehrungswürdigen Professors, hat ihren Mann und Thaddäus Arnold kaltgemacht, weil sie ein homosexuelles Verhältnis zwischen den beiden vermutete?«

Er bemühte sich abermals, listig zu lächeln, woraufhin sich sein Gesicht wieder in die schrumpelige Gummimaske der tausend Falten verwandelte. Dabei entblößte er ein lückenhaftes, vom Nikotin eitergelb gefärbtes Gebiß, durch dessen krumme und schiefe Grenzpfähle die Zigarettenwinde wehten wie Geisterdunst über einen verwunschenen Friedhof. Dann nahm er die nur noch einen Fingerbreit messende Kippe vom Mund und guckte auffällig suchend umher, um zu signalisieren, daß er einen Aschenbecher benötigte.

»Irgendwo im Regal muß ein Unterteller stehen«, half ich.

Kasimir fand den Teller, drückte die Zigarette aus, tastete sämtliche Taschen nach Nachschub ab, fand Schachtel und Einwegfeuerzeug endlich in der Manteltasche, steckte sich einen frischen Sargnagel in den Mund, zündete ihn an, saugte mit Inbrunst daran und machte beim Ausatmen ein Gesicht, als sei er neugeboren.

»Sie sind ein witziger Kerl«, sagte er. »Es bereichert die Arbeit, wenn man dabei mit Leuten zusammenkommt, die Humor besitzen.«

»Ja, ich lache oft und gern. Apropos witzig: Sind Sie nicht ein wenig zu jung für solch einen diffizilen Fall? Ich meine, war bei Ihnen im Revier kein gestandener Hundertjähriger mit mehr Berufserfahrung aufzutreiben?«

»Da haben Sie den schwachen Nerv von mir getroffen. In der Tat gehe ich in exakt einer Woche in Pension. Wenn man bedenkt, daß ich zwei Herzinfarkte und eine Bypass-Operation hinter mir habe, grenzt es an ein Wunder, daß ich überhaupt vor Ihnen stehe. Die Pumpe bereitet mir immer noch Ärger. Herzrhythmusstörungen der schlimmsten Kategorie. Die Kollegen meinen, ich solle besser Kopfspezialisten als Herzspezialisten konsultieren, weil ich immer noch zur Arbeit erscheine. Aber was soll man tun, wenn das Lösen von Rätseln das einzige ist, das einen am Leben hält?«

»Sie müssen mehr rauchen. Der Teer überzieht sämtliche inneren Organe mit einer stabilen Schicht und macht sie so gegen Krankheiten immun.«

Wiederholtes Lachen – gerade wie der inkompetente, ewig bummelnde Beamte, der sich durch amüsantes Geplapper aus dem Konzept bringen läßt, bis er am Schluß, abgespeist mit einer Handvoll nichtiger Antworten, unverrichteter Dinge davonziehen muß. Von wegen! Der Knabe war geladen wie ein Starkstromkabel, und sein neckisches Manöver war nichts weiter als Ablenkung, um die fieberhaften Vorbereitungen für einen Vernichtungskrieg zu tarnen, der in Bälde stattfinden würde. Doch was führte er im Schilde?

»Hat Herr Zimmermann auch geraucht?«

»Wer?«

»Hans Zimmermann. Er war doch bis letzte Nacht Ihr Pfleger, wenn ich mich nicht irre.«

Na, wer sagte es denn. Der Krieg wurde hiermit offiziell erklärt!

»Ob er geraucht hat? Sie werden lachen, ich habe nie darauf geachtet. Ich weiß es einfach nicht.«

»Wo wohnte Herr Zimmermann?«

»Hier im Heim, ja, ich denke, er besaß eine Wohnung oder ein Zimmer im Haus.«

»Sind Sie sicher?«

»Ja, natürlich. Das heißt nein. Ehrlich gesagt, mir ist es nie gelungen, für Hans, ich meine, für Herrn Zimmermann ein besonderes Interesse aufzubringen. Um so intensiver interessierte er sich für mich. Wissen Sie, dieser Mann war ständig in meiner Nähe, er war einfach immer da, wenn ich ihn brauchte. Wie eine lebendige Prothese, deren Dienste man zwar zu schätzen weiß, deren Herkunft und Beschaffenheit jedoch keine Rolle spielen.«

»Wieso sprechen Sie in der Vergangenheitsform von ihm?«

»He, keine Tricks, ja? Sie haben damit angefangen, Meister.«

»Nein, nein, keine Tricks. Da Sie sowenig über Ihren Pfleger zu wissen scheinen, möchte ich Sie ein wenig aufklären.«

Er schlenderte, dichte Rauchwolken ausstoßend, auf und ab und tat so, als ließe er seinen Blick wie zufällig über die Gegenstände im Raum streifen. In Wahrheit jedoch arbeiteten seine Augen mit der Effektivität eines Computerscanners, der alles Abgetastete in Millionen von Informationsteilchen zerlegt und an den Hauptspeicher sendet, wo sie katalogisiert und jeder Zeit zum Abruf bereit deponiert werden. Der Mann war nicht nur elektrisch geladen, er war gemeingefährlich. Eine Schlange, die zubeißen könnte.

Schließlich machte er vor dem Bild der UFA-Diva halt und schaute beinahe genauso schmachtend wie ich letzte Nacht im Traum zu ihr auf.

»Herr Zimmermann hat nie in diesem Heim gewohnt. Er lebte in einer kleinen Mansardenwohnung in der Stadt, wohin er jede Nacht nach getaner Arbeit mit einem VW-Polo fuhr. In dieser Wohnung befinden sich ein Bett, ein leerer Kühlschrank, Toilettenzeug, Unterwäsche, drei exquisite italienische Anzüge und wandgroße Regale, gefüllt mit unzähligen Aktenordnern.«

»Ach, was Sie nicht sagen. Und welche geheimnisvollen Papiere bergen jene Ordner?«

»Das ist es ja eben. Sie sind alle leer. Die Aktenordner, die mit den Namen aller Herren Länder etikettiert sind, enthalten kein einziges Schriftstück, nicht einmal eine kleine Notiz, einfach gar nichts. Ich dachte, vielleicht könnten Sie mir sagen, was das zu bedeuten hat.«

»Nun, Hans, ich meine, Herr Zimmermann hat nie viel Aufhebens über seine sexuellen Sehnsüchte gemacht. Vielleicht ließ er sich heimlich niedliche Fotos von unbekleideten Kindern aus aller Welt schicken. Ihre reiche Berufserfahrung muß Sie doch eigentlich gelehrt haben, wie es in einem Menschen brodeln kann, ohne daß der Außenstehende etwas bemerkt.«

Kippe zwo war ebenfalls weggepafft, und das bereits beschriebene tolpatschige Ritual, das mit dem fieberhaften Fahnden nach der Zigarettenschachtel begann, wiederholte sich, bis endlich ein frischer Brennstab zwischen seinen Lippen glomm.

»Das glaube ich nicht«, sagte er, inhalierte hingebungsvoll und schien dann hinter dem ausgeatmeten Qualm endlich aus meinem Leben zu verschwinden.

»Wissen Sie, was ich statt dessen glaube, Herr Magnus?«

»Wie sollte ich, Herr Kreuzer? Aber ich bin gespannt, es zu erfahren.«

»Ich glaube, diese Aktenordner enthielten einmal wichtige Dokumente über die Vermögenslage der ›Verzauberten Jäger‹.«

»Ach, und ich dachte immer, derartige Fakten befänden sich stets an einem hochoffiziellen Ort.«

»Nun, wie man's nimmt. Es gibt Fakten und Fakten, nicht wahr?«

»Sie möchten andeuten, daß Herr Zimmermann hinter unser aller Rücken an den Finanzen des Heimes manipuliert und sich dadurch irgendwie bereichert haben könnte? Verzeihen Sie, aber das ist der größte Schwachsinn, den ich je gehört habe! Passen Sie auf, ich erzähle Ihnen jetzt die Wahrheit und nichts als die Wahrheit, wie man so schön sagt. Sie kannten, ich meine, Sie kennen Hans nicht. Selbst ein frischgeschlüpftes Baby würde sich gegen ihn wie der Höllenfürst persönlich ausnehmen. Wenn es ein Synonym für Unschuld gibt, dann heißt es mit absoluter Sicherheit Hans. Der Junge ist geradezu verfolgt von der Furcht, daß unsereiner irgendwann ohne seine Hilfe zu Rande kommen könnte. Manchmal habe ich das Gefühl, er rechtfertigt sein ganzes Dasein damit. Selbstverständlich ist mir bekannt, daß es eine merkwürdige Spezies von Zeitgenossen gibt, für die das Leiden anderer Menschen wie ein Lebenselixier ist. Ihr Emotionsmotor scheint erst auf Touren zu kommen, wenn sie bis zum Hals in einem See aus Drangsal und Pein waten können, mit dem erhebenden Gefühl, daß sie selber ja zum Glück den Freischwimmer in der Tasche haben. Wie bei anderen Leuten der Besitz eines flotten Sportwagens das Selbstwertgefühl hebt, so benötigen sie für denselben Effekt ein schlichtes Bad im Elend, wenngleich sie das am wenigsten sich selbst eingestehen würden. Nun, Hans gehörte, ich meine, gehört nicht dieser widerwärtigen Gattung an. Er wurde sozusagen direkt aus der Servicewerkstatt Gottes zu uns geschickt. Als der Allmächtige nämlich feststellte, daß er bei der Fertigung einiger seiner Geschöpfe Fehler begangen hatte, entsandte er sogleich eine Kolonne Techniker in das Jammertal, die die Wartung übernehmen sollten. Solch ein himmlischer Techniker ist Hans. Es ist absurd, ihm zu unterstellen, daß er etwas angestellt haben könnte, was Kreaturen wie uns schadet. Aus diesem Grunde sollten Sie Ihre detektivischen Energieströme in Richtung der wahren Dunkelmänner lenken. Jagen Sie den Mörder, nicht einen armen Burschen, dessen größte Befriedigung darin besteht, fachkundig eine Flasche zu balancieren, während ich da reinpisse.«

»Aber das tun wir ja. Augenblicklich jedoch kommt als einziger Verdächtiger Ihr teurer Hans in Frage.«

»Wieso?«

»Weil wir sein Notizbuch in Sladeks Büro unter dem Schreibtisch gefunden haben.«

»Wie bitte?«

»Es ist leider so. Anhand der darin gemachten Angaben stießen wir auf seinen Namen und die Adresse und fanden dann rasch heraus, daß er verschwunden war.«

»Aber Hans trug seinen Organizer stets in der Gesäßtasche. Das kann ich beschwören. Selbst wenn er in diesem Büro gewütet hätte wie King Kong, hätte er ihn nicht verlieren können.«

»Da ich Ihnen aus unerfindlichen Gründen schon viel mehr verraten habe, als zulässig ist, will ich das Maß vollmachen und auch den Rest erzählen. Vielleicht kommt ja etwas Vernünftiges dabei heraus.«

Er tat den bisher inbrünstigsten Zug an der Zigarette, wodurch die gluthaltige Asche sich jäh um etwa zwei Zentimeter weiter ausdehnte. Dann blieb die Raucherhand mitten in der Bewegung stehen und verharrte wie eingerastet in der Luft. Mit der Linken begann er seine rechte Brustpartie zu massieren, als drohe eine neuerliche Herzattacke. Allmählich begriff ich, daß die Bemerkung über den todkranken Kommissar vermutlich doch keine Finte gewesen war, die mich von der Harmlosigkeit des Fremden überzeugen sollte. Sein käsiges Gesicht war nun mit einem schimmernden Schweißfilm bedeckt. Zu dem Rasseln und Pfeifen seiner Lungen hatte sich ein beängstigendes Keuchen gesellt. Er zitterte leicht, was der Betrachtung der inzwischen zur Hälfte aus einem dünnen Aschenturm bestehenden Kippe eine zusätzliche Spannung verlieh.

»Man hat Professor Robert Sladek mit einem Gerät, das diese neumodischen Schallplatten abspielt, mehrere Stöße auf den Kopf versetzt . . .«

»Ein Compact-Disc-Player en miniature, ein sogenannter Discman. Der Selige war im Besitz eines derartigen Gerätes.«

»Der Apparat war völlig zerbeult und von Blutschmieren überzogen. Nach den Schlägen verlor das Opfer, das zum fraglichen Zeitpunkt hinter seinem Schreibtisch saß, das Bewußtsein. Aus welchem Anlaß der Mörder sich zu einer solchen Anstrengung hinreißen ließ, bleibt allerdings rätselhaft. Denn gleich im Anschluß daran schoß er ihm aus einem halben Meter Entfernung mit einer automatischen Flinte unmittelbar ins Gesicht. Es handelt sich bei dieser Flinte um ein High-Standard-10-B-Modell, ein abgeändertes Jagdgewehr, das sich als persönliche Nahkampfbewaffnung in Vietnam einer gewissen Beliebtheit erfreute. Die Munition war eine Buckshot-Patrone. Sie enthält zirka siebenundzwanzig Rundkugeln aus Blei, die sehr durchschlagkräftig sind und, aus so kurzer Distanz abgefeuert, beim Zielobjekt ungefähr denselben Schaden anrichten wie eine Wasserstoffbombe, die über einer Kleinstadt abgeworfen wird. Es war ein fürchterlicher Anblick. Der Kopf des Toten schmückte mehr die Wand als seinen Hals.«

»Haben Sie herausfinden können, wem die Waffe gehört?«

»Gehörte. Vergangenheitsform.«

»Aha, Herr Arnold war also der Delinquent!«

»Das kann man daraus nicht unbedingt schließen. Jedenfalls wurde dieser später mit derselben Flinte erschossen, allerdings aus einer weit größeren Entfernung. Ein Selbstmord, verursacht durch die Verzweiflung über die begangene Tat, ist demnach auszuschließen. Außerdem wurde die Waffe nach der Benutzung gründlich abgewischt, damit man darauf keine Fingerabdrücke finden konnte. Der Täter scheint eine hübsche Wanderung durchs Heim unternommen zu haben.«

Der unstabile Aschenstengel knickte an der Sollbruchstelle ab und trat den Sturzflug an. Doch bevor er auf dem Boden landete, erhaschte ihn Kasimir mit einer verblüffend tänzerischen Bewegung in der Luft und beförderte ihn umgehend in den Unterteller.

»Herr Magnus, ich war sehr offen zu Ihnen und habe alles Berichtenswerte vorgetragen. Im Gegenzug erwarte ich von Ihnen, daß Sie meine Fragen mit derselben Offenheit beantworten. Wann haben Sie Herrn Zimmermann zuletzt gesehen?«

»Gestern nacht. Wir haben seinen dreißigsten Geburtstag gefeiert und waren ausgelassener Stimmung.«

»Hat er sich irgendwie auffällig benommen? Ich meine, war er vielleicht nervös oder gereizt?«

»Keineswegs. Er riß sogar Witze über seinen runden Geburtstag, von wegen, daß jetzt sein Lebensherbst bevorstehe und dergleichen. Wir haben viel getrunken und noch mehr gelacht.«

»Soso. Und dann?«

»Was, und dann?«

»Was geschah nach der Feier? Wann verließ er Sie und in welcher Gemütsverfassung?«

»In äußerst beschwingter. Um Mitternacht ging uns der Wein aus, und er sagte, daß er schnell eine neue Flasche besorgen wolle, und verließ das Zimmer. Ich wartete ein paar Minuten auf ihn, genoß die Musik, glaube ich, so genau entsinne ich mich nicht mehr, weil ich mächtig einen im Kahn hatte, verstehen Sie. Danach muß ich wohl im Rollstuhl eingenickt sein. Jedenfalls saß ich heute morgen immer noch dort, als ich aufgewacht bin.«

»Das ist alles? Sie hörten keine Schüsse?«

»Schüsse? Bestimmt nicht.«

»Vielleicht eine Anspielung, die Herr Zimmermann vorher gemacht hat, oder . . .«

»Hören Sie, diese Vernehmung wird mir langsam zu dumm. Ich sagte Ihnen bereits, daß Hans ein tadelloser Pfleger und Betreuer war. Sie können mir viel von mysteriös leeren Aktenordnern und konspirativen Unterkünften erzählen. Ich versichere Ihnen, Sie sind auf dem Holzweg. Der einzige, der sich in diesem Heim zwielichtig gebärdete, war der ermordete Chef selbst, nicht der Verschwundene, falls er überhaupt verschwunden ist.«

»Nun gut«, sagte er und belieferte seinen Mund mit einer neuen Zigarette aus der Schachtel. Das Einwegfeuerzeug erzeugte vor seinem Runzelgesicht, welches die Spitzbübigkeit allmählich zurückerlangte, eine Riesenflamme, so daß durch den jähen Schein die Augen zu zwinkern schienen. Gemächlich schritt er in Richtung der Tür, um den Aufbruch einzuläuten.

»Vielleicht interessiert Sie noch, daß wir in der Wohnung von Thaddäus Arnold einen Stoß recht sonderbarer Briefe gefunden haben.«

»Nein. Weshalb sollte mich das interessieren?«

»Meine Kollegen und ich sind uns vorläufig unschlüssig darüber, was wir davon halten sollen. Die Art der Botschaften ist völlig unterschiedlich. Einmal ist es ein primitiv gereimtes Gedicht, ein andermal rein unflätiges Gefluche. Sogar ein Horoskop befindet sich darunter. Alle haben jedoch einen drohenden Unterton, der gegen den Empfänger gerichtet ist. Wahrscheinlich handelt es sich um eine billige Erpressungsgeschichte. Wenn dem so ist, muß der Erpresser ein komischer Vogel sein. Ein Witzbold.«

»Fröhliche Aufklärung, Herr Kreuzer!«

»Sehen Sie, so undramatisch ist die Arbeit der Polizei. Was ich wissen wollte, habe ich erfahren, und ich hoffe, Sie bekommen mich nie mehr zu Gesicht. Eigentlich schade. Und jetzt gehe ich.«

Das tat er wirklich. Er latschte durch die selbstgemachten Rauchfahnen wie ein vorsintflutlicher Eisbrecher zur Tür, öffnete sie und setzte einen Schritt hinaus.

»Erlauben Sie mir, Ihnen ebenfalls eine Frage zu stellen, Herr Kreuzer«, hielt ich ihn im letzten Moment zurück. Kasimir wirbelte herum, stützte frohgemut einen Ellbogen auf die Türklinke und blickte mich herausfordernd an, als habe er die ganze Zeit auf den Rückpfiff gewartet wie auf ein abgesprochenes Signal.

»Warum wollten Sie von mir nichts über Herrn Sladek erfahren? Es fällt doch sogar einem Blinden mit Krückstock auf, daß er in diesem Krimi die Hauptrolle spielt.«

Er lächelte weise.

»Ganz einfach. Der Kerl war ein schäbiger Betrüger. Wen oder welche Institution er genau betrog, überprüfen wir gerade. Doch man muß schon ein Vollidiot sein, wenn man nicht zumindest ahnt, daß seine Machenschaften in Verbindung mit diesem Paradies für Behinderte standen. Er muß irgendwas an der laufenden Kreditaufnahme gedreht haben. Vielleicht an noch ein paar anderen Kleinigkeiten.«

»Um so mehr ein Grund, mich über seine Person auszufragen.«

»Wissen Sie, Herr Magnus, ich habe das komische Gefühl, da steckt mehr dahinter. Ich kann es mir selbst kaum erklären, aber diese ganze Morderei erscheint mir irgendwie gestellt, vorbereitet, ja auf eine seltsame Art inszeniert. Die Beteiligten wirken wie Marionetten, deren Fäden von einem wahrhaft teuflischen Puppenspieler geführt werden. Selbst die Toten vermitteln den Eindruck, als wären sie stilvoll ausgesuchte Ingredienzen einer Komposition. Da Herr Sladek nicht mehr unter uns weilt, scheidet er als der geniale Kasperlelenker aus, obwohl ich ihm die Rolle durchaus zugetraut hätte. Er wurde offenbar von einem noch durchtriebeneren Könner abgelöst.«

»Haben Sie einen Verdacht?«

»Tun Sie doch nicht so, Sie gewissenloses Schwein! *Sie* haben das alles arrangiert. Und warum? Weil Sie so eine Art Superwette mit sich selbst abgeschlossen hatten und der Welt beweisen wollten, was für ein Superkrüppel Sie sind. Soll ich Ihnen etwas verraten? Selbst wenn Sie fünf Arme und sechs Beine besäßen, würde das an Ihrer inneren Fäulnis nicht das Geringste ändern. Mann, Sie haben halt einen beschissenen Charakter! Die Schicksale der Menschen um Sie herum prallen an Ihnen ab wie Fliegen an einem Tornado-Jet. Okay, Sladek war ein Gauner. Aber es ging ihm lediglich ums Geld. Doch Sie, Sie gehören zu einer verachtenswerteren Sorte von Verbrechern. Kalt wie Marmor sind Sie, betrachten Ihre engsten Freunde, die sich unaufhörlich um Sie bemühen, wie Figuren auf einem Schachbrett und betrügen sie um Ihres Vergnügen willen. Nichts ist Ihnen heilig. Sie sind wirklich der letzte Müll, Mann, mehr noch, Sie sind das Monster par excellence! Deshalb verhafte ich Sie und verurteile Sie hiermit fünfzehnmal zum Tode durch jeweils unterschiedlich grausame Hinrichtungsarten!«

Natürlich sagte er das nicht, sondern antwortete mit einem schlichten Nein. Aber war da nicht, als er das eine Wort aussprach, der Geist der halluzinierten Anklage in seinem plötzlich so streng gewordenen Blick zu erkennen? Ausgeschlossen! Schlauer alter Kettenraucher hin, telepathisch veranlagter Oberkommissar her, er konnte doch unmöglich denken, daß ich, ein erbarmungswürdiges Geschöpf ohne Ärmchen und Beinchen, ein Unschuldiger von Mamas Gnaden, daß ich...

»Nein«, wiederholte er. »Aber wir werden den Mörder schon finden. Sehr bald sogar, schätze ich. Wissen Sie, es handelt sich hierbei ganz eindeutig um eine von langer Hand vorbereitete Aktion, oder, wenn Sie es theatralischer wollen, um sogenannte perfekte Morde. Doch gerade die so schlau eingefädelten Morde sind nur scheinbar perfekt und am leichtesten aufzuklären, weil die Mörder über eine hohe Intelligenz verfügen und ihre verwerflichen Taten wie eine Denkaufgabe gestalten. Aber erstens gibt es kein Rätsel, das unlösbar wäre, und zweitens schleichen sich in eine Sache um so mehr Fehler ein, je komplizierter sie wird. Es ist fast unmöglich, den Saufbruder zu erwischen, der im Delirium jemanden mit der Schnapsflasche erschlägt und dann einfach wegläuft. Aber dem Apotheker, der jahrelang an einem Giftkunstwerk experimentiert und es anschließend seiner Frau verabreicht, ist die Entdeckung gewiß.«

So prophezeite er und schloß, sich verabschiedend, die Tür hinter sich, nachdem ich ihn noch rasch bitten konnte, das Mädchen hereinzuschicken, wenn er ihm im Gang begegne. Während ich zum ersten Mal an diesem Tag einen Blick aus dem Panoramafenster warf, um wie gewohnt nach dem Wetter zu schauen, überlegte ich, ob Kasimirs letzte Worte pure Aufschneiderei eines alten Deppen gewesen waren oder die beunruhigende und mit einer Prise Drohung gewürzte Wahrheit.

Es war jetzt Nachmittag, und am Himmel zeigte sich eine tiefgraue, dichtgeschlossene Wolkendecke, die sich wie eine Schiefertafel bis zum Horizont erstreckte. Da zwischen ihr und dem Meer eine gelblich flirrende Lufthülle schwebte, hatte ich mit einem Male den Eindruck, als säße ich auf dem Grund eines Aquariums und schaute zu der trüben Wasseroberfläche auf. Dann sah ich zum Leuchtturm hinüber, und ich erkannte, daß Herr Arnold keineswegs unverrichteter Dinge abgegangen war. Die klapprige Balustrade der Wärterhausgalerie hatte sich vollständig in Luft aufgelöst; sogar die auseinandergeschraubten Gitterelemente waren abtransportiert worden, so daß die ringförmige Plattform jetzt einem Sprungbrett für Selbstmörder ähnelte.

Während ich die Aussicht genoß, die in der Tat atemberaubend war, kreisten meine Gedanken unentwegt weiter um die anspielungsreiche Konversation mit Kasimir. Er ist nichts weiter als ein cleverer Angler, dachte ich, der, anstatt sich den ganzen Tag mit einer Rute abzumühen, gleich ein gigantisches Netz über den See wirft. Unausweichlich, daß auch ich, der ungenießbare Fisch, darin gefangen würde. Vermutlich rannte der gute Mann gerade zum nächsten Heimbewohner, um ihn mit seinen konfusen Verdächtigungen einzuschüchtern. Doch hatte er mich überhaupt verdächtigt? Es klingt verrückt, aber selbst nachdem ich die ganze Unterhaltung im Geiste Wort für Wort etliche Male durchgegangen war, konnte ich diese Frage nicht mit hundertprozentiger Sicherheit beantworten. Bravo, Kasimir! Du verstehst wirklich etwas von deinem Handwerk. Hoffentlich verreckst du an deinem nächsten Infarkt!

Verdrossen und mit explosiver Wut im Bauch mußte ich mir eingestehen, daß ich auf dem analytischen Wege keine Fortschritte erzielen konnte. Daher beschloß ich, jetzt den Weg der wilden Spekulation einzuschlagen. Vielleicht konnte ich ja dadurch meinem tapferen Detektiv etwas Arbeit abnehmen. Doch wie ich rasch feststellen mußte, war auch diese Methode zum Scheitern verurteilt, da ich mir einfach nicht zusammenreimen konnte, warum und wie nun genau Hans mit dem Gewehr des Jägers zunächst Sladek und dann den Jäger selbst umgepustet haben mochte, noch dazu an verschiedenen Orten. Immer wieder nahmen meine Überlegungen an dem Punkt ihren Anfang, als Hans mich nach unserer kleinen Feier verlassen hatte. Er eilte dann wohl auf dem schnellsten Weg in das Büro des

Professors, weil dieser ihm einen ungewöhnlichen, nichtsdestoweniger streng einzuhaltenden Termin gesetzt hatte ...

Nun denn: Hansi – neuerdings Zimmermann, frischgebakkener Dreißigjähriger, von Beruf Schwerbehindertenpfleger, von Charakter tumber Tor – betritt also den Raum, in dem der Hochgeschätzte gerade durch die Kopfhörer seines Discmans zum sechstausendsten Mal dem Gezwitschere von Dido und Aeneas lauscht. Hans erzählt dem Opernfreak frei von der Leber weg, daß er von den zwielichtigen Acapulco-Geschäften in Zukunft Abstand nehmen möchte. Der Prof aber lacht ihn aus, brüllt, was ihm denn einfiele, bei der Mafia könne ja schließlich auch niemand so mir nichts, dir nichts aussteigen. Daraufhin kriegen sie sich in die Wolle. Irgendwie bekommt Hans im Verlauf des Handgemenges den Discman zu fassen und bearbeitet damit den Schädel seines Gegners ...

Aber das war ja schon das Paradoxon Numero uno. Hans als brutaler Schläger? Unvorstellbar! Absurd! Lachhaft! Gerade seine Scheu und Besonnenheit zeichneten ihn doch aus. Wie konnte sich ein so zartbesaiteter Mensch zu einem brutalen Akt wie diesem hinreißen lassen! Egal, denn das Aberwitzigste steht ja noch bevor. Also Hans modelliert mit dem Apparat ein bißchen an Sladeks Kopf herum, bis dieser bewußtlos in seinem Stuhl zusammenbricht. Nun aber soll unser guter Hans plötzlich dieses High-Standard-10-B in der Hand haben und die Birne seines Opfers zu Wandschmuck verarbeiten. Wie kommt er zu der Waffe? Denkbar wäre, daß just in dem Moment, als der Wüterich den Discman weglegt, unser ebenfalls von Tötungsabsichten getriebener Jäger vorbeischaut und wegen der gruseligen Szenerie in eine Art Kurzzeitkoma fällt. Hans reißt Arnold die Flinte aus der Hand, erschießt damit Sladek und scheucht dann geistesgegenwärtig, wie er nun mal ist, den Paralysierten aus dem Raum. Klar, daß er jetzt auch den Jäger umnieten muß, da dieser ja unfreiwillig in die Rolle eines wich-

247

tigen Zeugen geraten ist. Er begleitet Arnold in dessen Wohnung, nötigt ihn, auf den Ochsen zu steigen und legt ihn um. Dann flieht er mit seinem VW-Polo nach Timbuktu, in der ärgerlichen Gewißheit, daß er wahrscheinlich nirgendwo mehr einen Job als Schwerbehindertenpfleger bekommen wird.

Gewiß, wenn man zu jenen auserwählten Erdenbürgern gehörte, die jede Nacht Besuche von UFOs empfangen oder die davon überzeugt sind, daß ein ukrainischer Bauer längst das Wundermittel gegen Krebs entdeckt hat, das die Regierung jedoch aus mysteriösen Gründen zurückhält, konnte man sich auch mit diesem Schwachsinnskrimi anfreunden. Ich aber weigerte mich, auf die Hans-läuft-Amok-Theorie auch nur einen Pfifferling zu geben. Aus welcher ausgefuchsten Perspektive man die Dinge auch betrachtete, sie schienen derart widersinnig und miteinander verknotet, daß man schon gewaltigere Schneidbrenner als vom Kaliber Kasimirs und meiner Wenigkeit brauchte, um aus all dem Hypothesenschrott die Wahrheit herauszuschneiden. Hieß also diese Schlußfolgerung, daß es das beste wäre, sich einfach im Rollstuhl zurückzulehnen und abzuwarten, bis sich die Rätselwolken von selbst auflösten? Beim heiligen Rumpfeus, nein! Man durfte nämlich die Tatsache nicht übersehen, daß auch ich ja irgendwie ein Mörder war. Ich sah mich vor die Notwendigkeit gestellt, etwas zu unternehmen, die Dinge noch mehr zu verschleiern oder die wahren Hintergründe der beiden Morde aufzudecken, jedenfalls alles zu unternehmen, damit man mir nicht auf die Schliche kam. Bloß wie?

Kasimir hatte meiner Bitte entsprochen und beim Weggehen das Mädchen hineingeschickt. Zunächst säuberte sie mich mit einem nassen Schwamm, als sei ich ein Wagen, der Staub angesetzt hat. Wie weibliche Automobilisten so sind, begnügte sie sich jedoch mit oberflächlicher Kosmetik und tat mir leider nicht den Gefallen, einen Blick auf den Motor zu werfen und ein wenig am Ölstab zu fummeln oder die Geschmeidigkeit der Ventile zu kontrollieren, sooft ich sie auch darum bat. Nun ja, es war sowieso der unpassende Tag für eine Spazierfahrt. Draußen begann es bereits zu dämmern, und wir begaben uns nach dem frustrierenden Reinigungsakt direkt in die Kantine, um uns zu sättigen.

Während ich in dem unbarmherzigen Neonlicht eine Speise einnahm, von der ich vor lauter Grübeln nicht einmal sagen konnte, um was es sich dabei eigentlich handelte, war ich doch immerhin fähig, mit meiner neuen Pflegerin ein nettes Gespräch über die Zukunft der »Verzauberten Jäger« zu führen. Dies hatte in erster Linie den Sinn, schnellstmöglich eine gewisse Vertraulichkeit zu schaffen, da ich sie nach dem Essen bitten wollte, mir etwas lange Leine zu lassen. Aus den Augenwinkeln versuchte ich an den nur vereinzelt besetzten Tischen Gertie zu finden. Ich wollte unbedingt mit ihr sprechen, vielleicht wußte sie mehr als ich.

Von Gertie aber keine Spur. Es war Samstag, und wie erwähnt, verbrachte mehr als die Hälfte der Heimbewohner das Wochenende in familiärer Obhut. Folglich hatten sie noch nicht einmal eine Ahnung davon, daß ihr Leithirte seit zirka zwanzig Stunden in das Reich der Seligen übergewechselt war. Soweit ich wußte, hatte Gertie keine nahen Verwandten, die sie zu Wochenendausflügen mitnahmen. Aber ebenso wußte ich, daß sie eine Sklavin ihrer Horoskoptätigkeit war und in ihrer kosmischen Welt solche Banalitäten wie feste Essenszeiten keine Rolle spielten.

Trotzdem . . . Ein blümerantes Gefühl machte sich in mir breit, ohne daß ich mir die Ursache hierfür erklären konnte. Vielleicht wirkte der Kater immer noch nach, vielleicht waren die Ereignisse des Tages zuviel für mich gewesen. Aber vielleicht waren es auch die ersten Anklänge einer schrecklichen Ahnung. Denn VS, Edi und der Kranke saßen ebenfalls nicht im Saal.

»Würde es Ihnen etwas ausmachen, mich für eine Weile allein

zu lassen?«« säuselte ich nach dem Essen bekümmert, und das Blumenkind schien mir den Grund meines Verlangens von den Augen abzulesen.

»Wissen Sie, Professor Sladek und ich standen uns sehr nahe. Wir hörten immer gemeinsam Opern von Henry Purcell. Allerdings nur über Kopfhörer. Jetzt, da er ins Walhalla umgezogen ist, klafft eine schmerzliche Lücke sowohl in meinem Herzen als auch in meiner musikalischen Welt. Ich möchte um ihn trauern, indem ich alleine ein wenig durch das Heim rolle. Das verstehen Sie doch sicher, nicht wahr?«

»Aber selbstverständlich«, sagte sie in wahrhaftig kondolierendem Tonfall, als brächten wir den Hochgeschätzten gerade unter die Erde. »Soll ich in Ihrem Zimmer auf Sie warten?«

»Zu gütigst. Wenn Sie dann noch so nett wären, bei meinem Eintreffen eine passende Schallplatte aufzulegen, vielleicht den Trauermarsch von Chopin. Das große Regal, rechte Seite, unten links.«

Ich blies schnell in das Steuerungsröhrchen und startete mit Leichenbittermiene durch, ohne sie noch einmal anzusehen, weil ich merkte, daß sich in ihr das Gefühl regte, überrumpelt worden zu sein.

Mein Ziel stand keineswegs fest, als ich die Kantine verließ und mich in das labyrinthartige Korridorsystem des Gebäudes begab. Ich hatte nur eine ungenaue Vorstellung davon, an welchem Punkt meine detektivischen Umtriebe ihren Anfang nehmen sollten. Welchen Verdächtigen sollte ich mir vorknöpfen, wen nach dunklen Machenschaften befragen? Die Ergiebigsten waren ja schon tot oder angeblich verschwunden. Das paranoide Gefühl, daß ich von einem unsichtbaren Zuschauer ausgelacht wurde, bemächtigte sich meiner, während ich die einsamen Flure, die durch auserlesene Wandlüster und Deckenfluter in Dämmerlicht getaucht waren, richtungslos entlangrollte. Ein Mann ohne Arme und Beine auf der Jagd nach dem Unbekannten, der die finsteren Pläne des Rumpfes explizit in die Tat umgesetzt hat und noch ein bißchen mehr. Ein wirklich amüsanter, wenn auch ganz schön an den Haaren herbeigezogener Plot.

Das Gleiten der Rollstuhlräder war auf dem flauschigen Teppichboden kaum zu hören, und außer dem extrem leisen Summen des Elektromotors rief das Gefährt keine weiteren Geräusche hervor. Die Stille war also meine einzige Begleiterin – das heißt, sie hätte es eigentlich sein müssen. In diese unschuldige Stille nämlich schlich sich peu à peu ein verhaltenes Schlurfen und Räuspern, ein unerträglicher und unbestimmbarer Begleitton, als verfolge jemand meine unklare Route aus der Ferne. Ich glaubte, einige dumpfe Tritte zu hören, dann die deutlich vernehmbare Atemkontrolle nach lautlosem Sprint auf Zehenspitzen – wie die Katze, die den Bewegungen der einfältigen Maus aus angemessener Entfernung Aufmerksamkeit schenkt. Ich beschloß, mir darüber einstweilen keine großen Gedanken zu machen, obgleich ich gleichzeitig die ersten Ansätze von Beklemmung verspürte. Da ich kein genaues Ziel hatte, war mir nun jede Abbiegung willkommen, und als Folge davon erschien mir die eigentlich wohlvertraute Anlage binnen kurzem wie ein Irrgarten. Ich fuhr in bekannte und unbekannte Gänge, sah mich einige Male mit Sackgassen konfrontiert, änderte den Kurs, stieß zurück und schwenkte willkürlich in andere Geraden ein, so daß ich allmählich die Übersicht zu verlieren begann. Aber wo ich auch hintuckerte, die tapsenden Laute und die verstohlenen Hüsteleien brachen nicht ab, im Gegenteil, sie gewannen an Eindringlichkeit noch hinzu. Der Teppichboden und die dicken Schaumstofftapeten dämpften sie etwas, und von einem Echo konnte keine Rede sein. Dennoch hörte ich sie klar und deutlich, nicht unentwegt, doch immer dann, wenn ich glaubte, daß ich ihnen endlich entkommen sei oder sie mir die ganze Zeit nur eingebildet hätte. Zudem setzte mir die idiotische Verschachtelung des Baus enorm zu, und zuweilen fragte ich mich, ob ich mich mehr vor diesen unheimlichen Geräuschen fürchten sollte oder vor der Aussicht, bis zum bitteren Tod hier herumirren zu müssen. Die zwar hellen, doch in ihrer Gleichförmigkeit beängstigend verwechselbaren Korridore verschmolzen vor meinen Augen langsam zu einem Mischmasch von rätselhaften dreidimensionalen geometrischen Formen und einer wahren Explosion aus Linien und Winkeln. Eine unsichtbare Hand schien mir die Kehle zuzuschnüren.

Plötzlich stand ich vor einem der rumpffreundlich umgerüsteten Fahrstühle. Ich pustete in das Sensorloch der Steuerungskonsole, die sich in Bauchhöhe befand, und rief so die Kabine. Ich wollte abwärts befördert werden. Aber warum eigentlich? Ach ja, die leidige Detektivarbeit. Vielleicht war es keine schlechte Idee, nochmals zur Wohnungstür von Thaddäus Arnold zurückzukehren und sich mittels des dort herrschenden morbiden Fluidums etwas Inspiration zu verschaffen. Natürlich würde sie geschlossen, ja sogar verriegelt sein. Trotzdem mußte der Detektiv seine Ermittlungen am Ort des Verbrechens beginnen und sich allmählich zur Grotte des Täters durchkämpfen, obwohl wir es ja hier mit zwei Tatorten zu tun hatten.

Doch war das wirklich der wahre Grund für den Fahrstuhlbummel? Oder waren es nicht die an meinen Fersen klebenden Schattengeräusche, ob sie nun real waren oder nicht, die ich nie deutlicher vernommen hatte als zu diesem Zeitpunkt?

Der Eingang zum Aufzug lag genau in der Mitte eines endlos scheinenden Flures, in den von beiden Seiten zwei weitere, für mich nicht einsehbare Flure mündeten. Von meiner Position aus waren die Mündungspunkte, die sich durch die Lichtkontraste abhoben, jeweils etwa zwanzig Meter entfernt. Die ganze Szenerie hätte dem Buckingham Palace entsprungen sein können, denn der dämmrige Schein der edlen Leuchter, die in verschnörkelte Rahmen eingefaßten Gemälde an den Wänden, der von funkelnden Messingleisten gesäumte Teppichboden, auf dem sich kein einziger Krümel befand, all diese Einzelheiten erzeugten in der Tat die getragene Atmosphäre vornehmer Herrschaftsdomizile. Mir selbst allerdings war es weder vornehm noch getragen zumute, als ich ungeduldig auf das Öffnen der Aufzugstür wartete.

Ich vernahm ein kurzes, unbeholfenes Rumpeln, als habe sich jemand einen Schritt zu weit vorgewagt und den Fehler korrigiert, indem er schnell zurücktrat. Zunächst traute ich mich nicht, einen Blick zu riskieren, wußte ich doch, daß das Geräusch in einem der beiden Seitenflure entstanden war. Dann überwand ich mich aber doch, schaute abwechselnd einmal auf den rechten, dann auf den linken Korridorausgang – und beruhigte mich wieder. Da war niemand. Keine Nase guckte um die Ecke hervor, und kein Schatten war zu sehen.

Die Aufzugstür öffnete sich, und ich blies mit solcher Kraft in das Röhrchen, als bewege sich der Rollstuhl mit Druckluft statt mit Elektrizität. Ich glitt in die Kabine, die Türen schlossen sich, ohne daß ein Ungeheuer noch im letzten Moment hineingesprungen wäre, und ab ging es in Richtung Kellergeschoß. Was für Streiche einem die Einbildung doch manchmal spielen konnte ...

Ich *hatte* einen Schatten an der Wand gesehen! Mit einem Male war ich mir dessen sicher, auch wenn ich es zunächst nicht geglaubt hatte. O nein, er hatte weder die Umrisse eines Monsters mit Fangzähnen noch eines finsteren Ganoven mit der Keule in der Hand gehabt. Der Schattenriß, der sich an der Wand der rechten Flurmündung abgebildet hatte, stammte von einer bedächtigen Figur, geschlechtslos, selbst in Ruhestellung etwas hin und her schwankend und so ihre Erregtheit verratend. Auf keinen Fall handelte es sich bei ihr um meine neue Betreuerin, die mir wegen ihres sich verspätet gemeldeten Gewissens gefolgt sein mochte. Oder um Hans, der wie ein Gespenst, das knapp die Erlösung verfehlt hatte, um die Orte seines unplanmäßig beendeten Lebens streifte. Doch warum tat ich so, als sei mir der Eigentümer dieses grausigen Schattens unbekannt? Weshalb stellte ich mich so beharrlich dumm?

Der Spiegelmann war es! Eine Kreatur, die ihre Karriere als eine Kopfgeburt begonnen hatte, gezeugt angeblich aus einer Laune heraus, ersonnen, um den Quatsch mit dem perfekten Mord in meinem Auftrage zu vollstrecken. Doch Golems haben die Eigenschaft, daß sie sich nicht mit einem schlichten Handschlag verabschieden, nachdem sie ihre Mission erfüllt haben. Sie entwickeln während der Ausübung ihrer Pflichten ein Eigenleben, schaffen sich ihre eigenen Gefühle und Wertvorstellungen, schmieden persönliche Pläne und weigern sich, nach getaner Arbeit einfach von der Bildfläche zu verschwinden. Sie geben keine Ruhe, bis der Befehl, dem sie ihre eigene Schöpfung verdanken, nämlich die totale Zerstörung, eingelöst worden ist. Das hätte ich wissen müssen. So ist das, Daniel, sieh genau hin! Wie geschickt du dich auch an einen Spiegel heranschleichst, das Spiegelbild sieht dir direkt ins Auge! Es war bitter zu erkennen, daß ich mich mit den gezinkten Karten selber beschissen hatte.

Als ich unten den Fahrstuhl verließ, waren alle realen und imaginären Geräusche verschwunden. Ich absolvierte noch ein paar Flure, bis ich endlich vor der Arnoldschen Wohnung landete. Zu meiner Überraschung stand die Tür offen, und ich war so frei oder so weggetreten, hineinzufahren. Da die Adlaten des Oberkommissars den ganzen Moschusochsen mitgenommen hatten, wirkte das Zimmer nun viel geräumiger. Hätte man noch den ganzen Trophäenplunder dem Sperrmüll überantwortet, würde sich die Stube wahrscheinlich wie ein Konzertsaal ausnehmen. Lediglich eine viergliedrige Deckenleuchte in Gestalt eines undefinierbaren Blumenmotivs warf ihren ärmlichen Schein von höchstens vierzig Watt auf die ausgestopften Tierphysiognomien, welche allesamt zu schlafen schienen. Linker Hand fiel durch die offenstehende Schlafzimmertür ein grelles Lichtrechteck auf den Parkettboden, und ich beschloß, diese Räumlichkeit ebenfalls zu besichtigen.

Bereits beim Hineinfahren vernahm ich Schluchzlaute, die an die Nieren gingen. Die junge Witwe, welche in ihrem schauerlich minderjährigen Sexappeal direkt einem Bangkoker Puffschaufenster entstiegen schien, agierte inmitten eines Schlafzimmermobiliars, das den Sehnsüchten unserer Eltern oder genauer Großeltern entsprach. Massive Eiche, hier und da mit Intarsien geschmückt, übte eine ornamentreiche Tyrannei auf jeden Einrichtungsgegenstand aus, angefangen vom Doppelbett, auf dem Daunendecken aufgetürmt waren, bis hin zu dem Kleiderschrank, der einem Bollwerk glich und dem ich zugetraut hätte, daß er ein paar weitere Leichen verbarg. Süßliche Obstmotive prankten penetrant an der Frisierkommode und den Nachttischen, so daß man sich unweigerlich wie in einem Möbelhaus für Gartenzwerge fühlte. Die ganze Einrichtung sollte, wenn nicht gerade antik, so doch old fashioned wirken, spiegelte aber in Wirklichkeit nur die morbide, vergangenheitsorientierte Geisteshaltung seines einstigen Bewohners wider. Die Thailänderin konnte man bei dieser Einschätzung getrost außer acht lassen, da sie auf den Geschmack des Hausherrn vermutlich genausoviel Einfluß gehabt hatte wie ein chinesischer Reisbauer auf den Ausbruch des Zweiten Weltkrieges. Jäger Arnold hatte schon vor seinem Ableben in einer Gruft geschlafen.

Die Kindfrau, die unpassenderweise in einem schreiend bunten Kleid steckte, wuchtete gerade stapelweise Wäsche aus dem erwähnten Sargkleiderschrank in einen Pappkoffer. Dabei heulte sie, was ihre Mandelaugen hergaben. Nachdem sie mich an der Türschwelle erblickt hatte, reagierte sie mit einer teils tränenreichen, teils enthusiastischen Begrüßung. Sehr seltsam. Da sie trotz ihres langen Aufenthaltes hier kein Wort Deutsch sprechen konnte, verständigten wir uns in Englisch miteinander. Sie erzählte ausschweifend, daß der Beginn ihrer Beziehung mit »Teddy« eine heiße Affäre via Katalog gewesen sei, also der alte Lustmolch sie über eine Dreigroschen-Agentur bezogen habe. Er sei jedoch ein guter Mensch gewesen – das betonte sie ausdrücklich – und auf seine bescheidene Art immer großzügig. Ich verkniff mir dazu jede Bemerkung. Keine einzige Nacht könne sie mehr unter diesem Dach verbringen, dem Sterbeort ihres Gemahls, und wolle deshalb so schnell wie möglich zu ihrer Landsmännin in die Stadt umziehen. Wenn die Ermittlungen abgeschlossen wären, würde sie wahrscheinlich wieder nach Bangkok zu ihren Eltern, diesen abgewichsten Zuhältern (Ergänzung meinerseits), zurückkehren.

Ich hörte mir all diese Belanglosigkeiten, die aus der armen verängstigten Asiatin nur so heraussprudelten, artig an, in der Hoffnung, unbekanntes Material über ein Arnoldsches Doppelleben oder etwas in der Art in Erfahrung zu bringen. Aber außer den lachhaften Schicksalsverirrungen eines alten Mannes brachte ich nichts heraus. Eigentlich gab es nichts mehr zu bereden, und der Detektiv hatte bereits entschieden, daß die verschleierte Vernehmung abgeschlossen sei. Mangels Gesprächsstoffs war meine Zeugin inzwischen auch bei der Aufzählung der Macken des Dahingeschiedenen angelangt, von denen einige leidlich amüsant waren, wie die zum Beispiel, daß er ihr gegenüber stets felsenfest behauptete, kein Gebiß zu tragen, und deshalb immer abwartete, bis sie eingeschlafen war, um das Glas mit den Kaukastagnetten in den unmöglichsten Geheimwinkeln des Hauses zu verstecken, einmal sogar in der Klosettschüssel. Ich verfolgte diese Anekdötchen nur noch mit einem Ohr, während ich gleichzeitig die Schlafzimmerwände betrachtete, an denen ebenfalls Trophäenplunder hing.

Schließlich fragte ich sie eher beiläufig, wann denn Thaddäus' verehrter Sohn endlich eintreffen würde, um sein Erbe anzutreten.

»*Son?*« sprach sie beinahe zu sich selbst. »*Teddy did not have a son.*«

Ich hatte es nicht begriffen und stellte die Sache so hin, als hätte sie es nicht begriffen, und wiederholte die Frage.

»*But no*«, sagte sie ganz langsam wie zu einem Idioten. »*Teddy really did not have any son. How could he anyway? He was infertile for all of his life.*«

Was? Wie? Kein Sohn? Zeitlebens immer unfruchtbar gewesen? Rumpf erneut gearscht worden? Aber er hatte doch damit vor mir mit allem dazugehörigen Vaterstolz geprotzt: »All das hier wird eines Tages mein Sohn erben!« Und: »Mein Sohn ist nämlich Arzt, mein Junge. Jahrelang hat er die Zeit zum Geldscheffeln verplempert, indem er sich zu diesem und jenem hat spezialisieren lassen. Nun will er endlich eine eigene Praxis eröffnen. Klar, daß ich ihm dabei unter die Arme greifen werde. Mein ganzes Gespartes wird er bekommen, genau zweihundertsiebzigtausend Mark . . .«

»*He is a physician*«, winselte ich, in Gefahr, jeden Moment in Tränen auszubrechen. »*And he is going to inherit exactly twohundredseventythousand Marks from Mr. Arnold.*«

Sie wisse nichts von einem Sohn, der Arzt sei, sagte sie mit einer leichten Tendenz zur Ruppigkeit; ich schien ihr langsam auf den Geist zu gehen. Doch eins wisse sie ganz genau, nämlich daß der alte Knacker keine müde Mark auf der hohen Kante gehabt habe. Wäre auch das erste Wunder in ihrem wunderlosen Leben gewesen, ergänzte sie in einem Ton, der zwischen tiefer Enttäuschung und weiser Abgebrühtheit schwankte.

»*Only one thing further*«, fuhr ich unerschütterlich fort, während sich das ganze Schlafzimmer um mich zu drehen begann wie eine verdammte Affenschaukel. *»Did Teddy get mail regularily?«*

Blöde Frage, natürlich habe er Post erhalten wie jeder normale Mensch auch.

Um welche Art von Post es sich dabei gehandelt habe, wollte ich wissen.

»No idea. He did not talk to me about such things. But certainly those letters he got recently were very funny.«

Er hatte in letzter Zeit lustige Briefe empfangen? Wie meinte sie das?

»Well, in the last months, almost daily a letter laid in the mailbox or was pushed under the door. Teddy always laughed when he had read those letters. Sometimes he even burst into laughter.«

Er brüllte vor Lachen, nachdem er diese Briefe gelesen hatte? Verständlich, sie bezichtigten ihn ja auch nur einiger aparter Verbrechen, auf die Strafen standen, für deren Verbüßung er wohl noch ein paar Extraleben benötigt hätte. Klar, da hätte ich auch gebrüllt vor Lachen, wenn ich zum einen gar keinen Sohn und zum anderen gar keine Viertelmillion mein eigen genannt hätte. Aber warum hatte er mich so schamlos angelogen? Plötzlich kam ich mir vor wie jemand, der von seinem besten Freund übers Ohr gehauen worden ist. Thaddäus Arnold war also ein mit allen Wassern gewaschener alter Sack gewesen, der dem naiven Jüngling fette Lügen mit einem Schuß Märchen aufgetischt hatte. Einmal mehr fühlte ich mich als der ohnmächtige Krüppel, der erneut Spielball der gesunden Götter geworden war und es auch immer bleiben würde. Sie waren mir in jeder Hinsicht überlegen. Nicht allein körperlich, auch an Durchtriebenheit, vor allen Dingen in Sachen Humor, wenn auch einer merkwürdigen Art von Humor, schlugen sie mich um Längen. Ich würde für sie ewig das Objekt des Spottes und der Verachtung bleiben. Sie würden mir zwar hundetreu in die Augen schauen, mir den Sabber aus den Mundwinkeln wischen und stets versichern, daß ich nur unwesentlich anders geraten sei, aber dann würden sie sich im nächsten Moment umdrehen und sich ausschütten vor Lachen über mich, den Rumpf, den ekligen Klumpen Fleisch, den Schwachkopf. Ach, ich hätte auf der Stelle losheulen können über die immerwährende Schlechtigkeit in diesem Sonnensystem!

Doch die qualvolle Phase des Selbstmitleids diente gleichsam als Inkubationszeit und brachte völlig überraschend eine entscheidende Idee hervor, einen weiteren Punkt, auf den ich bis jetzt noch nicht gekommen war:

Wenn Arnold in Wirklichkeit gar keinen Sprößling gehabt und außerdem nie so viel Geld besessen hatte, hatte er dann überhaupt jene verachtenswerte und dubiose Vergangenheit gehabt, die ich durch mühsames Recherchieren ans Tageslicht befördern und zum Kernstück meiner vermeintlich teuflischen Intrige ausbauen konnte? Verdammt, ja! Es existierten Unterlagen, die die Verbrechen dokumentierten, Namenslisten, in denen er verzeichnet war, Herrgott, in einer der Akten steckte sogar das Enthüllungsfoto, auf dem er neben seinen Opfern und weiteren Schlächtern zu sehen gewesen war. Es gab Beweise!

Aber wo befanden sich diese Beweise jetzt?

In der Bibliothek, Abteilung Euthanasie.

Eine Stimme, dünn, zaghaft, doch sehr beharrlich, meldete sich in meinem Kopf, welche mir nur eine einzige Frage stellte: Bist du dir da so sicher?

Zu dem leichten Schwindelanfall gesellte sich schlagartig ein imposanter Schweißausbruch. Ich mußte hier schnellstens raus, mußte die Bibliothek aufsuchen und den Kranken, der mir nun auf einmal erschien wie das rettende Leuchtfeuer auf stürmischer See. Ich mußte mich unbedingt versichern, daß ich all die mühsam erschnüffelten Informationstrüffel keineswegs geträumt hatte und daß es durchaus Haltegriffe in der Realität gab.

Ich setzte den Rollstuhl in Gang und verließ das Schlafzimmer ohne ein Lebewohl. Eigentlich war es reizvoll zu erfahren, was die Thailänderin von einem koboldartigen Wesen hielt, das sich zunächst ihre Sorgen voll Mitgefühl angehört, dann plötzlich ein konfuses Verhör vom Zaun gebrochen hatte und schließlich wie auf einen Geheimbefehl hin Hals über Kopf davongestürmt war. Aber es war mir nun einerlei, was andere über mich dachten. Ich hatte Wichtigeres zu tun, ich mußte mich um meinen Seelenfrieden kümmern.

Verstärkt durch die innere Unruhe und die immer noch anhaltenden Gleichgewichtsstörungen erschienen mir die Korridore nun erst recht wie das Tunnelsystem eines Maulwurfs, dessen Plan das Tier nach dem Auswendiglernen aufgefressen hat. Irgendwie schaffte ich es schließlich doch, wieder in den Aufzug zu gelangen und das Kommando oberstes Stockwerk zu erpusten. Die Schiebetüren schlossen sich mit einem kaum vernehmbaren Summen, und der Aufzug erhob sich mit einer solchen Wucht, daß ich beinahe die an das Vorzimmer einer altehrwürdigen Kanzlei erinnernde nußbaumgetäfelte Kabine mit meinem Mageninhalt beehrt hätte. Halb so schlimm, denn sobald ich den so seltsam leise fahrenden Kasten verließ, würde ich mir von dem Kranken, der sich in meiner Vorstellung immer mehr in einen fairen Schiedsrichter verwandelte, bestätigen lassen, daß ich mir damals keinesfalls irgendwas zusammenphantasiert hatte, sondern die fraglichen Dokumente über Thaddäus' Verbrechen Wirklichkeit waren.

Auf halber Strecke stoppte der Fahrstuhl überraschend. Irgendein Kollege würde sicherlich gleich einsteigen, mich grüßen, überflüssigerweise mein Reiseziel wissen wollen, aus Verlegenheit eine dummdreiste Unterhaltung beginnen, vielleicht auf die Morde eingehen, persönliche Spekulationen vortragen, bis ich ihm vor lauter Gereiztheit aus dem Stand an den Kopf springen und seine Ohren abbeißen würde. Aber es kam ganz anders. Als die Schiebetüren aufgingen und den Blick erneut auf einen dämmrigen Korridor erlaubten, war niemand zu sehen. Offenbar hatte jemand auf den Rufknopf gedrückt und war dann weggelaufen. Doch wer sollte hier einen so blöden Streich veranstalten? Schließlich befanden wir uns ja nicht im Kindergarten. Oder jemand hatte nach dem Drücken des Knopfes die Geduld verloren und die Treppe bevorzugt.

Mein Instinkt allerdings sagte mir, daß hier etwas anderes vorlag. Bei diesen Faxen handelte es sich nämlich keineswegs um etwas rational Erklärbares, sondern schlicht und ergreifend um ein dämonisches Spiel – um das dämonische Spiel des Spiegelmannes. Er verspürte keine Lust mehr, heimlich hinter mir herzuhecheln oder sich vor meinen paranoiden Blicken in irgendwelchen Gängen zu verstecken. Er bevorzugte nun den Schabernack, um mich seine entsetzliche Gegenwart spüren zu lassen. Wahrscheinlich glaubte er, mich dadurch viel effektiver verunsichern zu können, als wenn er sklavisch den Spuren der Rollstuhlräder im Teppichboden nachschlurfte. Ein äußerst kreatives und ungezogenes Kerlchen. Aber obwohl die Methode ihre Wirkung kaum verfehlte, reichte sie nicht mehr aus, um in mir eine wilde Panik auszulösen. Denn wenn ich ehrlich zu mir war, hatte ich mich an seine Unarten bereits gewöhnt.

Die Fahrt wurde dann ohne weitere Zwischenfälle fortgesetzt und endete vor der Marmorpiste des schummerigen Korridors, welcher direkt in die Bibliothek führte. Als ich mich ihr näherte, war zunächst nichts Ungewöhnliches zu bemerken. Das schwache Leuchten von ein paar Leselampen schien durch die Glasfront hindurch, hinter der sich der düstere Ort mit den mehrstöckigen Regalgalerien und den offenen, von kunstvollen Gittern umzäunten Aufzügen wie eine moderne Einkaufspassage in kleinem Maßstab ausnahm. Das wie ein kolossales Spinnennetz die gesamte Anlage bedeckende Glasdach zeigte heute nichts Spektakuläres. Da sich die dichte Bewölkung über unse-

rem Sündenpfuhl weiterhin hielt, war der Himmel pech-
schwarz.

Bereits von weitem sah ich, daß die Bibliothek zwar geöffnet
zu sein schien, der Kranke aber nicht hinter seinem Schreibtisch saß. Die späte Öffnungszeit war nicht ungewöhnlich, denn
der Kranke arbeitete ganz nach eigenen, wahrscheinlich selbst
für ihn kaum durchschaubaren Öffnungszeiten, und im Grunde
konnte man sich jederzeit ein Buch ausleihen. Ich fuhr am
Ausleihpult vorbei, auf dem ein halbgegessenes Schinkenbröt-
chen nebst einem leeren Pappbecher stand. Er hatte sein Essen
scheinbar gleich hier zu sich genommen, was erklärte, weshalb
er nicht in der Kantine gewesen war. Doch wo steckte er nun?
Nur kurz spielte ich mit dem Gedanken, nach ihm zu rufen, ließ
es dann aber sein, da ich die Vorstellung nicht ertrug, in diesem
geisterhaften, von Büchern überquellenden Palais meine eigene
Stimme zu hören.

Daß der Schriftwächter ausgeflogen war, sollte mir eigentlich
nur recht sein. So konnte ich ungehindert von höflichem Begrü-
ßungsgefasel und laienhafter Verstellung auf direktem Wege zu
meinem Trakt mit den Höllendokumenten gelangen. Unklar
war mir nur noch, mit welcher wundersamen Akrobatik ich an
die Arnold-Akte kommen sollte. Während ich angestrengt versuchte, mir den Weg, auf dem der Kranke uns damals so behend
vorangehumpelt war, ins Gedächtnis zu rufen, fuhr ich langsam
an Regalen und Buchmauern entlang. Und wiederum schien es,
als stiege vom Boden ein feiner, kaum wahrnehmbarer Nebel
empor, als wenn dieser Moloch des Wissens und der Geschich-
ten es zu verhindern suchte, wenn ihm jemand seine Mysterien
entreißen wollte. Plötzlich, wie durch das Auge eines Fremden,
sah ich mich über diesen bizarren Dunst gleiten wie der Opern-
held über das leichenschluckende Moor. Das diffuse Licht der
Leselampen schien an Leuchtkraft um so mehr abzunehmen, je
tiefer ich mich in die papiernen Eingeweide der Bibliothek

hineinarbeitete. Vor mir rechts erblickte ich schon den Regalvorsprung, hinter dem sich der Gang mit den Akten öffnen mußte. Und als ich mich ihm näherte, fragte ich mich auf einmal, was ich dort eigentlich zu finden glaubte, da ich doch ohne einen Helfer sowieso keinerlei Möglichkeiten besaß, die Richtigkeit meiner einstigen Recherche zu überprüfen. Bald war das alles verdeckende Regal nur noch eine Säule aus namenlosen Büchern in meinem rechten Blickfeld, ich bog um die Ecke, und tatsächlich, die Aktenordner –

Sie waren verschwunden! Allesamt! Es war ein gewaltiger Schock, und obwohl an diesem unseligen Tag die Überraschungen auf mich niedergeprasselt waren wie losgetretenes Geröll, versetzte das unerwartete Fehlen der Akten meiner psychischen Konstitution den bisher drastischsten Stoß. Kein einziger der Ordner, deren Anzahl in meiner Einnerung an die Hunderte ging, befand sich in den beiden Regalreihen, die eine düstere Gasse bildeten. Statt dessen standen dort sonderbar fahle, arg abgenutzt aussehende Bände, zum Teil in Leder gebunden und mit protzigen goldfarbenen Schnörkeln auf den Buchrücken. Jemand hatte die Akten weggeschafft und die Regale mit diesem Ramsch vollgestopft. Schwer zu sagen, wann die Umtauschaktion stattgefunden hatte, denn seit dem Tag, an dem Hans und ich die Materialien für meine imaginäre Behindertenchronik selektiert hatten, hatte ich den Ort nicht mehr aufgesucht. Wahrscheinlich hatte der Kranke das große Verschwinden höchstpersönlich besorgt. Ich glaubte nämlich inzwischen felsenfest daran, daß er mir die grauenhaften Zeugnisse des tausendjährigen Reiches wie eine private Gemäldesammlung nur präsentiert hatte, um mich in die Irre zu führen. Ich sollte genau das bekommen, wonach ich suchte, ja das Spiel war so genial vorbereitet, daß er sich sogar die Freiheit nehmen konnte, das Aufspüren des Herzstückes der Sammlung, nämlich der Arnold-Akte, ganz mir zu überlassen.

Der Kranke – ein magisches Aufblitzen in den Augen, ein eleganter Aufschlag mit der Pelerine, ein jähes »Ahhhhrrrrg!«, und schon konnte die Wirklichkeit vielleicht nur ein Traum gewesen sein, konnten Dinge, von denen man geglaubt hatte, sie gesehen und in den Händen gehalten zu haben, sich plötzlich in Wahnvorstellungen verwandeln. Glasklare Erinnerungen entpuppten sich als pathologische Reminiszenzen eines Gedächtnisgestörten, Szenen, die man noch eben genau vor sich sah, stellten sich als bloße Trugbilder heraus, wenn der Kranke mit seiner Eitervisage den Operationsraum betrat und mit seinen Gichtfingern die geschmeidigen Bewegungen eines Kartenspielers vollführte, oder wenn er einem einfach lange genug in die Pupillen sah.

War er es also? Der Zauberer, der meinen schönen perfekten Mord zu einer Farce gemacht, eine Leiche mehr als vorgesehen produziert und die Vergangenheit so niederträchtig verhext hatte? Vielleicht war er mit dem ganzen Geld schon über alle Berge. Ich sah ihn bereits am Strand von Acapulco liegen, wie er seinen buckeligen Körper von mindestens drei appetitlichen Latinofrüchten mit Sonnenöl eincremen ließ, einen kunterbunten Cocktail in der einen, eine Havanna in der anderen Hand. Oder hatte er lediglich im Auftrag gehandelt? Aber im Auftrag wessen? Etwa des Spiegelmannes?

Aus Neugier lenkte ich den Rollstuhl zu dem Regal backbords und versuchte, die Titel der darin zusammengepferchten Lederbände zu entziffern. »Grimms gesammelte Märchen« verriet die hellgrüne Schrift auf dunkelgrünem Rücken den Inhalt eines der Bücher, und ein anderer Titel verhieß »Märchen aus Tausendundeiner Nacht«. Haha, sehr witzig, aber so witzig auch wieder nicht. Mein Gegenspieler war ein Mann des verkümmerten Humors. Alles sollte also nur Märchen aus Tausendundeiner Nacht gewesen sein, so wie die Tragikomödie, in der ich mich befand.

Der Rollstuhl bewegte sich weiter; hin und wieder blinzelte ich in Richtung der gegenüberstehenden Regalreihe, um auch etwas über die Bücher dort zu erfahren. Aber Überraschungen waren nicht mehr zu erwarten. Beide Regale enthielten ausschließlich alte Märchenbücher, wunderliche Fabeln aus glückseligen Kindertagen, in denen es in meinem Leben keinen Sladek, keine grotesken Mordkomplotte, keine lügnerischen Jäger und keine schmerzhaften Erkenntnisse über Kain und Abel gegeben hatte. Tage, in denen ich selbst ein Fabeltier gewesen war und die Welt da draußen der wildwuchernde Schloßgarten eines beleibten Königs. Mensch, Jupiter, du hättest mich nicht weggeben sollen! Wir waren doch so ein lustiger Verein zusammen, du, ich und Maria, die Sexbombe für den Diakoniegebrauch. Du hättest weiterhin an deinen zündstoffgeladenen Predigten herumfeilen und jene obskuren Rumpfapparaturen vervollkommnen sollen, durch deren Einsatz ich eines Tages vielleicht sogar den ersten Preis beim Turniertanzen gewonnen hätte. Und Maria, sie hätte mir noch ein paar Jährchen länger ihre keusche Fürsorge angedeihen lassen sollen, bis ich als gereifter Rumpfmann endlich die Ehe mit ihr eingegangen wäre, aus der dann wiederum sechs süße Rümpflinge entsprossen wären. Du hättest einen wunderbaren Großpapa abgeliefert, Jupiter, hättest deine Liebe gar nicht teilen müssen zwischen uns, denn du liebtest uns ja alle, und wir liebten dich. Und wir wären bestimmt bis Ultimo als achtes Weltwunder im Fernsehen aufgetreten, wären sogar übers Land gezogen und hätten überall Kundgebungen oder so was veranstaltet, so wie es singende Familien gibt, die richtige Tourneen veranstalten. Mann, wir hätten zusammenbleiben sollen, Jupiter, ich wette, dann wärst du bestimmt nicht so schäbig in dieser Katholikenschutthalde verendet. Glaub mir, ich hätte einen ganz neuen Gott erschaffen und ihm mit durchdringenden Schreien gedankt, wenn du dich damals anders entschieden hättest...

Die flache Strickmütze des Kranken lag vor den Rädern des Rollstuhls auf dem Boden. Ich war am Ende des Regals angelangt und stieß ganz unvorbereitet auf dieses tiefblaue, seltsam deplaziert wirkende Teil. Sicher hatte es der Verbrecher vom Kopf gerissen und irrsinnige Lacher ausgestoßen, als er zu seiner Flucht nach Acapulco antrat, sozusagen als Symbol seines Triumphes über uns Idioten, die nette Kreuzworträtsel angefertigt hatten, während er hinter unserem Rücken mit den echten infernalischen Plänen beschäftigt gewesen war.

Aber da war noch etwas zu sehen, unmittelbar neben der Mütze, ein Fleck, nein, ein Schatten war es, offensichtlich der Schatten eines Fingers, der hinter dem Regal bis zu dieser Stelle ragte. Ich fuhr ein paar Zentimeter weiter und lugte um die Ecke.

Der Kranke lag in einer grotesken Verrenkung auf dem Rücken; den Mund vollgestopft mit zusammengeknüllten Seiten, die aus einem neben ihm befindlichen Buch herausgerissen waren; die linke Hand zeigte auf die Strickmütze, wie wenn der Heilige auf seinen Heiligenschein aufmerksam macht. Der Zweck der komischen Kopfbedeckung war jetzt eindeutig: Statt einer Haarpracht hatte der arme Kerl lediglich eine Landepiste für Insekten vorzuweisen, aus der partiell wie bei einem Brandopfer vereinzelte Strähnen herauswuchsen, gewissermaßen als Markierungen für den Piloten. Die Augen unter Schmerzen zusammengekniffen, das von Wülsten und Knoten verwachsene Gesicht krampfartig verzerrt, jedes Glied trotz des düsteren Umhangs, der vieles verschleierte, scheinbar ausgekugelt, so bot der Oberpriester der Buchkathedrale ein Bild des Jammers. An seinem Hals schimmerten mattviolette Würgemale. Er war erwürgt worden, und damit es schneller ging, hatte der Mörder ein Buch aus dem Regal genommen, hastig die Seiten herausgerissen und seinem Opfer in den Schlund gestopft.

Ich überlegte, wie lange er wohl schon so dalag; ob er gestern nacht in einem Abwasch mit den anderen oder kurz vor meinem Eintreffen getötet worden war, quasi als ein rasch präpariertes Osterei. Doch für solche Grübeleien fehlte nun die Zeit, da ich auf keinen Fall in dieser heiklen Situation erwischt werden wollte. Nicht einmal melden würde ich meinen schaurigen Fund, weil ich mit dem ganzen Gemetzel schon mehr als genug in Verbindung gebracht worden war. Natürlich gab es da noch einen weiteren Grund, warum ich mich mit der Leiche des Kranken nicht so ausgiebig beschäftigen wollte und konnte. Es hätte abermals Fassungslosigkeit und Grauen bedeutet, erneut zwanghaftes Grübeln über Rätsel, die wahrscheinlich nie gelöst würden.

Dann aber wurde ich endgültig verrückt und sprach mit mir selber. »Los, zier dich nicht. Tu es endlich!« flüsterte ich dem toten Kranken auf dem Boden zu, und über sein schmerzverzerrtes Gesicht schien ein Anflug von Überraschung zu gleiten.

Tun? Was denn tun?

»Verschwinde hier und sieh nach den anderen.«

O Gott, auf meine alten Tage hatte ich mich in einen dieser lächerlichen Hollywoodirren verwandelt, die mit ihrem gespaltenen Bewußtsein jedem auf die Nerven gingen, einschließlich dem Zuschauer! Sollte ich die andere Hälfte meines Ichs, die sprechende, überhaupt ernst nehmen? Was faselte der Kerl da von »sieh nach den anderen«? Welche anderen meinte er?

»All die Übriggebliebenen, die du für deine Intrige mißbraucht hast.«

VS fand ich als ersten. In seinem Rücken steckte ein Lötkolben. Er lag mit dem Gesicht auf dem grauen Industrieboden des Observatoriums, als sei ihm zwischen seinen Aerobicübungen die Puste ausgegangen. Der Pose, in der er sich befand, haftete etwas Komödiantisches an. Er sah wie die Ulkdarstellung eines

Mordopfers aus, eine Leiche, hergerichtet für einen Pink-Panther-Streifen. Gleich würde Peter Sellers hereinspaziert kommen, über sie stolpern und in einem Salto durch die Luft fliegen. Doch es war nicht Sellers, der kam, sondern ein noch spaßigerer Clown – der Rumpf, Applaus bitte!

Während ich die Unterhaltung mit mir selbst vertiefte, hatte ich die Bibliothek verlassen und mich durch die Irrgartenflure und Geisteraufzüge gepustet, weil ich mit Gertie einen Gedankenaustausch führen wollte. Gedankenaustausch – charmante Bezeichnung für ein Gespräch mit einem Leichnam, nicht wahr? In der Tat, offensichtlich hatte der Wahnsinn von der Ratio noch nicht so weit Besitz ergriffen, daß ich um eine logische Rechtfertigung meiner Handlungen verlegen gewesen wäre. Ich bildete mir allen Ernstes ein, Gertie würde noch um diese Tageszeit im Observatorium an irgendwelchen Horoskopen schnitzen und nur darauf warten, mir ihr Herz ausschütten zu dürfen. In Wahrheit jedoch trieb mich die Hoffnung an, daß ich noch in letzter Sekunde das verhindern könnte, was nicht mehr zu verhindern war.

Als ich dann die Türen des Saales mit dem Rollstuhl rammte, erblickte ich bereits von der Ferne den reglosen VS, der mittlerweile weder eines Kurz- noch eines Langzeitgedächtnisses bedurfte, und doch hielt ich verzweifelt an der drolligen Vorstellung fest, schon im nächsten Moment Gertie mit ihrem Zoom-Key auf der Stirn vor dem Computer anzutreffen, die von alldem nicht das Geringste mitbekommen hatte. Ich fuhr ganz langsam auf den Toten zu und dann panisch schnell an ihm vorbei. Mit einem verstohlenen Seitenblick erfaßte ich dabei das Stromkabel, das hinten aus dem hölzernen Griff des Lötkolbens herauswuchs, und für einen Augenblick stellte ich die Assoziation zu einer drahtgesteuerten Puppe her, welche infolge eines Kurzschlusses zusammengebrochen war.

Die Arbeiten in dem Raum waren wegen der spektakulären

Vorfälle einstweilen zum Erliegen gekommen, deshalb herrschte gähnende Leere. Der Ort schien in Düsternis erstarrt. Noch weniger Lampen als bei meinem letzten Besuch vor zwei Tagen brannten an den Computerpulten und undefinierbaren Apparaturen, so daß ihr Schein lediglich punktuell aus der Finsternis hervorbrach. Diesmal prangte draußen hinter der Glasfront nicht einmal ein Sternenzelt, um die Dunkelheit ein wenig auszugleichen. Auch das Gebäude selbst schien um seinen Erbauer zu trauern und hüllte sich in Schwarz. Wenn die vereinzelten Lampen auch zur Erhellung des Raumes wenig beitrugen, so reichten sie doch, um Schatten zu produzieren. Die Sternwarte, die man zum Zwecke der Erforschung von gleißendhellen Tupfern im All errichtet hatte, war inzwischen zu einem Schattenreich verkommen. Schiefe Schatten auf Schritt und Tritt, ovale Schatten, Schatten, die Dinge ins Monströse verzerrten, Schatten, die in verborgenen Winkeln lebendige Gestalten vortäuschten, wo keine waren, sie alle fügten sich zu einer unwirklichen Arabeske zusammen, schienen das ursprüngliche klare Design des Schauplatzes in sein Gegenteil umkehren zu wollen, in die Architektonik der Konfusion und der Düsternis. Den Schatten fehlte aber jene Schärfe, die starke Lichtquellen hervorzaubern. Sie waren konturlos und diffus, verschmolzen oft miteinander oder beließen es dabei, die Gegenstände im Zwielicht schweben zu lassen, was jedoch einen weitaus beängstigenderen Effekt erzeugte. Der Rollstuhl fuhr ganz langsam durch diese Schattenwelt, und als sei ich gefangen in einem hoffnungslos fremden Areal, registrierte ich hysterisch die ersten Anzeichen von Orientierungslosigkeit. Die Blicke von Reinhard Furrer und Robert Sladek, deren Fotos auf jedem der Arbeitstische standen, verfolgten mich bei meiner Fahrt mit unverhohlenem Spott.

Dann erschien endlich Gertie auf der Bildfläche, in tröstlich vertrauter Positur auf dem Rollstuhl. Sie saß mit dem Rücken zu mir vor ihrem Computer, eingekesselt von den Pulten, deren Aufstellung ein eckiges U ergab und die von Papieren überbordeten. Der Monitor war eingeschaltet und zeigte den imaginären Himmelsglobus mit dem Band der zwölf Häuser. Die kleine Halogenleuchte bestrahlte sie frontal und machte aus ihrer Gestalt von mir aus gesehen einen weiteren Schattenriß. Natürlich ahnte ich, daß sie nicht mehr am Leben war, während ich mich ihr von hinten langsam näherte. Und doch hätte ich vor Entsetzen beinahe laut aufgeschrien, als ich den Rollstuhl um sie herummanövriert hatte und sie mir von vorn ansehen konnte. Gertie schien zuletzt tatsächlich mit dem Zoom-Key an ihrem Grafiktablett gearbeitet zu haben. Bloß steckte die dazugehörige Metallgabel, die sich vom Lederband zum Elektrostift hin verjüngte, nun in ihrem Hals. Der Mörder hatte sie mit diesem Hauer praktisch in die Rückenlehne des Rollstuhls genagelt. Durch die Eintrittsöffnung der Gabel hatte sie so viel Blut verloren, daß ihr gesamter Oberkörper von einem weinroten Latz bedeckt schien. Sie blutete immer noch, und der inzwischen zu einem dünnen Rinnsal verkümmerte Fluß des Lebenssaftes tropfte zunächst auf eine riesige Lache vor ihr auf den Stuhlsitz und von dort aus dann auf den Boden. Der Halogenstrahler beschien sie mit der Schärfe und der klinischen Kälte einer Operationslampe. Ihre Augen standen offen, waren aber keineswegs vor Erschrecken aufgerissen. Eindeutig hatte sie im Lauf ihrer Tötung erkannt, daß sie gegen die Bestie nicht die Spur einer Chance besaß und sich in ihr Schicksal gefügt. Was blieb ihr anderes übrig? Und auch der Mörder schien seine Überlegenheit keinen Moment in Zweifel gezogen zu haben. Er war ziemlich planlos vorgegangen und hatte sich jedesmal irgendeinen in der Nähe befindlichen Gegenstand geschnappt, wenn er ans Werk ging. Leichte Vorgehensweise für leichte Beute.

Ich wandte mich von der Horrorgestalt ab und schaute auf

den Bildschirm. Beim Anblick des astrologischen Ringes fiel mir ein, daß ich Gertie nie nach ihrem Tierkreiszeichen gefragt hatte. Ob sie wohl ihr brutales Ende vorher in den Sternen gesehen hatte? Seltsam, ausgerechnet zu den Menschen, die mir bei meinen aberwitzigen Aktivitäten so tatkräftige Hilfe geleistet hatten, hatte ich keinen näheren Kontakt gepflegt. Gertie war diejenige, deren Tod mich am intensivsten erschütterte, und kurz spielte ich tatsächlich mit dem Gedanken, ob ich für sie ein stilles Gebet sprechen sollte. Da dies jedoch einer Gotteslästerung der ungeheuerlichsten Kategorie gleichgekommen wäre, verwarf ich den Gedanken schnell wieder. Statt dessen zwang ich mich, sie erneut anzusehen und auf meine Art von ihr Abschied zu nehmen. Das Ding steckte immer noch in ihrem Hals, und sie blickte mir nun direkt in die Augen. Vielleicht würde sie jeden Moment auflachen, weil das Ganze in Wirklichkeit ein makabrer Scherz gewesen war. Ich las keinen Vorwurf und keine Wut in ihrem Blick, sondern eher Unverständnis, ja Verblüffung. Sie schien regelrecht baff zu sein.

»Es tut mir leid«, sagte ich zu mir selbst oder zu der Toten oder zu diesem geisteskranken höheren Wesen, welches all das und Schlimmeres erschaffen hatte. »Es tut mir leid. Das habe ich nicht gewollt.« Die übliche Ausrede eines jeden Menschenfeindes, den nach seinen Schandtaten melancholische Gefühle beschleichen.

Dann machte ich mich auf, um den letzten zu suchen. Denn einer fehlte noch, und ich wußte ganz genau, daß der Schlächter es wohl kaum versäumt hatte, auch ihn zu dem todbringenden Rendezvous einzuladen. Um ein Stelldichein hatte es sich nämlich hierbei mit absoluter Sicherheit gehandelt. Der Schlächter, nennen wir ihn mal den Spiegelmann, rief oder zwang sie alle zu dieser gespenstischen Zusammenkunft, nachdem er kurz vorher den Kranken kaltgemacht hatte, wahrscheinlich, weil der sich weigerte, die Bibliothek zu verlassen wie ein Fuchs den sicheren Bau. Doch worüber gab er vor, mit ihnen reden zu wollen? Wollte er sie darüber aufklären, daß sie samt und sonders in dem amüsanten Mordkomplott des Rumpfes wichtige Rollen gespielt hatten, ohne sich dessen bewußt zu sein? Nein, umgekehrt wurde ein Schuh daraus! Der Rumpf war der einzige ahnungslose Trottel, der in seinem Fanatismus und unter Mißachtung aller Alarmsignale übersah, daß er eine Mordintrige ersann, welche in Wahrheit das Kernstück einer anderen Mordintrige sein sollte. Einfacher ausgedrückt, meine »unfreiwilligen« Helfershelfer – sofern sie denktauglich waren – waren von vornherein in die Sache eingeweiht gewesen. Der einzige Risikofaktor hatte aus mir bestanden, denn von mir allein hatte es abgehangen, ob ich den vorgezeichneten Weg ging oder nicht. Doch welcher Teufel hatte diesen Mordplan erdacht und wer sollte umgebracht werden? Sladek war tot, vielleicht auch Hans und Arnold, der Kranke, VS, Gertie und . . .

Ja, auch Edi. Ich entdeckte den letzten, der in meine Machenschaften – wenn auch nur am Rande – involviert gewesen war, zirka zwanzig Meter von Gerties Leiche entfernt. Er lag unter einem Kleinteleskop vor der abgeschrägten Glasfront in einer erbärmlich gekrümmten Haltung. In Ermangelung eines Mordwerkzeuges hatte das Ungeheuer auf ihn eingeprügelt, bis er zusammengesackt war. Die Zeichen seiner unfaßbaren Brutalität stachen bei dem armen Burschen am deutlichsten hervor. Das Gesicht des Mongoloiden hatte der Mörder als Sandsack benutzt, bis es ein einziger Fleischklumpen war, in dem man nach Herzenslust herummanschen konnte. Jedenfalls war von Edis Physiognomie nicht mehr viel zu erkennen, geschweige denn von seinem charakteristischen Lachen. Man hatte in dieses lachende Gesicht so lange eingedroschen, bis es auf die doppelte Größe aufgequollen und dann regelrecht geplatzt war. Nachdem Edi gestürzt war, schritt der Spiegelmann zu dem grausamsten Akt. Damit das Opfer auch ja keine Geheimnisse mehr preisgab, bestieg er es und trampelte es mit aller Macht endgültig zu Tode. Er mußte auf dem wahrscheinlich schon leblosen Leib einen Wahnsinnstanz aufgeführt haben, insbesondere auf dem Brustkasten, denn Edis Oberkörper schien wie von einer Dampfwalze gebügelt. Der treue Bote meiner lächerlichen Hiobsbotschaften lag in einem See von Blut, das ihm zum größten Teil aus Nase und Mund geflossen war. Sogar am Fenster klebten riesige Blutspritzer. Doch das Abscheulichste an diesem Schreckenstableau waren die aus Blutschmieren bestehenden Fußspuren des Spiegelmannes auf dem Gummiboden, die um so undeutlicher wurden, je weiter sie vom Ort des Massakers in das Schattenreich führten, bis sie sich ganz auflösten. Scheinbar war er nach getaner Arbeit von Lach-Edi abgestiegen und lässig davonspaziert.

Ich mußte mich korrigieren. Die blutige Gespensterstunde war keine herkömmliche Verabredung gewesen, sondern eine Säuberungsaktion. Vielleicht hatte Gertie Mister Mysteriös gedrängt, allen, die mich wissentlich oder unwissentlich unterstützten, endlich reinen Wein einzuschenken. Dieser kam der Bitte mit Freuden nach, war es doch die ideale Möglichkeit, die verbliebenen Drei auf einen Streich zu metzeln. Einfältige Gertie, sie hatte tatsächlich an Harmonie zwischen Freaks und Gesunden geglaubt!

Ich zog ein Resümee: Es war von Anfang an geplant, daß der Rumpf einen sogenannten perfekten Mord an Robert Sladek begehen sollte. Um diese aussichtslose Unternehmung überhaupt möglich zu machen, waren einige »Verzauberte Jäger« aufgerufen, mir mit allen erdenklichen Mitteln Hilfe zu leisten. Der Rumpf wandte sich also bei seinen Bestrebungen letzten Endes exakt an die Leute, die für diese Aufgabe von vornherein vorgesehen waren, und er erdachte genau den Plan, von dem der Obermörder schon vor Ankunft des Rumpfes im Heim annahm, daß dieser ihn irgendwann ausbrüten würde. So würde die Polizei glauben, daß alles auf meinem Mist gewachsen war, fände sie je irgendwelche Anhaltspunkte. Ergo war der Spiegelmann nicht nur ein Genie, sondern er besaß auch ein geradezu mediales Einfühlungsvermögen in meine kranken Hirnwindungen.

Mein Blick streifte ein letztes Mal die drei Dahingerafften: VS mit dem Lötkolben im Rücken, Gertie mit der Metallgabel im Hals und Edi mit diesem unmöglichen Gesicht, sie alle schien jener böse Fluch heimgesucht zu haben, der genaugenommen über mich ausgesprochen worden war, damals vor Urzeiten, als Eizelle und Spermium zusammenfanden und der Chefbiologe entschied, daß diese Verbindung für etwas ganz Besonderes vorgesehen sei. Nur kurz überlegte ich, ob dieser Fluch in handgreiflicher Weise auch mich treffen könnte, ob die Bestie nicht jeden Moment aus dem Schattengewirr auf mich springen und mir mein Pusteröhrchen so tief in den Rachen bohren könnte, daß es am Nacken wieder herauskam. Aber dann schüttelte ich die Befürchtung wieder ab, weil ich wußte, daß kein Gott und kein Teufel es zulassen würde, das Kind ihrer Leidenschaft vorzeitig der Vernichtung auszusetzen. Ich würde leben, bis ich grau und gebrechlich sein würde, jeden einzelnen verdammten Tag in der Hölle meiner lästerlichen Erinnerungen schmoren und im Spiegel das Mal auf meiner Stirn betrachten.

Das Blut der Ermordeten glänzte im dürftigen Licht der Arbeitsleuchten. Jeder von ihnen hatte sein eigenes Los, seinen eigenen Leidensweg gehabt. Einer hatte seine Erinnerungen und somit sich selbst verloren. Ein anderer war ein Gefangener des Kindseins gewesen und hatte seine immerwährende Schutzlosigkeit mit einem eingefrorenen Lachen in den Mundwinkeln demonstriert. Und schließlich Gertie, von der ich nichts Privateres erfahren konnte, als daß sie im Kosmos etwas zu ergründen gesucht hatte, was dort nicht zu finden war: Zeichen unseres Schicksals. Nein, die Erde war ein deprimierender Himmelskörper, auf dem es weder Zeichen noch Wunder gab, sondern nur Sinnlosigkeit, Leid und Haß. Alle drei hatten ihr Leben in den Dienst der Sterne gestellt, und obgleich sie in einem Observatorium starben, hatten sie ausgerechnet zum Zeitpunkt ihres Todes eben jene Sterne nicht gesehen.

»Dafür wirst du brennen, Daniel«, flüsterte ich in die Schatten hinein. Und entgegnete mir selbst: »In der Hölle werde ich brennen!«

Als ich nach der blutigen Reise in mein Zimmer zurückkehrte, erwartete mich ein weiterer makabrer Scherz. Das Blumenkind hatte tatsächlich die Platte mit dem Trauermarsch aufgelegt, saß im Sassel und las seelenruhig in einer Modezeitschrift. Sie schaute lächelnd auf, als ich in den Raum hineinfuhr, korrigierte aber im nächsten Moment ihre im Widerspruch zur Musik stehende Miene, indem sie wie auf Knopfdruck einen Trauerblick simulierte.

»Schalten Sie das Scheißding ab!« herrschte ich sie an.

Sie verstand nicht ganz, was ich meinte, und kicherte nervös.

»Aber wieso? Sie sagten doch . . .«

»Schalten Sie es ab, habe ich gesagt!« schrie ich und bekam dann einen regelrechten Kreischkrampf: »Schalten Sie es ab! Schalten Sie es ab! Schalten Sie es ab! . . .«

Später, als sie endlich verschwunden war, nachdem sie mich ins Bett gesteckt hatte, dachte ich noch ein letztes Mal über den ganzen Alptraum nach. Die Dunkelheit ruhte im Zimmer wie ein aufgedunsener, kraftloser Geist, und außer dem Rauschen des Meeres drangen von außen keine anderen Geräusche herein. Das Weiß der Augen von Reinhard Furrer und der UFA-Diva an der Wand funkelten wie von einem Spotlight angestrahlte Eier. Die beiden schienen tadelnd auf mich herabzublicken. Irgendwie erinnerte mich die Stimmung an jene Nacht, als Sladek und ich damals kurz nach meiner Ankunft mächtig aneinandergeraten waren. Jetzt im Rückblick idealisierte ich die Vergangenheit zu einem warmen Nostalgiesud, in dem die Erlebnisse gemächlich schwammen wie Schnappschüsse von den Sommerferien. Ach, es hatte ja wirklich alles sehr lustig angefangen. Weißt du noch, Rumpfi, wie der Professor dir damals den Dysmelien-Katalog vor die Nase hielt und dich zwang, die ganze Vielfalt des Kaputtgeborenwerdens unter die Lupe zu nehmen? Mit welch philosophischen Winkelzügen der Mann vom Leder zog, damit deine Integration in das universelle Gemeinschaftsgefüge aus Blumen, Bienen und Babys, denen der Kopf faszinierenderweise aus dem Arsch rausgewachsen war, schnellstmöglich gewährleistet wurde. Herrlich! Und dann die Weihnachtsfeier mit Mercedes und diesen Spastiker-Placido-Domingos auf der Bühne, die Kain und Abel mimten, obwohl die echten ja im Publikum saßen. Was haben wir gelacht! Na, Rumpfi, na, und was war mit Thaddäus, dem Erfindungsreichen, ist dir diese wunderhübsche Erinnerung etwa verschüttgegangen? Er brauchte dir lediglich ein bißchen Schießpulver aufzutischen, damit du ihn des Genozids am Rumpfgeschlecht bezichtigst, du Schwachkopf! Und die kollegialen Anstrengungen mit Gertie, VS, Edi und dem Therapieleiter Hänschen, wie wir diese wirklich amüsanten Erpresserbriefe aufsetzten und in einer abenteuerlichen Odyssee dem Empfänger zuleiteten, obwohl wir, nein, ich meine, *ihr* genau wußtet, daß überhaupt kein Erpressungsgrund vorlag. Könnt' mich kranklachen! Dann täuschte ich noch Freuds Musterpatienten vor, indem ich Verdrängtes in Selbsthypnose zutage förderte. Meine Fresse, wie ich schummerige, unter Laternen ausharrende Regenjünglinge halluzinierte, was ich für eine Wissenschaft um Jupiters Aktenordner machte, als wäre er die Bundeslade, und wie ich mir diese Waisenbrüder einbildete, die untereinander mysteriöse Blicke austauschten, obgleich ich die Wahrheit über mein verpfuschtes Leben ja längst kannte! Ach

Kinder, wir hatten doch wirklich eine lustige Zeit miteinander, findet ihr nicht? Jammerschade, daß ihr jetzt nicht hier seid, um mit mir gemeinsam in diesen zum Schreien komischen Erinnerungen zu schwelgen – denn ihr seid ja alle tot!

Jetzt sind alle tot, alle sind tot, dachte ich und stellte irgendwie pikiert fest, daß ich nicht imstande war zu weinen. Wozu auch? Solche Typen wie ich weinten eigentlich nur über sich selbst. Und ich lebte ja noch.

Noch lustiger ging es am nächsten Tag zu, dem letzten in der historia trunci. Ich schloß die Augenlider und öffnete sie wieder. Dazwischen lagen etwa viereinhalb Stunden Schlaf, doch da dieser genauso schwarz und dumpf gewesen war wie meine gegenwärtige Geistesverfassung, hatte ich ihn gar nicht registriert.

Mercedes stand am Kopfende des Bettes und musterte mich mit dem spezifischen Interesse des Engels, der gelegentlich vom Himmel steigt und den Überfälligen, indem sie ihm gut zuredet, heimführt. So war das halt bei den »Verzauberten Jägern«, man brauchte nur im Bett zu liegen und einmal zu blinzeln, und schon stand jemand vor einem, sei es ein Mädchen, das zu Janis Joplins Lebzeiten lediglich als eine diffuse atomare Struktur existiert hatte, sich aber genauso wie die alte Säuferschlampe kleidete, sei es ein Polizist in der Kabarettversion eines Fernseh-Sherlock-Holmes, oder sei es ein Fotomodell, das dem Wort Vergewaltigung eine praxisnahe Bedeutung verlieh. Wenn ich noch mal blinzelte, standen vielleicht Pat und Patachon vor mir oder eine Trachtengruppe aus der Inneren Mongolei. Wie gesagt, alles war möglich an diesem Ort.

Offenbar waren doch nicht alle tot. Ich hätte mich gestern nacht mit der Schwermut ruhig etwas zurückhalten können, denn die begnadetste Akteurin des Sladekschen Ensembles war ja Gott sei Dank unversehrt geblieben. Oder würde sie gleich die

Augen verdrehen und vornüber auf das Bett kippen, mit einem Spiralbohrer im Rücken und einem Zettel in der Hand, auf dem gekritzelt stand: »Bitte sorgt dafür, daß ich in *seine* Familiengruft komme, auch wenn Henriette es gerichtlich anficht«?

»Wie geht es dir, Daniel?« hauchte sie traurig wie die zum Tode Verurteilte aus einem Greta-Garbo-Streifen. Sie sah umwerfend aus, bot zwar wieder dieses total verheulte, wund wirkende Gesicht dar, das ihr aber jenen morbiden Reiz verlieh, der mir einst beinahe den Verstand geraubt hatte. Selbstverständlich hatten die betrüblichen Umstände ihren Niederschlag auch in ihrem Outfit gefunden. Sie trug ein strahlendweißes Kostüm inklusive Netzhandschuhe, was zwar kaum der Bestattungsnorm entsprach, den Sinn dieser Kleiderwahl glaubte ich jedoch durchaus zu verstehen. Da sie Sladek so innig liebte, wollte sie nicht seinen Groll erregen, wenn er sich bequemte, von seiner Himmelsloge aus auf sie herabzublicken, indem sie in deprimierendem Schwarz herumrannte. Ich verspürte einen leisen Anflug der Eifersuchtseruption, die damals in verheerender Weise von mir Besitz ergriffen hatte. Dann aber erlosch dieses Gefühl abrupt wieder, und ich gab mich ausschließlich der Beschäftigung hin, ihren Anblick in mich aufzusaugen. Ihr Kostüm schien ein klassisches zu sein, geradeso als sei es aus den Fünfzigern per Zeitmaschine auf ihren Traumkörper geweht worden. Sie trug überhaupt keinen Schmuck und kein bißchen Schminke, was sie etwas blutleer, das heißt absolut überirdisch erscheinen ließ. Ihre kastanienfarbenen Haare waren oben zu einer aufregenden Konstruktion aufgetürmt und gaben einen graziösen Flaumnacken frei.

Sie streifte ganz damenhaft die Handschuhe ab und schlenderte, mit den Fingern auf dem Bettgestell trippelnd, zur Längsseite des Bettes.

»Wie spät ist es?« fragte ich sie, ohne auf ihre Eröffnung einzugehen.

»Fünf Uhr vorbei.«

Plötzlich stellte ich fest, daß in dem Raum eine Bullenhitze herrschte. Draußen war die Wolkenherde weitergezogen und hatte einen klaren tiefblauen Vordämmerungshimmel hinterlassen. Es würde ein drückendheißer Tag werden, ein wahrer Vorbote des Sommers.

»Würde es dich aus deiner Trauerarbeit zu sehr herausreißen, wenn ich dich bäte, das Fenster zu öffnen? Andernfalls kann es nämlich sein, daß ich innerhalb der nächsten drei Sekunden ersticke.«

Nachdem sie das Fenster aufgestoßen hatte, goß sie am Waschbecken ein Glas mit Wasser voll und brachte es mir. Behutsam setzte sie mir das Glas an die Lippen, wobei sie sich ein gütiges Lächeln abrang, als verköstige sie den Wonneproppen. Kleinrumpf erneut im Banne der Ödipusinnen. Die Brise, die durch das offene Fenster ins Zimmer drang, war zwar nicht minder warm, aber die Luftzirkulation sorgte zumindest für einige Linderung. Dadurch verstärkte sich allerdings die Wirkung ihres betörenden Parfüms, das sie bestimmt irgendwo in Afrika von Medizinmännern unter Verwendung von schauerlichen Zeremonien und Menschenopfern anfertigen ließ.

»Siehst du, jetzt sehen wir uns doch wieder, obwohl du gesagt hattest, daß es nie mehr der Fall sein würde«, sagte sie, nachdem sie mir das Glas vom Mund genommen hatte. Dann ließ sie sich auf der Bettkante nieder.

»Ich sagte auch, daß es unter ganz traurigen Umständen doch möglich sei. Bist du hergekommen, um dir von mir kondolieren zu lassen? Da hast du Pech. Ich kann nur hoffen, daß er in der Hölle schmort.«

In ihren Augen sammelte sich der erste Tau der Tränen, und die Ränder ihrer Nasenlöcher färbten sich flammendrosa. Bald tropfte ihr das kostbare Naß aus allen Gesichtsöffnungen.

»Ach, Daniel, warum mußte das alles so weit kommen? Sag mir, warum?«

»Meine Liebe, du scheinst dir den Rätselsprachstil seiner entschlafenen Exzellenz zugelegt zu haben. Vielleicht ist dir noch nicht aufgefallen, daß das der erste halbwegs normale Dialog ist, den wir führen. Ich glaube, du bist besser als ich in der Lage, eine Erklärung zu finden, warum das alles so weit kommen mußte.«

Sie zog aus dem Ärmel ein weißes Taschentuch mit den Initialen R. S., wie das feine Damen so tun, und betupfte sich damit die inzwischen richtig rot angelaufene Nase. Danach stand sie auf und ging langsam ans Fenster. Wortlos, den Kopf hin und her bewegend, blickte sie durch ihre zugekniffenen Augenlider auf den dunklen Leuchtturm, als versuche sie dort ein Gespest zu erkennen. Merkwürdig, alle Leute, die mir etwas Bedeutendes zu verkünden hatten, standen irgendwann auf und lugten aus dem Fenster. War mein Anblick denn so langweilig?

»Liebe, Daniel, abgrundtiefe Liebe, weißt du, was das ist?«

»Nein. Kann man das essen?«

»Irgendwie schon, aber sie liegt einem so schwer im Magen. Manchmal, manchmal liebst du jemanden, und dieser jemand erwidert deine Liebe. Man ist dann verliebt, wie man so schön sagt, und hat eine tolle Zeit miteinander. Aber diese Art Liebe vergeht, wird zur Gewohnheit und endet schließlich an einem reichgedeckten Frühstückstisch, an dem man sich gegenseitig anödet. Weißt du, welche Liebe nie vergeht?«

»Die zum Kabelfernsehen?«

»Die unerfüllte. Die sich selbst verzehrende. Die Liebe, die nie stattfindet. Es ist die Liebe zum Rockidol, das man nie im Leben kennenlernen wird. Oder zu dem Auto, das man sich niemals wird leisten können. Aber die gräßlichste Art der Liebe ist die zu demjenigen, den du so gut kennst, dessen Gedanken und Sehnsüchte wie deine eigenen sind, der immer in der Nähe ist – und der dich doch abweist. Die abgrundtiefe Liebe ist die zu der Person, die dich haßt.«

»Offen gesagt, hatte ich kaum das Gefühl, als hätte dich Professorchen gehaßt. Nun, vielleicht war er ein bißchen groggy, wenn du ihn beim Frisieren der Bilanzen gestört hast.«

Sie lächelte ein abgeklärtes Lächeln.

»Wie kommst du darauf, daß ich von mir rede?«

»Ja, wie komme ich eigentlich darauf? Wieso höre ich dir überhaupt zu? Warum tun wir so, als seien wir alte Freunde, die den Tod eines dritten Freundes beklagen? Und was machst du im Zimmer eines Menschen ohne Arme und Beine um diese Tageszeit? Vielleicht träumte der arme Kerl ja gerade von einem Weltrekord im Stabhochsprung.«

»Weil du mir einen Gefallen tun mußt.«

»Ich weigere mich kategorisch, in einer Modenschau für Behinderte aufzutreten.«

»Das brauchst du gar nicht. Du darfst . . .«

Sie wandte sich vom Fenster ab und schaute mir mit einer Mischung aus Flehen und Beschwörung direkt in die Augen. Das Tiefblau des Himmels verwandelte sich auf ihrem weißen Kleid in Ultramarin, so daß sie nun wie eine verzauberte Nixe wirkte, welche sich den Landbewohnern nur zu bestimmten mythischen Morgenstunden zeigt. Sie machte den Eindruck, als wolle sie aus dem Fenster springen, wenn ich ihrer Bitte nicht entspräche.

». . . du darfst nur nicht der Polizei verraten, was du weißt.«

Boing! Meine Nixe des mythischen Morgens entpuppte sich als ausgebuffter Advokat des Spiegelmannes. Aber ich hätte mir denken können, daß sie mir keinen Besuch abstattete, um mit mir das Problem der abgrundtiefen Liebe zu erörtern. Offensichtlich war das bestialische Projekt noch lange nicht abgeschlossen, und ich spielte darin immer noch eine wichtige, vielleicht sogar die wichtigste Rolle. Doch ich verspürte wenig

Lust, brav meinen Text aufzusagen und den Anweisungen des Regisseurs zu folgen, der hinter den Kulissen alles im Griff zu haben glaubte. Im Gegenteil, spontan beschloß ich, ihm die Suppe gründlich zu versalzen.

»Und was geschieht, wenn ich dir den Gefallen abschlage? Muß ich dann sterben?« begehrte ich mit einem trotzigen Gesichtsausdruck auf. Die Frage traf ins Schwarze. Mercedes' zwar feuchte, bis zu diesem Punkt jedoch in Maßen selbstsicher wirkende Fassade geriet ernsthaft ins Wanken, als wäre sie auf diese Wendung nicht gefaßt gewesen. Ungläubiges Auflachen wechselte abrupt mit ohnmächtigem Stirnrunzeln, und sie taumelte wieder in Richtung des Bettes zurück, die Arme emporgestreckt, als würde sie um Manna bitten. Allmächtiger, wie um vieles berückender sie in dieser hilflosen Pose doch aussah! Und meine schmutzigen Lauscher vernahmen, wie ihre Seidenstrümpfe in dem engen Rock aneinanderrieben: schhp-schhp-schhp. In letzter Zeit hatte ich genug Gelegenheit gehabt, mich mit dem Jenseits und seinen unappetitlichen Begleiterscheinungen zu beschäftigen, doch wenn man es so betrachtete, war das Leben eigentlich auch ganz lustig.

»Aber, Daniel, was redest du da? Niemand wird mehr sterben.«

Stimmt, außer uns beiden waren ja auch schon alle tot. Sie kniete sich neben dem Bett nieder, legte einen Arm auf meine Brust und schaute mir mitleiderheischend in die Augen. Verdammt noch mal, hatte denn niemand diese Person darüber aufgeklärt, daß man solche bedürftigen Burschen wie mich nicht einmal in ein Bordell in Angola reinließ, geschweige denn auf den Schoß eines Modells!

»Du wirst sehen, alles wird jetzt gut. Und es ist besser für alle, daß du die schrecklichen Ereignisse so schnell wie möglich vergißt.«

»Besser für alle?«

Das war zuviel, ich brach in irres Gelächter aus. Sie wußte nicht, wie sie reagieren sollte, und lachte dann aus purer Hilflosigkeit mit. Es sah aber so aus, als hinke ihr Lachen meinem immer einen Schritt hinterher, vermutlich, damit sie es rechtzeitig abstellen konnte, wenn ich plötzlich wieder die Besinnung erlangte.

»Besser für alle? Was meinst du damit, o über alles geliebte Mercedes?«

»Nun, ich meine, daß in diesem Heim schlimme Dinge passiert sind, unter die ein endgültiger Schlußstrich gezogen werden sollte. Niemand wird wieder lebendig, wenn die Polizei im Dreck wühlt.«

»Vielleicht doch. Denn die Toten sind so lange nicht tot, solange man sich an sie erinnert. Und ich will mich an manche Tote noch extrem lange erinnern, das kann ich dir versprechen.«

»Demnach möchtest du die Polizei über die Heimlichkeiten aufklären?«

»Was kriege ich denn, wenn ich es nicht tue?«

»Pardon?«

»Ich rede von Kohle, Mädchen.«

»Kohle?«

»Also sagen wir mal, du und der Hundsfott, der dich hergeschickt hat, vermacht mir das Acapulco-Paket, und wir sind quitt.«

»Geld? Dir geht es tatsächlich um Geld? Aber das ist absurd. Daniel, leider ist es mir jetzt unmöglich, so zu sprechen, wie ich möchte. Doch ich kann dir versichern, daß die Dinge ganz anders liegen, als du glaubst.«

»Das brauchst du auch gar nicht. Mir liegt nämlich überhaupt nichts an Geld.«

»Was willst du dann?«

Ich schwieg. Sie hing geradezu an meinen Lippen und dachte

wohl, daß ich gerade dabei war, irgendeine Narretei auszubrüten wie ein blödes Sportcoupé oder eine alberne Weltreise. Auch eine wohlfeile Spende für die hehre Sache der Behinderten wird sie mir wohl zugetraut haben, die Ahnungslose. Doch als mein Schweigen sich immer mehr in die Länge zog, brach das Unvorstellbare auch in ihre Vorstellungswelt ein, und ihre Augen spiegelten in Etappen zunächst Unglaube, dann Bedrängnis und schließlich nur noch nacktes Entsetzen. Was mich anging, so hatte ich mich von dem, was Menschen als moralische Gesinnung zu bezeichnen pflegen, schon so weit entfernt wie der Satellit Voyager von seinen Schöpfern. Das bißchen Quälerei spielte nach all den Schandtaten auch keine Rolle mehr. Betrug, Erpressung, Mord und nun auch noch Frauenschänderei, diese Taten kennzeichneten mein wahres Wesen. Hinter der Maske des Klugkrüppels verbarg sich der ganz normale humanoide Abschaum. Ja, warum denn auch nicht, verflucht! Unversehrte entfachten Kriege, welche Millionen von Menschenleben auslöschten. Aber wenn unsereiner in der Fußgängerzone ein Kondom aufblies, hieß es gleich: Bäh! Vielleicht hätte ich einen Verein gründen sollen, dessen Ziel die Emanzipierung der Leidensgenossen aus den ihnen angedichteten tugendhaften Klischees wäre. Slogan: Behindert, aber trotzdem brünstig!

Es war so widerlich leicht, die Kutte des Schweinchen-Dick-Soziologen überzustülpen und dummdreiste Leitartikelreden zu schwingen, wenn die Parfümwolken einer sakrosankten Schönheit einem die Ethikkanäle verstopften und man sichergehen konnte, daß sie in der Falle saß. Es stimmte schon, Gelegenheit machte Diebe, in meinem Falle sogar ausgewachsene Ferkel.

Sie schien die Phase des Erschreckens überwunden zu haben und inzwischen ernsthaft zu überlegen. Höchstwahrscheinlich über die technischen Einzelheiten einer derartig abstrusen Aktion. Demzufolge war sie bereit, mein Schweigen gegenüber Kasimir selbst um den Preis eines Sextraumas zu erkaufen. Gern hätte ich einige Hypothesen darüber angestellt, wer hinter ihr stand, warum es so wichtig sein sollte, daß ich meine eigenen Verbrechen nicht gestand, und aus welchem unerfindlichen Grund sie es absurd fand, daß ich Geldwünsche äußerte. Doch zu diesem Zeitpunkt und in dieser verrückten Situation hätte es mich nicht einmal interessiert, wenn draußen das Meer sich geteilt hätte. Über ihrem Gesicht schwebte weiterhin ein großes Fragezeichen, als sei sie plötzlich mit etwas konfrontiert worden, das außerhalb der Realität lag. Um ihr teils die Angst zu nehmen und teils etwas Hilfe angedeihen zu lassen, sagte ich nach einer Weile in meinem unschlagbaren Jack-the-Ripper-Charme: »Du wirst es nicht für möglich halten, Mercedes, doch ein Stück meines Körpers ist geformt wie ein gynäkologisches Instrument!«

Sie wich zurück, als hätte das Monstrum sie mit seinen schleimigen Saugnäpfen berührt. Dann jedoch ging eine sonderbare Wandlung in ihr vor: Ihre Gesichtszüge erstarrten wie die des Fallschirmspringers, der an der Ausgangsluke unwiderruflich beschließt, daß er das Flugzeug nicht mehr auf die herkömmliche Art verlassen wird. Sie stand auf, trat wieder ans Fenster und warf einen wehmütigen Blick auf den Leuchtturm. Draußen brach eine imposante Dämmerung an, deren warme Goldstrahlen sie zu einer irisierenden Silhouette im Gegenlicht machten. Ihr Körper bildete sich in diesem zuckrigen Schein durch das Kleid als Schattenriß ab, und ihr kastanienrotes Haar wirkte wie eine Funkenexplosion in der Glut. Ohne sich mir zuzuwenden, griff sie jetzt in diese Haare und zog eine Spange heraus, worauf das ganze Gebilde auseinanderfiel und die einzelnen Strähnen sich fächerartig über ihren Rücken bis zur Hüfte verteilten. Ich bekam eine Gänsehaut. Für einen Moment fragte ich mich, ob das die Belohnung war, die Belohnung für

mein gemeines Ränkewerk, für all die erfolgreich Abgeschlach-
teten, die irgendwo im Haus noch immer in ihrem Blut lagen.
Aber da der Rumpf an sich ein ziemlich eigensüchtiger und
dickhäutiger Zeitgenosse ist, verschwendete ich auf diese philosophische Frage alsbald keinen weiteren Gedanken.

Sie streifte ihr Oberteil ab, knöpfte ihren Rock auf, ließ ihn
auf den Boden fallen und entblößte einen Körper in changie-
rend weißer Unterwäsche. Aus reiner Verlegenheit wollte ich
ihr sagen, daß sie aufhören solle, weil alles nur Spaß gewesen
sei, befürchtete jedoch, zu stottern und mich noch lächerlicher
zu machen, und ließ es sein. Dann endlich drehte sie sich mir
zu.

Verschwitzte Achselhaare von Mercedes, Schamhaare von
Mercedes, die durch den Slip elektrisierend durchschienen wie
eine Fata Morgana, Brustwarzen von Mercedes, deren Höfe
über die Ränder des Körbchen-BHs lugten, Bauchnabel von
Mercedes (sehr groß geraten, das heißt durch die Unvollkommenheit doppelt anziehend, Halleluja!), Mercedes' formvollen-
dete Beine, Mercedes' Arme, die sich sanft an ihre Schenkel
legten, als sie nun kerzengerade vor mir stand. Es war gerade so,
als hätte Doktor Frankenstein in einem Geilheitsanfall mit seiner goldenen Kreditkarte ganz furchtbar in einer erlesenen
Boutique für Gliedmaßen gewütet und dann sein absolutes
Meisterwerk geschneidert. Mein Gott, wie konnte eine so junge
Frau eine so enge Taille und gleichzeitig einen so kolossalen
Birnenhintern haben! Der im Bette liegende Frankenstein (oder
war es Igor?), der sich nun nichts Sehnlicheres wünschte, als
daß solch eine Wunderboutique doch wirklich existierte, mußte
die Augen zusammenkneifen, um von der heller als die aufgehende Sonne leuchtenden Erscheinung nicht geblendet zu werden. O Maria, vergib mir, schlußendlich wurde ich dir doch
untreu!

Sie zitterte ein wenig – ob wegen des Luftzuges, der ihren

halbnackten Körper sachte umstreichelte und ihr Haar durcheinanderwirbelte, oder wegen der bevorstehenden Folter, das war schwer zu sagen. Und ich, ich zitterte auch, zusammen mit meiner nie benutzten, gleichwohl jahrelang akribisch gepflegten Rute, von der ich befürchtete, daß sie gleich als Mast die Bettdecke in ein Zirkuszelt im Kleinformat verwandeln würde. Mit teils strengem, teils herausforderndem Gesichtsausdruck schritt Mercedes auf mich zu, und je näher sie kam, desto mehr ähnelte sie jenen fleckenlosen Evas, die in Katalogen und Prospekten für Damenunterwäsche werben, diesen Hochglanzwesen mit klarem Blick und klaren Linien, deren Posen nicht der leiseste Hauch einer Obszönität anhaftet, welche jedoch durch eben diese keimfreie Zurschaustellung ihres Fleisches genau den gegenteiligen Effekt erreichen und einem Berufsonanisten wie mir leicht den Verstand rauben können. Schließlich machte sie genau vor der Kante des Bettes halt, so daß sie auf mich herab und ich geradewegs auf das Dreieck zwischen ihren Beinen aus durchbrochener Spitze schauen konnte. Dieser Stoffwinkel besaß die barmherzige Eigenheit, daß, obwohl er das Kronjuwel säuberlich verhüllte, die beiden Leistenbeugen vollkommen unbedeckt ließ. Die beginnende Schambehaarung, noch Flaum und durch die Gänsehaut abstehend wie ein sich lichtender Wald, zog eine atemberaubende Demarkationslinie zu der zartesten Haut einer Frau.

Ihr Schweigen machte mich ein bißchen nervös. Und dann dieses ernste Gesicht, als sei sie tödlich beleidigt. Ihre Schuld. Sie hätte ja verhandeln können, als ich ihr meinen Herzenswunsch vortrug. Vielleicht nur Klamotten runter, aber keine Berührungen. Oder lediglich ausgeklügelte Fingerfertigkeit ohne Nahkampfeinsatz. Was weiß ich! Im nächsten Augenblick wurde mir die Unverschämtheit meiner Reflexionen bewußt. He, du Affe, rief ich mir in Gedanken zu, du hast es mit Mercedes, der Göttin der Säfte, zu tun, die Tote wiederzuerwecken vermag, nicht mit einer Groschennutte, die mit dir um einen Heiermann schachert! Nach dieser Zurechtweisung konzentrierte ich mich demütigst voll und ganz auf den Zauber, der von ihr ausging.

Ich konnte riechen, ja, ich konnte riechen. Was? Nun, zunächst sie selbst. Ein epochaler Geruch, als wenn Mutter, Ehefrau, Geliebte, Hure, die namenlose Sechzehnjährige, die auf der Straße an einem vorbeistreift und sich in der Phantasie zu einer Sekundenliaison verewigt, kurz, *das* Weib als solches zu einem sensationellen Duftwasser destilliert worden wäre. Dann das Bukett weiblicher Schweißabsonderungen, welches bei jungen Frauen so zum Den-Kopf-immer-wieder-gegen-die-Wand-Knallen erregend wirkt, möchte ich mal als alter Rollstuhlgrandseigneur verraten. Letztlich, man nehme es mir nicht übel oder verstehe es richtig, roch ich den Geruch des Kristallisationspunkts eines jeden Weibes. Und dieser, genau dieser war es, der den vorhin erwähnten Vergleich mit dem Zirkuszelt im Kleinformat zur peinlichen Realität werden ließ, meine Herren oder Damen oder die im Herzen Rumpfgebliebenen, die mir eigentlich die liebsten Zuhörer sind.

Ohne ihren stahlharten Blick von mir abzuwenden, öffnete sie ihren Büstenhalter, wirbelte ihn in der humorlosen Parodie einer Stripperin im Kreis und schmiß ihn dann weg. Kyrie eleison! Ich sah *sie*, endlich und wahrhaftig. Sie waren gigantisch, unglaublich und begehrlich, ja, sie waren Bollwerke gegen alles Häßliche und Deprimierende in dieser Welt. Doch irgendwie sahen sie auch so aus, wie ich es erwartet hatte: sehr voluminös, dennoch kräftig, fest und voller Elastizität. Ihre Brustwarzen gehörten zu der Gattung, denen eine abnormale Länge und Festigkeit zu eigen sind, als würde man sie ständig mit Eiswürfeln traktieren. Summa summarum war sie der Traum eines jeden Mannes ohne Arme und Beine, zweifellos, hahaha!

Zum Finale häutete sie sich auch aus ihrem Slip, was jedoch

diesmal nicht so locker als provozierende Persiflage vonstatten ging, da dem ganzen Vorgang zuviel natürliche Verletzlichkeit und Schamgefühl innewohnte, als daß man ihn zu einem spöttischen Schauspiel uminszenieren konnte. Okay, ich sah auch ihr letztes paradiesisches Geheimnis. Selbstverständlich hatte ich etwas in der Art schon mehrmals gesehen, nein, nicht im anatomischen Museum, wie man vermuten könnte, sondern, wo sonst, in den einschlägigen Magazinen. Doch zu einer leibhaftigen Erforschung dieses, ja, soll ich sagen, Organs? war ich, wie übrigens auch aus meiner Vita hervorgeht, bis jetzt nicht gekommen. Deshalb verwundert es kaum, daß mir dessen Anblick den wirklich allerletzten Triebstoß versetzte. Zudem reizte Mutter Natur mich durch kirremachende Beleuchtungseffekte: Die immer kräftiger werdende Sonne beschien den Leib der Entblätterten von hinten, und ein besonders greller Strahl schoß geradewegs zwischen ihren Oberschenkeln hervor und traf meines Auges Apfel, so daß im Gegenlicht Härchen aufflammten und die leicht geöffneten Lippenränder der Frucht hellrosa schimmerten. Trotz schmerzhafter Blendung war mein Blick wie festgenagelt. Meinetwegen konnte ich nach all den himmlischen Eindrücken auch das Augenlicht verlieren. Was gab es auf dieser tristen Welt noch Vollendeteres zu schauen, außer vielleicht ihren verdammten Untergang?

Doch ich wurde nicht blind, im Gegenteil, Sehstärke und Auflösungsvermögen intensivierten sich, als sie sich mit einem Mal über mich beugte – ihre monumentalen Erhebungen schwebten flüchtig und haarscharf an meiner Nase vorbei wie aus dem Nebel auftauchende Zeppeline – und die Bettdecke zur Gänze aufschlug. Ich lag da, in meiner schäbigen Unterhose. Sie sah aus wie die Mütze einer Trickfilmfigur, der nach einem Schlag mit dem Vorschlaghammer eine karikaturhafte Beule wuchs. Zugegeben, ich besaß keine Arme und keine Beine, und die Stellen an meinem Rumpf, wo sie hätten beginnen müssen, sahen aus wie die polierten Rundungen einer modernen Skulptur. Doch immerhin konnte ich mit einer athletischen Mannesbrust aufwarten. War das vielleicht nichts? Unsere Blicke trafen sich. In ihrem erkannte ich zum Glück keinen Ekel, aber leider auch keine Begierde. Eher das Aufflackern von Neugier gepaart mit einem Schuß Entschlossenheit, als hätte sie sich endlich dazu überwunden, das Raumschiff zu verlassen und den fremden Planeten zu erkunden.

Dann tat sie etwas, das beinahe schon ausgereicht hätte, eine Ejakulation vom Ausmaß eines Hydrantenausbruches zu provozieren. Sie warf den Kopf nach hinten, um den sichtbehindernden Haarvorhang zu beseitigen. Gleichzeitig nahm sie die Hand zu Hilfe und streifte die letzten widerspenstigen Strähnen hinters Ohr. Der ganze Ablauf hatte nur Sekundenbruchteile gedauert, und doch dehnte er sich in meinem inneren Auge zu einer Zeitlupenaufnahme von unfaßbarer Trägheit. Ich sah, wie das im goldenen Licht glutrot erstrahlende Haar erst hoch, dann nach hinten wirbelte. Sah, wie der Arm hochfuhr und dadurch die verschwitzte Achselhöhle mit dem Haarbusch freigab, wie Schweißperlen daraus hervortraten und an der wie von einem funkelnden magischen Schein belegten Haut herunterkullerten. Und ich sah, wie Mercedes jetzt den rechten Fuß aufs Bett setzte, sich darauf stützte, dabei ein wenig die Beine spreizte und so zwischen dem spärlichen, dunklen Hain ihres Unterleibes die rosaschimmernde Vulva entblößte, die mir erschien wie die einzige Offenbarung, die mir je zuteil geworden war und jemals zuteil werden würde, sah, wie die Spalte sich wieder schloß, die Lippen jedoch weiterhin etwas auseinandergedriftet blieben, wie sie endlich aufs Bett stieg, mir das Höschen wegriß und sich mit ihren Kirschlippen und Cherubinenaugen über mich neigte, als sei sie *die* gute Fee der Rumpfenoiden. So soll es denn sein! schrie ich im Kerker meines so schrecklich verwunschenen Körpers, dem nicht einmal ein einziger Finger gegönnt war, um diese Heiligkeit aus Haut, Schweiß und Gerüchen zu berühren, so soll es denn sein!

Mercedes schaute von oben auf mich herab wie der bedächtige Habicht, der aus schwindelerregender Höhe die einfältige Ratte im Blick hat. Sie kniete dicht über mich gebeugt mit weit gespreizten Beinen. Ihre Brustknospen berührten meine Brust, und mein zuckendes und in Wollust schmerzendes Rohr schlug rhythmisch gegen ihr Füllhorn des Trostes – ein unerwarteter Besucher, der um Einlaß bittet. Sehr bald spürte ich auf seiner Spitze Feuchtigkeit und an dem solcherart traktierten Widerstand eine rasch fortschreitende Weichheit. Ach, welche Weltreiche hätte ich dafür gegeben, sie in diesem Moment zu pakken, bis sie keine Luft mehr bekäme, und dann sogleich meinen Eiffelturm in ihren triefenden Himmel zu stoßen. Aber wäre es in diesem Falle das gleiche gewesen? Fürwahr, Erotik entstand nicht nur im Kopf, sondern auch in der Situation, in der man sich befand, falls man meinen Zustand überhaupt als Situation bezeichnen kann. Ich wollte ihr etwas sagen, um Entschuldigung bitten oder mich bedanken oder ihr ewige Liebe schwören, was sich übrigens ganz amüsant angehört hätte, und öffnete deshalb den Mund. Doch sie reagierte schnell und legte ihre Hand an meine Lippen. Dann lächelte sie entrückt, als habe sie sich mit Drogen gestärkt, und hielt den Zeigefinger senkrecht vor den Mund.

»Pssst!« sagte sie, kam auf mich nieder wie Gott auf den Propheten und küßte mich. Ich riß den Kopf nach vorne und saugte mich an ihren Lippen, Mundwinkeln, Zähnen, Gaumen und nicht zuletzt an ihrer Zunge fest, während ich so intensiv wie nie zuvor ihren unvergleichlichen Geruch inhalierte. Und sie war es, die *mich* packte an meinem Leib, an meinem Rumpf, von beiden Flanken und so fest, als wollte sie gleich ganze Stücke daraus herausreißen, und sich dann mit einer tänzerischen Bewegung zur Seite rollte und die auf dem Rücken liegende Schildkröte mitnahm in das Land der niemals enden wollenden Seligkeit. Wie für jeden einleuchtend, war es der falsche Moment, Diskussionen darüber zu führen, wer oben liegen sollte. Daher wehrte ich mich nicht, sondern nuckelte wie besessen weiterhin an ihrem Mund, gab auch so manch ein viehisches Geräusch von mir, während der vor Überlastung schier auseinanderberstende Ast versuchte, das Beste aus der Situation zu machen und mit kollegialer Beckenverstärkung sein Heim zu finden. Nun, es gab wirklich und wahrhaftig keine Möglichkeit, ihre Haut mit Streicheleinheiten zu verwöhnen, wie inbrünstig ich dies auch getan hätte. Deshalb ergriff Mercedes die Initiative, als ich auf ihrem Bauch so zappelnd dalag wie ein gestrandeter Fisch. Sie drückte mich, sie knuffte mich, sie gab ein schluchzendes Gestöhne von sich, von dem ich nicht genau wußte, was ich davon halten sollte, weil ich insgeheim glaube, daß ich auf Fotomodels so erotisch wirke wie ein Holzstapel. Und zu allem Überfluß wanderte sie mit ihrer rechten Hand über meine Pobacken, hinterrücks sozusagen, und umfaßte liebevoll meine angespannt hampelnden, sehr haarigen Kugeln, worauf ich meinerseits in ein Gewimmer ausbrach. Die süße Marter war kaum mehr zu ertragen, und irgendwie muß sie diese Not gespürt haben. Denn gleich im nächsten Augenblick grabschte sie nach meinem Spender, unglaublich fest, ja fordernd, wichste ihn ein paarmal brutal, so daß er endgültig die Stabilität einer Eisenstange erreichte, und stopfte ihn dann in ihre naßwarme Höhle.

Ich nehme an, man erwartet jetzt, daß ich an diesem Höhepunkt der Glückseligkeit den wohlverdienten Herzinfarkt erlitt oder den Überraschungsschrei eines Höhlenbewohners ausstieß. Nein, nein, es war ganz anders und ganz kurz. Zwecks Reizung (für wen auch immer) drückte die tapfere Mercedes zwei-, dreimal auf das Hinterteil des Rumpfes, und der Patient selbst parierte diese Schübe mit hinlänglicher Unterleibzappelei. Mein Torpedo fühlte sich pudelwohl in ihren Gewässern, wie er so die flexiblen Korallenwände beständig zur Seite schob, die zum Jauchzen fix nachgaben. Aber gerade war die buchstäbliche Jungfernfahrt angelaufen, da wurde ich jäh von einer derart unvorstellbaren Macht übermannt, daß ich tatsächlich für den Bruchteil einer Sekunde Beine zu haben glaubte und die kräftigsten Füße der Welt, mit denen ich mich im Bett abzustützen wähnte und ihr den unbändig pulsierenden Knüppel mit voller Wucht in ihr verdammtes Loch rammte. Gleichzeitig riß ich den Kopf nach oben und schaute ihr direkt ins Gesicht. Ein von den Sonnenstrahlen stechend hell angestrahltes Gesicht, das verzerrt war von lustvoller Qual, Lippen, so wülstig, so unfaßbar verlangend, die offenstanden und sich wanden und die die Zunge leckte und benäßte wie eine aus dem Sumpf entkrochene glitschige Schlange, Augen, die nur als das blendende Weiß ihrer Augäpfel hinter dem schmalen Spalt ihrer Lider zu erkennen waren, und lange, lange Haare, die über dieses Gesicht wild zerzaust waren wie eine Arabeske, wie Schilfmotive vor einem wunderschönen klaren See – und ich konnte mich nicht satt sehen an ihr, an meiner gottgleichen Mercedes, und so genau, wie ich wußte, daß ich in meinem verdorbenen Leben niemals wieder in irgendeine Frau eindringen würde, wußte ich auch, daß ich sie mehr liebte als alles, was ich auf Erden je gesehen oder mir vorgestellt oder mir irgendwie erhofft hatte.

Es kam mir. Doch kein Schrei, kein Ruf der Wildnis entrang sich meiner Kehle auf dem Gipfel unserer durch blanke Nötigung hervorgegangenen Vermählung. Ich weinte, geneigtes Rumpfpublikum, ich weinte.

Der Rest ist ein wenig flach, verblaßt und ziemlich durchschaubar. Nach dem sogenannten Akt zog sie sich eilig an, beschwor mich, der dalag wie vom Blitz gestreichelt, ein letztes Mal, die

Polizei aus dem Spiel zu lassen, schenkte mir einen Kuß, drolligerweise auf die Stirn, und verschwand so geisterhaft, wie sie gekommen war. Eine halbe Stunde später erschien das Blumenkind, und ab ging es in die Badewanne. Unter anderen Umständen hätte ich die Tatsache, von einer Frau eingeseift zu werden, bis zu der schäbigsten Frotzelei genossen. Doch ich bemerkte unter dem heißen Wasser ihre Anwesenheit gar nicht, genausowenig wie die immer grauer werdende, belanglose Welt um mich herum.

Den restlichen Tag verbrachte ich wie betäubt im Zimmer und starrte mit hypnotisiertem Blick auf den Leuchtturm, während draußen im Haus eine Leiche nach der anderen entdeckt wurde. Gegen Sonnenuntergang hatte ich das Gefühl, als schwebe ein Damoklesschwert über mir, und in mir wuchs immer mehr die Überzeugung, daß so etwas Ähnliches wie eine Entscheidungsschlacht bevorstand. Als der Abend anbrach – die Hitze, die den ganzen Tag über der Küste gelegen hatte, wollte nicht weichen –, ließ ich mir das Essen ins Zimmer bringen, stellte dann jedoch fest, daß ich keinen einzigen Bissen herunterwürgen konnte. Danach versank ich abermals in die Betrachtung des Meeresufers mit dem in der Finsternis kaum mehr wahrnehmbaren Leuchtturm, sah, wie nach und nach das Sternenzelt erstrahlte, während meine Pflegerin alle naselang ins Zimmer stürmte und mich mit gruseligen, immer differenzierter werdenden Infos aus der Welt des Verbrechens versorgte, die ich schon alle aus erster Hand kannte. Doch ich ließ mir nichts anmerken und sagte müde: »Ach, wie schrecklich!« oder »Ach, wie furchtbar!«, um dann wieder in die Lähmung zurückzufallen.

Es war schon zehn Uhr geworden, und das Mädchen mußte sich in der Kantine gerade als Diebin versuchen, um für den liebeskranken Rumpfeo etwas Alkoholisches zu beschaffen. Spiritus wäre gerade das Richtige gewesen. Ich saß im Rollstuhl, guckte dumpf vor mich hin, schwitzte wie ein Steinbruchsträfling, und die Entscheidungsschlacht begann immer noch nicht. Das Damoklesschwert jedoch sauste auf meinen Schädel endlich hernieder. In Gestalt Kasimirs.

Er betrat den Raum mit einem listigen Lächeln, Verlegenheit und Eile vortäuschend, gebückt wie der typische Nervtöter, der um seinen nervtötenden Charakter allzugut Bescheid weiß. Dennoch verriet sein elendes Erscheinungsbild, daß der Fall Rumpf das furchtlose Kriminalistenherz arg in Mitleidenschaft gezogen hatte. Der aschfahle Farbton des Gesichtes hatte sich inzwischen ins Betongraue verschoben; sämtliche Falten und Runzeln schienen wie durch eine schiefgegangene plastische Operation gestreckt und verdoppelt. Er war so naßgeschwitzt, daß man geneigt war zu glauben, er habe soeben ein Bad genommen. Kein Wunder, wenn man bei der Bruthitze in einem Wintermantel steckte und den Kopf mit einem nicht minder warmen Hut bedeckte. Seine Hände zitterten, aber das nervöse Wechseln der filterlosen Zigaretten von der linken zur rechten und retour funktionierte immer noch einwandfrei. Ich fragte mich allmählich, warum man bei der Polizei solch ein Wrack noch frei herumlaufen ließ. Mochte ja sein, daß er ein Kombinationsgenie war, aber die Verantwortlichen durften auch nicht darüber hinwegsehen, daß der gute Mann dem Öffentlichkeitsbild des Senioren einen irreversiblen Schaden zufügte.

Kasimirs Lungen veranstalteten eine beängstigende Pfeifsymphonie, als er sich mir näherte und sich dabei geradezu überschlug, einen harmlosen Eindruck zu erwecken, obwohl er gleichzeitig genau zu wissen schien, daß ich wußte, daß er alles wußte. Idiotisches Theater! Da ich ihm keine Aufmerksamkeit schenkte und stur das schwach schimmernde Meer im Auge behielt, blieb er mitten im Zimmer unschlüssig stehen und massierte die linke Brustgegend. Dann startete er ein krampfhaftes Höflichkeitsgeräuspere, was ziemlich danebenging, weil er durch das Reizen der Atemwege einen echten Hustenanfall bekam. Als er damit endlich fertig war, lächelte er wieder verlegen.

»Es klingt unglaubwürdig, aber es lag wirklich nicht in meiner Absicht, Sie noch mal aufzusuchen. Doch besorgniserregende Vorfälle, von denen Sie sicherlich schon gehört haben, zwingen mich, Sie mit ein paar zusätzlichen Fragen zu belästigen.«

Ich tat so, als sei er Luft. Den Kerl brauchte ich momentan so dringend wie ein Magengeschwür.

»Ach, übrigens war ich so frei, das Mädchen für ein Stündchen zu beurlauben, damit wir uns ganz in Ruhe unterhalten können. Sie sind doch sicher damit einverstanden, Herr . . .«

Er legte eine Pause ein und verkniff das Gesicht. All sein Getue fiel plötzlich von ihm ab.

»Herr Sladek?«

Der neunmalkluge Knabe dachte wohl, daß ich vor lauter Bestürzung vom Stuhl kippen würde. Lächerlich! Das Schreckliche an meiner Existenz hatte ich bereits im Morgengrauen erfahren.

»Sladek, so heißen Sie doch in Wirklichkeit, nicht wahr?«

»Das werden Sie bestimmt gründlicher recherchiert haben als ich, Herr Kreuzer«, sagte ich, blies in das Steuerungsröhrchen und wandte mich ihm frontal zu. Meine Güte, er sah schlimmer aus, als ich es aus den Augenwinkeln registriert hatte. Wie ein Bedürftiger, den irre Doctores zwecks eines Horrorexperiments den ganzen Tag in die Sauna eingesperrt und dann als Belohnung mit dicken Klamotten von der Altkleidersammlung ausstaffiert hatten. Seine verknitterte Visage zuckte an allen Ecken und Enden. Ich nahm an, daß er die Nacht wach geblieben war, um mit seinem Team den ganzen Wust von Lug und Trug durchzuarbeiten.

Auf meine letzte Bemerkung hin leuchtete in seinen trüben

Augen, in denen das Lebensfeuer längst erloschen war, abgründiger Schalk auf. Im dämmrigen Schein der Leselampe wirkte er jetzt erst recht wie das gutartige Schloßgespenst, das die Bewohner regelmäßig mit Streichen zu necken pflegt.

»In der Tat habe ich mir aus dem Polizeiarchiv Ihres Heimatortes einige interessante Dokumente zufaxen lassen. Nun, es existieren Papiere, aus denen hervorgeht, daß Robert Sladek Ihr Bruder war. Die Schlußfolgerungen der damaligen Ermittlungsbeamten basieren hauptsächlich auf anonymen Briefen, die man zehn Jahre nach Ihrer Adoption erhielt. Daraufhin wurden weitere Nachforschungen angestellt, und obgleich sie zu keiner endgültigen Aufklärung führen konnten, ging man davon aus, daß der Fall auf diese Weise abgeschlossen sei. Die Ermittler übergaben sogar eine Akte mit den Ergebnissen der neuerlichen Untersuchung Ihrem Pflegevater Jupiter Magnus. Haben Sie davon gewußt?«

»Mit dem Wissen ist es so eine Sache, Kasimir. Oft denkt man, man weiß etwas, und im Grunde weiß man gar nichts. Und wie furchtbar ist Wissen, wenn es dem Wissenden keinen Gewinn bringt, um bei der Gelegenheit einen guten alten Freund zu zitieren.«

»Sie sind ein kleiner Philosoph, wie ich sehe.«

»Das wird man leicht, wenn man den ganzen Tag nix zu tun hat.«

»Sind sie nicht wißbegierig darauf, zu erfahren, was die Ermittlung der Mordfälle Neues zutage gefördert hat?«

»Und wie! Ich platze gleich vor Neugier. Schießen Sie los, mein Bester!«

Diesmal wankte er ohne einen Hinweis von mir schnurstracks zum Regal und drückte auf dem Unterteller seine Zigarette aus. Anschließend steckte er sich sofort eine neue an, und den Glimmstengel in der einen Hand, den Unterteller in der anderen spazierte er nun im Zimmer auf und ab. Er schien die

Konzentration selbst, fieberhaft bemüht, nur ja kein wichtiges Detail auszulassen.

»Das Wichtigste verrate ich Ihnen gleich, Herr Sladek oder Herr Magnus, je nach Belieben. Ich weiß jetzt, wer all die Morde auf dem Kerbholz hat! Um ehrlich zu sein, ist dies eigentlich der Hauptanlaß, weshalb ich hier bin. Im Anschluß an unser Gespräch werde ich auch meine Kollegen von dieser Enthüllung in Kenntnis setzen und einen sehr langen Bericht schreiben. Doch ich wollte, daß Sie die sensationelle Nachricht als erster erfahren, weil, nun ja, wie ich schon bei meinem ersten Besuch sagte, weil die Angelegenheit in einem größeren Zusammenhang auch Sie betrifft. Natürlich gibt es da dunkle Punkte, Irritationen, unbegreifliche Dinge, was das Motiv des Täters angeht. Aber Mörder sind nun einmal auch Menschen, und der Mensch ist so unbegreiflich wie . . .«

Er suchte nach einem anschaulichen Vergleich und unterbrach für Sekunden seinen Redefluß. Rauchwolken schwebten an seinem Gesicht vorüber, und ich sah, daß sein Blick geradewegs auf die Sternennacht hinter dem Panoramafenster gerichtet war.

»Wie das Weltall«, diente ich mich schnell als Poet an.

»Exakt! Wie das Weltall, wie die Sterne da draußen.«

Nach den wenigen Augenblicken Rauchunterbrechung setzten prompt Entzugserscheinungen ein, und schnell stopfte er sich wieder seine Zigarette in den Mund.

»Bevor ich Ihnen die Identität des Mörders preisgebe, möchte ich Ihnen eine Geschichte erzählen. Sie handelt von einem Mann, der es ohne größere Schwierigkeiten zu einem Eintrag ins Guinessbuch der Rekorde hätte bringen können. Er besaß nämlich mit Abstand die meisten Giro- und Sparkonten, die ein Mensch je besessen hat. Bis vor kurzem konnten wir an die vierzig in Erfahrung bringen, aber sehr wahrscheinlich sind es noch viel mehr. Von Mailand bis Melbourne und von Madagaskar bis Yokohama, überall, wo unser Globetrotter seinen Fuß hinsetzte, überfiel ihn der krankhafte Drang, unverzüglich ein Konto zu eröffnen. Allein in der Schweiz nannte er zwölf sein eigen. Diese verwirrend zahlreichen Konten, die meist unter falschem Namen angelegt waren, überzogen wie ein Spinnennetz die ganze Welt. Und unentwegt wurden von einem Konto zum anderen größere Geldmengen transferiert, so daß sogar die Banken selbst keine eindeutige Auskunft geben können, wo der Geldfluß seinen Anfang genommen hat. Der Kontenfetischist gründete aber auch eine unübersehbare Zahl von Firmen, sogenannte Briefkastenfirmen, die irgendwelche Gewinne vortäuschten. Diese Scheingewinne wiederum wanderten schnurstracks in das Heer der ausländischen Konten. Da unser Mann berufstätig war und brav seiner Arbeit nachging, bestieg er stets an seinen freien Tagen ein Flugzeug, um seine geheimen Geschäfte in Angriff zu nehmen. Die unterschiedliche Zeitdifferenz rund um den Globus spielte dabei auch eine entscheidende Rolle. Kurz und gut, wir glauben, daß auf diese Weise etwa hundertachtzig Millionen Mark verschoben worden sind.«

Ich gähnte gespielt, in Wahrheit jedoch nur, um zu vertuschen, daß mir soeben vor Verblüffung die Kinnlade heruntergeklappt war. Hundertachtzig Millionen Mark, Donnerwetter!

»Wie Sie schon sagten, Professor Sladek war ein schäbiger Betrüger«, stellte ich in bemühter Leidenschaftslosigkeit fest.

Plötzlich blieb Kasimir stehen und faßte sich mit schreckverzerrtem Gesicht ans Herz. Selbst die Hand, die die Brust preßte, verkrampfte sich für einen Moment, als er zusammenzuckte. Ein schneidender Schmerz schien den Trümmerhaufen seines Körpers zu durchströmen, während er die Zähne zusammenbiß. Es war ein böser Dämon, der ihn terrorisierte, ein Dämon, dessen Mission die Verhinderung der Wahrheit war. Um jeden Preis.

»Nein, nein, unser Reisender hieß nicht Sladek. Hans Zimmermann war sein Name«, stöhnte er und wehrte mit der Hand ab, als versuche er den Dämon noch ein Weilchen auf Distanz zu halten. Der Schmerz schien allmählich nachzulassen, und seine versteinerten Gesichtszüge entkrampften sich ein wenig. Er stellte den Unterteller auf dem Nachtschränkchen ab, zog aus der Manteltasche ein schmuddeliges Taschentuch heraus und wischte sich damit den Schweiß von der Stirn.

»Selbstverständlich handelte er im Auftrag von Sladek, aber mir ist niemand bekannt, der so vollkommen in der Rolle des Strohmannes aufging. Pikanterweise konnten wir das chaotische Finanznetz durch eine einzige Bewegung auf seinem privaten Girokonto in der hiesigen Stadt entflechten. Wir überprüften die Ein- und Ausgänge der letzten Jahre und fanden nur gewöhnliche kleinere Buchungen und die Daueraufträge für Miete, Strom, Wasser und Telefon. Nur einmal, es war vor einem Jahr, beging er den Fehler, einen größeren Betrag nach Venezuela zu überweisen. Und über dieses eine Konto stellten wir die Verknüpfungen zu den anderen her. Im Zeitalter des Mikrochips geht so was schnell.«

»Faszinierend und zugleich desillusionierend! Und ich dachte, endlich wäre ich einem Menschensohn begegnet, der keinen Dreck am Stecken hat. Ich nehme an, daß Hans im Verlauf seiner Strohmannaktivitäten ein immer stärkeres Selbstbewußtsein entwickelte. So erschoß er den Professor und krönte sich selbst zum Midas.«

»Nicht so voreilig, die Geschichte ist noch nicht zu Ende. Denn genauso wie in den Aktenordnern in der Wohnung von Herrn Zimmermann nur noch der Wind pfeift, so gähnen die internationalen Konten inzwischen ebenfalls vor Leere.«

»Nanu, das schöne Geld ist verschwunden?«

»Nicht gerade verschwunden, sondern ganz legal abgehoben. Von einer jungen Frau, die für alle Konten eine Generalvollmacht besaß, von Herrn Zimmermann persönlich ausgestellt. Im Laufe der letzten vier Monate umrundete diese mysteriöse

Frau – nach Augenzeugenbeschreibungen eine ausnehmend attraktive Dame – dutzendfach die Welt und plünderte sämtliche Geldtröge. Sie hatte die Angewohnheit, die Scheine gleich in bar abzuschleppen, bemerkenswerterweise in einem roten Rucksack. Natürlich trat sie immer unter einem falschen Namen auf.«

»Aber wo lag die Quelle für die Millionen?«

Kasimir wollte den glimmenden Stummel ausdrücken, doch seine Hand zitterte so heftig, daß er lediglich eckige Bewegungen zustande brachte und schließlich den Unterteller vom Nachttisch kippte. Mit entgeistertem Blick betrachtete er eine Weile die Scherben auf dem Boden und setzte sich dann auf die Bettkante. Den Rücken zu mir gewandt, stieß er mit der Schuhspitze auf die Porzellanstücke wie ein Kind, das sich langweilt. Ich sah ihn nun von hinten mit seinen eingefallenen Schultern und dem blödsinnigen Hut auf dem Kopf, ein alter Mann, der das Altern niemals akzeptiert hatte, der sich weigerte, an seine eigene Sterblichkeit zu glauben und der für Momente wieder jung wurde, wenn er anderen vor Augen führen konnte, daß er ihre Mätzchen durchschaute. Und plötzlich, es kam einer Eingebung gleich, erkannte ich, daß *ich* der böse Dämon war, der ihn um die Ecke bringen würde. Auch er würde sterben – wie alle anderen, die um das Geheimnis des Rumpfes Bescheid wußten oder gewußt hatten.

Ich ging auf das Scherbenmalheur mit keinem Wort ein, und auch Kasimir sah nicht danach aus, als würde er unsere spannende Unterhaltung mit überflüssigen Entschuldigungsfloskeln unterbrechen. Wir ließen die Sache, wie man so schön sagt, auf sich beruhen. Statt dessen griff er in die Manteltasche, kramte die Zigarettenpackung heraus, schüttelte sie einmal, so daß ein Sargnagel herausschaute, und klemmte diesen zwischen die Lippen.

»Die Geldquelle?« nahm er den Faden wieder auf, steckte die

Zigarette an und inhalierte voll Genuß. »Na, *hier* lag die Geldquelle. In dem Krüppeleldorado ›Zu den Verzauberten Jägern‹. Wußten Sie, daß am Anfang auch Gesunde in dieser Anstalt gelebt hatten, sozusagen in einem luxuriösen Dauerhotel? Ursprünglich wurde die Einrichtung nämlich von Herrn Sladek den Politikern als ein geglücktes Integrationswunder zwischen Behinderten und Unversehrten verkauft. Aber die Intakten wurden mit der Zeit mißtrauisch und nahmen an den eigenwilligen Führungsmethoden des Professors Anstoß. So ekelte man sie weg. Nur eine auf den Chef eingeschworene Schar von Ärzten und Pflegern und eben Ihresgleichen blieben zurück. Denen den Kernzweck der Institution zu verschleiern, war natürlich leicht. Man könnte sagen, daß diese Jagdhütte auf Sand beziehungsweise ausschließlich auf Pump gebaut ist. Regierung, Verbände und Behinderteninitiativen schossen Millionen über Millionen in das Projekt und gaben großzügige Kredite, aber da das Geld uneingeschränkt durch Sladeks Hände ging, hielt er die Banken mit den Rückzahlungen jahrelang hin. Die Banken wiederum hatten gegen solch ein Geschäftsgebaren keinerlei Bedenken, wiegten sie sich doch in dem Glauben, daß hinter dem Unternehmen der Staat stünde, der seine Schulden auf jeden Fall irgendwann zurückzahlen würde. Außerdem betrieb der Professor noch ein paar andere krumme Geschäfte wie das Beerben von begüterten sowie verwirrten Witwen, deren Horoskope hier erstellt wurden. Zudem verstand er sich ausgezeichnet auf das Beschaffen von Sponsorleistungen größerer Markenfirmen, denen er die Kosten für den Ausbau ganzer Trakte des Hauses aufbrummte. Doch im Vergleich zu den Riesenbeiträgen, die ganz offiziell eingestrichen wurden, waren diese Summen lediglich Peanuts.«

Er stand auf und torkelte auf mich zu. Dabei quietschten seine sämtlichen Atemorgane wie eine Batterie von antiken Kaffeemühlen. Die Asche seiner Zigarette ließ er ungeniert auf den Boden fallen. Entweder merkte er es nicht mehr, oder er glaubte nun, sich jede Freiheit gegen mich herausnehmen zu können. Sein bedächtiges Mienenspiel schien nämlich anzudeuten, daß er nach dem technischen Teil des Vortrages zum musischen überzuleiten gedachte, zum Kapitel »Der Rumpf«.

»All diese lustigen Gaunereien waren doch dumm von dem Professor gewesen, nicht wahr, Herr Kreuzer?« half ich nach, weil mir meine Hinrichtung zu langsam vonstatten ging. »Denn er hätte wissen müssen, daß sie irgendwann herauskommen würden.«

Der Oberkommissar lächelte sein hintergründiges Oberkommissarenlächeln. »Korrekt. Irgendwann wäre der Schwindel aufgeflogen. Es gab nichts, was seinen Kopf hätte aus der Schlinge ziehen können. Nun ja, etwas vielleicht schon. Ich weiß, es hört sich abwegig an, aber wenn Robert Sladek gestorben wäre, wäre er mit einem Schlag aus dem Schlamassel heraus gewesen, und niemand hätte die Möglichkeit gehabt, an die hundertachtzig Millionen heranzukommen.«

»Sie meinen, Sladek wollte Selbstmord begehen, weil er keinen Ausweg mehr sah?«

»Nein, nein, das war irgendwie nicht sein Stil. Der Mann befand sich in einem Dilemma. Einerseits konnte er sich an einer Hand abzählen, wann sein betrügerisches Treiben ans Tageslicht kommen würde, und anderseits fehlte ihm der Mut, sich selbst das Lebenslicht auszublasen. Da traf es sich doch sehr gut, daß jemand nach seinem Leben trachtete.«

»Potztausend! Welcher Schuft wollte ihm ans Leder?«

»Thaddäus Arnold, in Ermangelung des Gärtners also hier der Hausmeister.«

»Darauf hätte ich gleich kommen müssen. Thaddäus besaß ja auch jede Menge Waffen, um einem verhaßten Widersacher den Garaus zu machen. Wie passend. Aber weshalb wollte er den Professor töten?«

»Weil dieser ihn mit der Drohung erpreßt hat, seine im Dritten Reich begangenen Verbrechen der Öffentlichkeit preiszugeben, falls er sich weigerte, ihm zweihundertsiebzigtausend Mark auszuhändigen.«

»Nun verstehe ich überhaupt nichts mehr. Sladek war Herr über ein Millionenvermögen und erpreßte gleichzeitig einen alten Mann um zweihundertsiebzigtausend Mark?«

»Nein, das tat er natürlich nicht. Genausowenig wie Arnold soviel Geld besaß, ganz zu schweigen von den grausamen Verbrechen, die er begangen haben soll. Jemand wollte nur, daß die vertrackte Geschichte so einen Sinn ergab. Dieser Jemand, nennen wir ihn den Mann hinter den Spiegeln, weil er sich einmal so genannt hat, dieser Spiegelmann also war ein sehr wunderlicher Mensch. Er beabsichtigte, Arnold gegen Sladek aufzuhetzen. Deshalb schrieb er regelmäßig diese merkwürdigen Erpresserbriefe an den Hausmeister, in denen er durchblicken ließ, daß der Verfasser Sladek sei. Arnold sollte Sladek für den Erpresser halten und ihn töten, bevor die Wahrheit über die unselige Vergangenheit des Hausmeisters publik wurde. Weshalb der Spiegelmann allerdings annahm, daß Arnold überhaupt irgend etwas zu verbergen gehabt hätte oder über eine Viertelmillion verfügte, bleibt schleierhaft.«

»Meiner Meinung nach war dieser Spiegelmann nicht nur ein wunderlicher, sondern auch ein saublöder Mensch, Herr Kreuzer.«

»Das glaube ich eigentlich nicht. Sehen Sie, dieser Kerl gab sich mit seinem perfekten Mord extrem viel Mühe. Ich erzählte Ihnen ja schon von der Stilvielfalt seiner Erpresserbotschaften. Aber auch der Inhalt der Briefe selbst ist sehr seltsam. Zwar kann der Eingeweihte den Sinngehalt auf Anhieb verstehen, doch für den Außenstehenden stellen sie sich als eine Denksportaufgabe, manchmal als mehr oder weniger witzige Zeilen dar. Mir selbst jedenfalls bereitete es einige Mühe, bis ich mir überhaupt eine ungefähre Vorstellung davon machen konnte, was für eine Bedeutung den Texten innewohnte. Ich fragte mich, warum der Erpresser sich in solche geistigen Unkosten gestürzt hatte, und kam zu einem ungewöhnlichen Schluß.«

»Der Spiegelmann besaß keine Möglichkeit, die Briefe ohne die Hilfe von anderen Menschen zu verfassen und abzusenden.«

»Sie sagen es. Deshalb kleidete er seine erpresserische Post in lustige Gedichte oder Horoskope. Nur so konnte er sich sicher sein, daß die Leute, die ihn bei seinem verbrecherischen Tun unwissentlich unterstützten, nicht den leisesten Verdacht schöpfen würden. Ich fürchte, der Spiegelmann war ein Behinderter, der Beistand brauchte. Zum Beispiel von einem Mann, der schnell wieder vergaß, was man ihm noch vor ein paar Minuten diktiert hatte. Oder von einer Frau, die eine solche Fachidiotin in Astrologie war, daß sie es gar nicht merkte, wenn sie einen Erpressungsbrief im Stil eines Horoskops aufsetzte. Und von einem Postboten, der zu unterbelichtet war, um wahrzunehmen, wer ihm die Briefe unterjubelte.«

»VS, Gertie und Edi. Sie wurden letzte Nacht ermordet. Glauben Sie, der Spiegelmann steckt dahinter, Kasimir?«

Er stand nun genau vor mir, und seine vor Schweiß triefende Greisenphysiognomie strahlte unvermittelt Hohn und Überlegenheit aus. »Natürlich nicht, Daniel. Denn wenn er nicht imstande war, ein Papier allein zu beschriften, konnte er auch niemanden selbst ermorden. Und genau deshalb wurde er ja ausgesucht, um Robert Sladek ins Jenseits zu befördern.«

»Von wem?«

»Von Robert Sladek! Er wußte von Anfang an, daß man einen solchen Schwerbehinderten niemals ins Gefängnis gesteckt hätte, wenn man ihn des Mordes überführte. Sehr nobel von dem Professor, nicht wahr?«

»Dann war es also doch ein Selbstmord, wenn auch ein ziemlich komplizierter?«

»Wie man's nimmt. Sladek bereitete alles sorgfältig vor. Zunächst sprach er sich mit Arnold ab. Große Geldversprechungen waren im Spiel. Dann provozierte er diesen gehandikapten Typ so lange, bis dieser eines Tages beschloß, einen Mordkomplott gegen seinen Peiniger zu ersinnen. Nun mußten für ihn nur noch die idealen Bedingungen geschaffen werden. Es mußte zum Beispiel ein Pfleger für ihn gefunden werden, der den Plan genauestens kannte und wegsah, wenn er seinen Heimlichkeiten nachging. Und auch einige der Behinderten waren bestens informiert und sollten dem Spiegelmann Unterstützung leisten, ohne daß er es merkte. Nachdem dies alles erledigt war, konnte eigentlich nichts mehr schiefgehen.«

»Es lief aber etwas schief.«

»So ist es, Daniel. Und genauso, wie dein hirnrissiger Plan nicht aufgegangen ist, ging auch seiner nicht auf, und es kam, wie es kommen mußte, nämlich zu einem Blutbad. Obwohl du aus Protest gegen dein schreckliches Schicksal nie den hyperschlauen Krüppel spielen wolltest und hinter der Maske des ungezogenen Wechselbalges glaubtest, jedem eine lange Nase drehen zu können, tatest du genau das, was man von dir erwartete. Du ließest dich auf ein Intelligenzspielchen ein, weil du der Welt beweisen wolltest, wie überlegen du ihr doch bist. Die Versuchung war einfach zu groß. Haß, Stolz und eine Prise Wahnsinn, das alles spielte wohl eine Rolle, nicht wahr? Aber guck dich doch an, Junge. Glaubst du wirklich, daß da draußen irgend jemand solche armen Wichte wie dich ernst nimmt? Nein, als du noch mit dem Gedanken kokettiert hast, ob und wie du den unmöglichsten aller unmöglichen Morde begehen solltest, warst du bereits ein kleines Zahnrad in einem großen Uhrwerk geworden. Woher Sladek wissen konnte, daß du exakt nach seinen Wünschen handeln würdest, ist mir unerklärlich. Wahrscheinlich weil ihr beide eine absonderliche Beziehung zueinander hattet und er mit deinen Gedankengängen vertrauter war als du selbst. Die Ermordung des Heimdirektors sollte ein absolut berechenbarer Vorgang werden wie das Fallen von in einer Reihe aufgestellten Dominosteinen. Erster Schritt: An einem wunderschönen Morgen findet man einen völlig kopflosen Sladek. Ein einfältiger Oberkommissar nimmt sich des Falles an, tappt jedoch zunächst im dunkeln. Zweiter Schritt: Einfältiger Oberkommissar kommt dahinter, daß Arnold von Sladek erpreßt wurde. Noch besser, Arnold erzählt freiwillig, daß er regelmäßig merkwürdige Briefe erhielt, und zeigt diese dem einfältigen Oberkommissar. Der entdeckt allerdings, daß gar kein Erpressungsgrund vorlag, weil die Beweise hierfür allesamt fingiert wurden. Ergo hatte Arnold zu keiner Zeit ein Motiv, Sladek umzubringen. So ist Arnold außer Verdacht, und der einfältige Oberkommissar tappt wieder im dunkeln. Dritter Schritt: Einfältiger Oberkommissar erfährt von Sladeks Betrügereien und unternimmt eine Expedition in den Kontendschungel. Gleichzeitig löst er das Rätsel des unbekannten Erpressers, der sich als ein Schwerbehinderter mit recht schrulligen Ideen entpuppt. Aber auch dieser kommt als Täter nicht in Frage, da er ja zu einem Mord physisch nicht imstande gewesen wäre. Folglich: Einfältiger Oberkommissar tappt im dunkeln. Vierter und letzter Schritt: Einfältiger Oberkommissar zieht ein Resümee. Er hat eine Leiche und hundertachtzig verschollene Millionen. Da taucht aus heiterem Himmel ein weiterer Verdächtiger auf. Ein Pfleger ist nämlich bei dem ganzen Durcheinander untergetaucht, und als man einige Erkundigungen über ihn einzieht, stellt sich heraus, daß er das unterschlagene Geld des Professors verwaltet hat. Für den einfältigen Oberkommissar ergibt nun alles einen Sinn. Der treue Pfleger kam irgendwann zu einer folgenschweren Einsicht. Warum, so fragte er sich, spiele ich für einen aufgeblasenen Lackaffen den globetrottenden Drecksarbeiter, während der feine Herr sich in aparter Küstenkulisse einen faulen Lenz macht und mich mit lächerlichen Brosamen abspeist? So faßte er den Entschluß, den Chef umzubringen. Beim Planen des Mordes stellte er zu seiner Freude fest, daß der Pflegefall, den er betreute, gerade ebenfalls einen Anschlag auf den Professor vorbereitete. Dementsprechend stimmte er sein eigenes Konzept mit dem des Behinderten ab. Er besorgte sich ein Jagdgewehr, verließ seinen Pflegebedürftigen in der Nacht und erschoß Sladek, so daß der Verdacht auf Arnold fallen mußte. Danach verschwand er, in der Hoffnung, daß sein Verschwinden zwar für einige Irritationen, aber für keinen größeren Wirbel sorgen würde. Der einfältige Oberkommissar ist stolz auf sich, weil er den Fall auf diese Weise logisch und für jeden nachvollziehbar gelöst hat. Er schreibt eine Fahndung nach dem entflohenen Pfleger aus und alle leben glücklich bis ans Ende ihrer Tage.«

Der Kerl trieb mich allmählich zum Wahnsinn. Wie konnte jemand so krank und gleichzeitig so scharfsinnig sein? Wurde ihnen so was in Lehrgängen beigebracht? Ich wollte weg von diesem logischen Menschen, weg von seinen pedantischen Wahrheiten und Unwahrheiten, weg von seiner alptraumhaften Hieronymus-Bosch-Welt, in der es nur Monster und Teufel gab, nur Mord und Verderben. Ich lenkte den Rollstuhl rasch an ihm vorbei und fuhr in Richtung der Tür, um sie aufzustoßen und dann zu fliehen, wie es Hans getan hatte, meinetwegen nach Grönland oder besser nach Acapulco, bis ans Ende der Welt, auf einen Planeten, auf dem die Realität hielt, was sie versprach.

»Das ist jetzt alles gleichgültig!« kreischte ich wie von Sinnen. »Sladek ist tot. Das war es, worauf es einzig und allein ankam. Das kann mir niemand mehr nehmen!«

Hinter mir hörte ich einen Aufschrei. Ich drehe den Kopf über die Schulter und sah, wie Kasimir beide Hände auf seine linke Brust preßte. Seine Runzelfratze war krampfartig verzerrt. Er röchelte schmerzdurchdrungen, und die Zigarette flog ihm aus der Hand. Dann fiel er polternd auf die Knie. Gegen das Sternenpanorama im Hintergrund wirkte er wie ein betender Heiliger im Moment seiner Erleuchtung. Während er weiterhin die Brust knetete, atmete er beschwerlich.

»O Mann! Um mich ist es endgültig geschehen. Aber ich fürchte, um dich auch, Daniel. Du bist so dämlich wie ein Stück Scheiße, Jungchen, laß dir das von dem einfältigen Oberkommissar gesagt sein! Hast du den Knackpunkt der Geschichte immer noch nicht kapiert? Nicht Sladek ist es, dessen Kopf an die Wand gepustet wurde, sondern dein noch dämlicherer Hans.«

»Was sagen Sie da?«

Wie in Trance steuerte ich den Rollstuhl langsam wieder zu ihm zurück. Er lag immer noch auf den Knien und fahndete mit fahrigen Bewegungen nach der Zigarettenpackung irgendwo in den Manteltaschen – ein Roboter, der sein Programm sklavisch weiter abspult, obwohl er in Klumpen geschossen ist. Er sprach nun sehr schnell.

»Herr im Himmel, bist du denn wirklich so schwer von Begriff? Sladek wollte nur von der Bildfläche verschwinden, er wollte für tot erklärt werden, tot und um hundertachtzig Millionen Mark reicher. Deshalb hat er den ganzen Zirkus veranstaltet. Wie wir darauf kamen? Das Personal mußte bei der Einstellung einen Gesundheitstest absolvieren, bei dem auch die Blutgruppe bestimmt wurde. Hans hatte Blutgruppe AB, die seltenste überhaupt. Außerdem ließ sich Sladek vor sieben Monaten seine Backenzähne vergolden. Bei der Obduktion der Leiche aber ist keine einzige Unze Gold gefunden worden. Und so lief das vor zwei Tagen ab: Hans hatte einen Termin zu später Nachtstunde erhalten. Als er das Büro betrat, schlugen ihn Sladek und Arnold mit dem Discman bewußtlos. Dann zogen sie ihm die Kleider aus und verpaßten ihm den Professorlook. Da passierte schon das erste Mißgeschick. Bei dem Klamottentausch purzelte der Organizer von Hans unter den Tisch, ohne daß man es bemerkte. Anschließend schossen sie ihm aus nächster Nähe ins Gesicht, damit Henriette den falschen Gemahl später nicht eindeutig identifizieren konnte. In ihrer Hysterie und Trauer hat sie es übrigens trotzdem getan, die Idiotin! Wir brauchten das Leichentuch nur ein wenig zu lüften, da heulte sie auch schon los: ›Was haben sie dir bloß angetan, mein armer Robert!‹ Nach der blutigen Arbeit traf man sich dann in Arnolds Kuschelzoo, vermutlich um das Finanzielle zu besprechen. Der Jäger wollte aber für sein Schweigen plötzlich mehr Penunzen als vereinbart. Er war alt und hatte nicht viel zu verlieren. Deshalb nutzte es auch kaum, als Sladek ihn darauf aufmerksam machte, daß er als Mordkomplize bei der Polizei eine schlechte Figur machen würde. Arnold sagte nur, her mit den Millionen! Da erschoß Sladek auch ihn. Zugleich kam er zu der Überzeugung, daß er eigentlich von Beginn an niemandem hätte vertrauen dürfen. Deswegen schlich er sich am nächsten Tag erneut ins Gebäude und beseitigte die restlichen Ränge, die in die Angelegenheit involviert waren. So war es sicherer, und niemand würde ihn verdächtigen, denn er galt ja als tot. Allein dich, Daniel, dich verschonte er. Kannst du mir den Grund verraten?«

Er fand endlich die Packung, fingerte eine Filterlose heraus und führte sie unerträglich träge an die Lippen. Doch um sie anzustecken, fehlte ihm die Kraft. So sackte er einfach in sich zusammen und betrachtete mich erwartungsvoll mit milchigem Blick. Nun wirkte er ganz und gar nicht mehr wie ein Heiliger, sondern eher wie ein verwundetes Tier, das nach dem Gnadenschuß bettelt.

»Komm, Junge, du kannst es mir ruhig sagen. Schau, mich hat diese Polizistenkacke nie interessiert. Schuldig oder nicht schuldig, was spielt das in dieser stinkenden Welt noch für eine Rolle? Kain brachte Abel um. Und alles, was er dafür erhielt, war ein Mal auf der Glatze und ein bißchen Unkrautjäten. Heute nennt man das Bewährung. Nein, ich will nur Rätsel lösen, weiter nichts. Denn wenn die Rätsel gelöst sind, dann kehrt Ordnung in mein Leben ein. Zumindest für eine kleine Weile. Deshalb tue einem sterbenden Mann den Gefallen und beanworte mir, warum er an dir einen solchen Narren gefressen hat, weshalb er dir einfach so hundertachtzig Millionen Mark schenkt. Dann ergibt alles wirklich einen Sinn.«

»Wie bitte?« Auch ich war jetzt einem Herzinfarkt nahe.

»Ach, habe ich das nicht erwähnt? Entschuldige, aber in letzter Zeit bringe ich einige Dinge durcheinander und vergesse oft das Wichtigste. Jedenfalls hat es Sladek wenig genutzt, daß er Hans' Aktenordner leergeräumt hat, um die Spuren der unterschiedlichen Finanztransaktionen zu vernichten. In dem Organizer fanden wir nämlich eine handschriftliche Auflistung über das von der Rucksackfrau abgehobene Geld. Es bleibt darin unerwähnt, wohin es verschwand, aber jeder Eintrag endet mit dem Zusatz: ›Für Daniel‹. Bitte sag mir, Daniel, warum das aufwendige Mysterienspiel, warum der Mumpitz, der von vornherein zum Scheitern verurteilt war, warum all das viehische Morden, das viele Blut, sag mir, warum?«

»Ich weiß es nicht!«

Er riß die Augen auf und lief in Sekundenschnelle rot an. Dann rutschte er auf den Knien auf mich zu. Dabei atmete er stoßweise und fuchtelte nach Halt suchend mit den Armen in der Luft herum. Sein komischer Hut segelte ihm vom Kopf, und Tränen des Zorns traten ihm in die Augen. Endlich stieß er mit den Oberschenkeln gegen den Akkumulator des Rollstuhls, der ihn zum Stoppen und aus dem Gleichgewicht brachte. Er packte mit beiden Händen meinen Hemdkragen und schüttelte mich heftig. Nun war ich froh, daß die in seinem Mund steckende Zigarette, die er fransig gebissen hatte und die daher einer soeben explodierten Scherzzigarre ähnelte, nicht brannte.

»Warum?« schrie er und riß mich wie ein Judokämpfer derart heftig am Hemd, daß ich schon ganz doll im Kopf wurde und mein letztes Stündchen geschlagen wähnte. »Was ist das Motiv? Ich muß es wissen! Sag mir, warum?...«

»Ich weiß es nicht!« fauchte ich zurück. »Verdammt noch mal, ich weiß es nicht!«

Plötzlich hielt er inne, als habe ein verzauberter Jäger durch das offene Fenster einen Pfeil auf ihn abgeschossen. Seine Augen glühten vor Haß und Enttäuschung, und sein nach abgestandenem Zigarettendunst, Gelegenheitsschnäpsen und Tod stinkender Atem schlug mir ins Gesicht und ließ mich schwindelig werden. Er zitterte, mit den Händen, mit dem Kopf, mit dem ganzen ausgebrannten Körper. Er schien fest damit gerechnet zu haben, daß ich die Lösung seines heißgeliebten Rätsels ausspucken würde wie eine verschluckte Perle. Schließlich ergriff er meinen Hals und begann mich mit aller Kraft zu würgen.

»Du kleines Arschloch!« brüllte er, während die fusselige Zigarette zwischen seinen Lippen vollends aufplatzte und der Tabak und das vom Speichel durchweichte Blättchen sich in seiner Mundhöhle verteilten. »Du kleines, verkrüppeltes Arschloch! Du, du...«

Wie von einer Nadel gestochen, stieß Kasimir plötzlich einen quieksenden Schrei aus. Dann keuchte und gurgelte er noch eine kleine Weile und fiel mit emporgestreckten Würgerhänden rücklings um.

»Arschloch!« hauchte er, und ein schleimiger Klumpen aus Tabak und Papier trat ihm aus dem Mund. Danach schloß er schlaff die Augen, offenbar des Rätsellösens endgültig müde geworden. Ich schaute fassungslos auf ihn hinunter. Von meiner hohen Warte aus betrachtet, wirkte er wie eine Vogelscheuche, die freche Bauernjungen erst mißhandelt und dann umgestoßen hatten, so sehr war er nur noch Strohhaar und Mantel.

Mit einem Mal wurde ich von einer plötzlichen Helligkeit irritiert. Ich hob den Kopf, bemerkte, daß in dem Wärterhaus des Leuchtturms das Licht eingeschaltet worden war – und ich sah ihn. Er stand an der Türschwelle des gläsernen Rondells und beobachtete mich mit einem Fernglas. Er war nur ein Scherenschnitt in der Ferne, und doch spürte ich an einigen kleinen Bewegungen, welch ein selbstzerstörerischer Orkan der Erregung in ihm tobte. Als er merkte, daß ich ihn wahrgenommen hatte, nahm er das Fernglas herunter und winkte mir mit einer Hand zu. Wahrhaftig, er war nun vollkommen in der Rolle des Zauberers aufgegangen, der die Delphine rief. Ich merkte ganz deutlich, daß der Zauberer etwas von mir verlangte. Man konnte über diese verrückte Geschichte denken, was man wollte, letzten Endes fanden sich alle Jäger, die vergebliche Jagden nach Glück und Erfüllung veranstalteten, bei ihm ein, bei dem echten verzauberten Jäger. Deshalb war ich gnädig und wollte ihm in dieser Nacht geben, was er von Anfang an gefordert hatte: Erlösung.

7. KAPITEL

»Denn das ist die Botschaft, die ihr von Anfang an gehört habt, daß wir einander lieben
sollen. Nicht wie Kain, der aus dem Bösen
war und seinen Bruder ermordet hat. Und
warum hat er ihn ermordet? Weil seine
Werke böse waren, die seines Bruders aber
gerecht. Wundert euch nicht, Brüder, wenn
die Welt euch haßt. Wir wissen, daß wir aus
dem Tode ins Leben hinübergeschritten
sind, weil wir die Brüder lieben. Wer nicht
liebt, bleibt im Tode. Jeder, der seinen Bruder haßt, ist ein Menschenmörder, und ihr
wißt, daß kein Menschenmörder ewiges Leben als dauernden Besitz hat.«

1. Johannesbrief, II. Leben als Kinder Gottes,
Die Gebote halten, besonders das Liebesgebot

Klammheimlich hatte ich mich aus dem Gebäude geschlichen, nachdem ich Kasimirs Leichnam noch ein letztes Mal mit der morbiden Neugier eines Schmetterlingssammlers begutachtet hatte. Einer mehr in der Kollektion, huschte es mir durch den Kopf. Bald würde sie komplett sein. Ob er wohl seine Kollegen über seine scharfsinnigen Schlußfolgerungen unterrichtet hatte? Existierten irgendwelche Notizen, hatte es vertrauliche Gespräche gegeben? War gar eine Fahndung angelaufen? Törichte Fragen, die sich blutleere Bürokraten stellen mochten.

Der Aufzug im Leuchtturm nahm mich so bereitwillig in Empfang wie der diskrete Türsteher eines zwielichtigen Etablissements den hochangesehenen Bürger der Stadt, verschwörerisch stumm, auf jede anspielungsreiche Bemerkung verzichtend. Und nun saß ich unter dem weichen Dämmerlicht der Deckenleuchte und sinnierte über meine Träume, kehrte zurück in jenes baufällige Kino, das fortwährend Streifen von meinem wahren Ich abgespielt hatte.

»Die Tore zu Himmel und Hölle liegen dicht nebeneinander und gleichen einander aufs Haar. Hast du erkannt, wie breit die Erde ist, Daniel? Welches ist der Weg dahin, wo das Licht wohnt, und welches ist die Stätte der Finsternis?«

Eine dichte Dunstschicht schien sich im Fahrstuhl auszubreiten, während ich mich an diese Worte erinnerte, die meine Höllenvisionen wie ein unausrottbarer Fluch mal ausgesprochen, mal unausgesprochen begleitet hatten. Es war der Nebel des Bösen, der mich einhüllte, den ich absonderte. In meinen Träumen hatte ich meine Mutter und meinen Bruder gesehen und all die, deren Tod ich noch hätte verhindern können. Doch ich war einen anderen Weg gegangen, nicht den Weg dahin, wo das Licht wohnte, sondern den des Verderbens, wie es meiner Natur entsprach. Ja, ich hatte erkannt, wie breit die Erde ist, und daß die Stätte der Finsternis sich nirgendwo anders als in meinem Herzen befand. Die Tore zum Himmel und zur Hölle lagen in der Tat dicht nebeneinander und glichen sich aufs Haar, doch ein Auserwählter meines Formats konnte sie durchaus unterscheiden und das richtige Tor aufstoßen.

»Es mag absonderlich und bei diesem festlichen Anlaß ein wenig unpassend klingen, aber ich bin der felsenfesten Überzeugung, daß ein Mensch ohne Arme und Beine sogar den perfekten Mord begehen könnte, wenn er es tatsächlich wollte!«

Als Sladek diese Aufforderung damals aussprach, hatte ich selbstverständlich insgeheim gewußt, daß sie einzig und allein an mich gerichtet gewesen war. Ich wußte in Wirklichkeit sehr wohl, daß mein Mordplan das Herzstück seines rigorosen Planes bilden sollte. Dennoch hatte ich alles so weit kommen lassen, ahnend und hoffend, daß am Ende endlich Blut fließen würde. Blut und Sperma, die wichtigsten Elixiere für eine saftige Blasphemie, am Ende hatte ich sie beide heraufbeschwören können. Wahrlich, wahrlich, ich war immer nur gefangen gewesen in einem Mysterienspiel der schwärzesten Sünde, nicht in einem cleveren Krimi für Rätselfreunde.

Aber wo blieb Abel?

Die Aufzugstüren öffneten sich, und eine Szenerie wie aus einem weiteren Traum breitete sich vor mir aus und nahm mir vor Ehrfurcht den Atem. Hinter dem riesenhaften Spiegelteleskop, das im Zentrum des kreisrunden Raumes wie ein mächtiger Altar prangte, sah man durch die vieleckig gestaltete Glaswand ein Sternenpanorama von unvorstellbarer Schönheit. Die Myriaden von Sternen hoben sich in so staunenswerter Schärfe und Leuchtkraft von dem tiefblauen Himmelshintergrund ab, daß man sich unwillkürlich an ein Hochglanzfoto aus einem astronomischen Bildband erinnert fühlte. Die Türen zum vollständig geländerlosen Außendeck standen weit offen und ließen den ganzen einsamen Ort wie eine Startrampe ins Weltall erscheinen. Das Schirmsegment des Kuppeldaches war ausgefahren und erlaubte so ebenfalls eine hinreißende Sicht auf das Sternenmeer. Da lediglich ein paar Punktstrahler hier und da ihren Schein auf den aus massiven Metallplatten zusammengesetzten Boden warfen, kam der Kontrast zwischen innerer Düsternis und äußerem Strahlenglanz besondes zur Geltung.

Die ersten Geräusche, die ich vernahm, waren das tröstliche Rauschen des Meeres und das Säuseln des aufkommenden Windes. Seltsam, er war überhaupt nicht zu sehen, der Zauberer der Nacht. War die Person auf dem Leuchtturm vorhin eine Halluzination gewesen? Reservierte man gerade ein Plätzchen in der geschlossenen Abteilung für mich? Verwendeten sie bei der Überführung Betäubungspfeile?

Ich hörte ein weiteres Geräusch. Der ganze Turm knirschte und ächzte im Wind, und während ich in das Wärterhaus hineinfuhr, gesellte sich zu diesem klagenden Metalljammern ein verstohlenes Knistern, das mir so vertraut vorkam. Es klang ganz nach den tolpatschigen Begleitlauten, die der Spiegelmann verursachte, wenn er mir nachstellte. Ich erschrak, und obgleich ich nun genau wußte, mit wem ich es in Wahrheit zu tun hatte, rief ich: »Wer ist da?«

»Elvis!« rief Sladek, seinen unvergleichlichen Humor beweisend. Dann, als handelte es sich um eine Szene aus einem Lustspiel, lugten hinter den bloßgelegten Eingeweiden des Teleskops eichhörnchengleich erst der Kopf des Professors und gleich darauf der von Mercedes hervor. Sie blinzelten mir heiter zu, meine letzten Mohikaner, unterdessen mein Blick nach außen zu den Sternen abschweifte, weil dort etwas meine Aufmerksamkeit erregt hatte. Und wieder schmolzen Traum und Realität zusammen. Im Mittelpunkt der Juwelen auf bläulichem Samt sah ich einen funkelnden Edelstein besonders intensiv pulsieren, und nicht genug damit, er wurde sekündlich größer und heller, als wenn er nur auf diese eine Nacht gewartet hätte, sich der Erde zu nähern.

Sladek trug keinen Zauberfrack, sondern einen sehr eleganten, weit geschnittenen, cremefarbenen Sommeranzug aus einem Baumwoll-Seide-Gemisch. Der Stoff changierte leicht, und wenn der Professor bestimmte Bewegungen tat und von dem Schein der Deckenstrahler erfaßt wurde, ging von seiner ganzen Erscheinung ein unwirkliches Gefunkel aus, das mich blendete. Seine Haare flatterten im Wind, und eine intensive Aura schien beständig seinen Körper zu umschweben wie einen Unberührbaren, der aus dem Reich der Toten zurückgekehrt ist. Da Mercedes in demselben weißen Kostüm steckte, dessen Innenfutter sie mir vor etwa achtzehn Stunden freundlicherweise zur Besichtigung freigegeben hatte, standen sie quasi im Partnerlook da. Beide wirkten recht munter; die strapaziösen Ereignisse der letzten Tage schienen an ihnen spurlos vorübergegangen zu sein.

»Man hat nur ein Leben«, sagte er, und beide kamen nun aus ihrem Versteck hinter dem Teleskop hervor. »Aber manche Menschen leben zweimal, Daniel.«

»Was man vom Rest der Crew nicht gerade behaupten kann«, konterte ich.

»Nun, ich gebe zu, unsere Pläne waren nicht so perfekt, wie sie es am Anfang versprachen. Doch wer will schon in einer perfekten Welt leben?«

Mein Gott, er sah wieder absolut perfekt aus, als er über die Fadheit der Perfektion schwadronierte. Es gab Gestalten, von denen man einfach annehmen mußte, daß sie nur eine Erfindung der Fernsehwerbung waren mit ihrer irreal reinen Haut, ihren silbrig schimmernden Haaren, ihren adonishaften Profilen und ihren Michelangelo-Staturen. Doch so baute sich mein

Mörderbruder nun vor mir auf, aller irdischen Leibhaftigkeit enthoben, gealterten Jünglingen aus griechischen Tragödien ähnelnd, und hinter ihm Aphrodite, die inzwischen den Unterschied zwischen dem Schönen und der Bestie genau kannte.

»Wir haben es doch nur für dich getan, Daniel«, sagte Aphrodite, preschte vor, um mir um den Hals zu fallen oder sich aus reiner Gewohnheit wieder zu entblättern, wurde jedoch von Adonis unsanft an der Schulter zurückgerissen.

»Laß uns eine Weile allein, Liebes«, befahl der Untote, woraufhin ihre aufgesetzte Fassade aus den Fugen geriet und sie in ein verzweifeltes Geheule ausbrach. Dann zog sie ein Taschentuch aus dem Ärmel hervor, preßte es unter die Nase und verschwand nach draußen auf die Galerie. Hoffentlich gibt sie acht, wo sie hintritt, dachte ich, denn eine falsche Bewegung würde nach Arnolds letzter Abrißaktion fatale Folgen nach sich ziehen. Doch dann beruhigte ich mich wieder, weil ich sie draußen ganz dicht am Rondell wandeln sah. Sie schneuzte unentwegt in ihr Taschentuch, und ihre fragile Haut verwandelte sich erneut in jene aufreizend entzündete Landschaft, die krankhaft veranlagte Rümpfe wie ich so sehr zu schätzen wissen.

»Ich nehme an, der schlaue Oberkommissar hat dich über einiges aufgeklärt, bevor er den Löffel abgab«, sagte Sladek und ging vor mir in die Hocke. Dadurch entzog er sich dem Licht, so daß er sich in eine unheimliche Silhouette verwandelte, aus der allein das Weiß seiner Augen hervorleuchtete.

»Aber was er auch gesagt haben mag, er konnte dir bestimmt nicht mit einer Erklärung dienen, warum ich all das getan habe.«

»Ich jedenfalls hab' da so meine Vermutungen.«

»So?« Er lachte schlapp, geradeso, als amüsiere sich Mephisto über den dummen Sünder. »Wenn du die unterschlagenen Millionen meinst, muß ich dich leider enttäuschen. Außer einer unbedeutenden Summe für meine Alterssicherung habe ich von dem Vermögen keinen Pfennig abgezwackt. Alles Geld befindet sich in Acapulco auf Konten, die auf deinen Namen angemeldet sind.«

Jetzt war ich es, der müde lächelte. »Falte deine Banknoten schön ordentlich zusammen und schieb sie dir dann einzeln da rein, wo der Mond nicht scheint!«

»Ich weiß, ich weiß, Geld bedeutet dir nicht viel. Da sind wir uns ziemlich ähnlich. Und das ist gar nicht so verwunderlich, sind wir doch aus einem Fleisch und Blut.«

»Apropos Fleisch und Blut: Wußtest du, daß Hans eine sehr seltene Blutgruppe hatte, Bruder? So kam man dir auf die Schliche.«

»Nein, das wußte ich nicht. Ich habe vieles nicht gewußt. So wie du. Ich dachte, ich inszeniere den perfekten Mord.«

»Das habe ich auch gedacht.«

Er stand auf, drehte mir den Rücken zu, steckte die Hände in die Hosentaschen und starrte das Firmament an, welches in seiner Sternenfülle wie blaues, mit einer Unmenge von Nadelstichen versehenes Papier vor einer starken Lichtquelle aussah. Genau in der Mitte dieser Herrlichkeit schwebte der immer größer und greller werdende Himmelskörper, in dessen Kern ich nun ein bizarres Flimmern zu erkennen glaubte. Ich wußte nicht, was es mit dieser Erscheinung auf sich hatte, nahm jedoch an, daß es sich bei ihr um den Meteoriten handelte, der von Gertie so oft herbeigesehnt worden war. Kein Zweifel, er kam immer näher, und für einen Moment fragte ich mich ernsthaft, ob er mich oder meinen Bruder zu erschlagen gedachte.

Eine warme Brise blies durch das Wärterhaus und fönte Sladeks Mähne in die Höhe, so daß er wie die Karikatur eines Starkstromopfers aussah.

»Hans . . .«, flüsterte er in den Wind. »Er war einer der ersten

Pfleger, die hier eingestellt wurden. Seine im Lauf der Zeit immer fanatischer werdende Zuneigung zu Behinderten prädestinierte ihn geradezu für die Rolle, die ich ihm zugedacht hatte. Ich erzählte ihm, daß ich überall auf der Welt solche schicken Heime gründen wolle und dafür sogar bereit wäre, illegale Dinge anzustellen. Ich sei jedoch auf seine Hilfe angewiesen, sagte ich, da die Transaktionen über einen Strohmann laufen müßten. Er war zunächst entsetzt, aber ich ließ nicht locker und bearbeitete ihn so lange, bis er den ganzen Nonsens für bare Münze nahm und am Ende selbst schon ganz kirre war von den Spinnereien über unsere internationalen Heimgründungen. Zwei Jahre lang jettete der treue Hans rund um die Welt, und überall, wo er für ein paar Stunden landete, eröffnete er ein Konto, prallgefüllt mit Golddukaten. Aber Hansi war gar nicht so doof, wie ich am Anfang angenommen hatte, auch wenn er bis zu seinen ersten Zweifeln lange gebraucht hat. Nun ja, je mehr er sich in das Bankwesen einarbeitete, ohne daß etwas geschah, desto weniger nahm er mir meine Märchen ab. Er wollte aussteigen. Ich drohte ihm damit, daß er ebenso wie ich in den Schlamassel verwickelt sei und ein Hinschmeißen der Geschäfte für alle eine Katastrophe heraufbeschwören würde. Aber zu diesem Zeitpunkt geriet der Millionenschwindel sowieso aus dem Ruder. Die Banken machten mir die Hölle heiß, und die staatlichen Stellen stellten immer bohrendere Fragen. Da fiel mir die Idee mit dem perfekten Mord ein, der nebenbei auch das Problem Hans aus der Welt geschafft hätte. Der Trick bestand eigentlich darin, die ganze Sache so kompliziert wie nur möglich zu gestalten.«

Mercedes drehte weiterhin ihre Runden, und ihre kastanienroten Haare wirbelten wie Seidenbänder im Wind. Sie hatte aufgehört zu weinen und schien angestrengt nachzudenken. Vermutlich darüber, ob es nicht ratsamer wäre, von dem verfluchten Irrsinn abzulassen, bevor Schlimmeres geschah.

Sladek wandte sich wieder mir zu und blickte bußfertig auf seine Schuhe. »Tut mir leid, Daniel, ich wollte dich in dieses schmutzige Spiel nicht hineinziehen, aber ich brauchte für mein Vorhaben dringend einen intelligenten Kopf. Denn nur das Handeln von intelligenten Menschen kann man vorausberechnen. Die Dummen tun mal dies, mal das, aber im Grunde tun sie nur Mist, sie sind für einen Plan von solcher Komplexität total unbrauchbar. Und da ich das Inferno ja nur für dich entfacht hatte, hielt ich es für einen lustigen Einfall, dir darin den Hauptpart zukommen zu lassen. Hoffentlich bist du mir deswegen nicht böse. Man kann doch lachen, nachdem alles ausgestanden ist, nicht wahr?«

»Ja«, sagte ich. »Ich lach' mich gleich tot.«

Er schmunzelte und winkte ab, als sei ich ein Trottel, der die Pointe eines simplen Witzes nicht verstanden hat. Dann lockerte er seine rosa geblümte Krawatte und zog die Jacke aus. Zum Vorschein kam ein exquisites Hemd, dessen Achselpartien bis zur Hüfte durchgeschwitzt waren. Der neunmalkluge Professor schien sich in seiner Haut auch nicht ganz wohlzufühlen. Er ließ die Jacke einfach auf den Boden fallen, schlenderte zum Teleskop und begann es zu umkreisen. Hierbei entzog er sich zeitweilig meinem Blick, verschwand ganz hinter dem Ungetüm, und ich vernahm lediglich seine heisere Stimme, deren Echo unter der Eisenkuppel widerhallte.

»Ich weihte Mercedes erst ein paar Tage vor dem Weihnachtsfest in den Plan ein. Sie erlitt regelrecht einen Schock, willigte aber schließlich ein, mir nach Kräften zu helfen, da sie um mein Leiden wußte. Doch dazu später mehr. Leider hatte sie sich auf der Feier noch nicht ganz von ihrem Entsetzen erholt, so daß eure erste Begegnung ziemlich tränenreich verlief. Mit Hans hatte ich mich bereits vor deinem Eintreffen abgestimmt. Ich erzählte ihm, daß du uns aus der Bredouille helfen würdest. Er sollte ein Auge auf dich haben und es zuklappen, wenn du deinen Machenschaften nachgingst. Doch vor allen Dingen sollte er mich über jeden Schritt von dir auf dem laufenden halten.

Arnold köderte ich mit Geldversprechungen. Gertie mit der Aussicht auf ein eigenes astrologisches Institut. Und den Kranken schließlich mit der wöchentlichen Nutte. Hinter der Fassade der kultivierten Leseratte verbarg sich nämlich ein Perversling, der es faustdick hinter den Ohren hatte. Ich mußte diesen Scheißhuren jedesmal einen glatten Tausender hinlegen, damit sie der Kröte überhaupt einen bliesen.«

Plötzlich erkannte ich, daß ich an diesem unwirklichen Ort scheinbar der einzige war, der den inzwischen zur vollen Größe angewachsenen Meteoriten sehen konnte, falls er tatsächlich ein Meteorit war. Denn weder die gedankenvoll ihre Bahnen um das Wärterhaus ziehende Mercedes noch der sich in einem kleineren Kreis bewegende Sladek verschwendeten auch nur einen Blick darauf. Die Konsequenz dieser Erkenntnis bedeutete natürlich nichts anderes, als daß ich nun wirklich und wahrhaftig den Verstand verloren hatte, was allerdings bei der Situation, in der wir drei steckten, eine recht untergeordnete Rolle spielte. Das Flimmern in seinem Innern war einem intensiven, in die Augen stechenden Glühen gewichen, das jedoch an einigen Stellen gräuliche Flecken aufwies. In dem Stern schien sich nach und nach etwas abzubilden . . .

Sladek verschwand wieder hinter dem Teleskop, tauchte aber diesmal nicht einen Moment später am anderen Ende wieder auf. Jetzt, da es um den blutigen Teil der Beichte ging, versteckte sich das Schwein vor mir.

»In jener Nacht ist einiges schiefgelaufen, Daniel«, tönte seine Stimme durch die Dunkelheit. »Arnold und ich erwarteten Hans voller Ungeduld im Büro. Als er den Raum betrat, erschlug ich ihn mit dem Discman, bevor er A sagen konnte. Komisch, auf seinem Gesicht zeigte sich ein verständiger Ausdruck, als der Hammer auf ihn niedersauste. Er muß sein Ende schon vorher gespürt haben. Anschließend zogen wir ihm meine Kleidung über und erschossen ihn. Tja, ich hielt das Ganze bis zu diesem Zeitpunkt für geradezu genial, weil Hans ja dieselbe Statur und die gleichen Körpermerkmale besaß wie ich, obwohl er fast fünfzehn Jahre jünger war. Dann begaben wir uns in die Arnoldsche Wohnung, um das mit der Besoldung zu regeln. Es handelte sich um fünfzigtausend Mark. Doch Thaddäus wurde so verdächtig albern, als wir drinnen waren. Er begann doppeldeutig zu faseln, stieg auf diesen Moschusochsen und veranstaltete darauf kindische Faxen, als hätten wir gerade die Fußballweltmeisterschaft gewonnen. Als ich ihm schließlich das Geld übergeben wollte, lachte er mich aus und sagte mir auf den Kopf zu, daß die Summe für den Anfang ja ganz nett wäre, ihm aber für die Zukunft eher das Hundertfache vorschwebe. Man wimmele seinen loyalen Komplizen nicht mit einem Trinkgeld ab, meinte er. Dann brach er wieder in ein idiotisches Gelächter aus, während mir zu selben Zeit aufging, daß ich diesen Hurensohn mein Leben lang am Hals haben würde. Nach dieser Erleuchtung ergriff ich die Flinte und erschoß auch ihn.

Am nächsten Tag, als ich mich hier im Turm versteckt hielt und die Aktivitäten der Polizei von der Ferne beobachtete, wurde mir die Blödsinnigkeit meines ach so geistreichen Plans in seiner ganzen Tragweite bewußt. Mein Kardinalfehler war es gewesen, daß ich Leute in unsere Angelegenheiten verwickelt hatte, die es nichts anging. Das hätte ich niemals tun dürfen, denn durch sie würde die Verbindung zu meiner früheren Existenz, zu der Welt der Lebendigen sozusagen, immer bestehen bleiben. Irgendwann, so wußte ich, würden sie mein Geheimnis preisgeben, sei es, weil irgendwelche zigarettenfressenden Oberkommissare sie austricksten, oder sei es, weil ihr Gewissen sie plagte. Daher entschied ich mich für den *final cut*. Ich verabredete mich am Abend mit Gertie im Observatorium und bat sie, VS und Edi ebenfalls dorthin zu bringen. Vorher stattete ich dem Kranken einen Besuch ab und tauschte mit ihm gemeinsam die Naziakten gegen die Märchenbücher aus. Wir schafften den ganzen Krempel in den Heizungskeller und verbrannten ihn dort im Zentralofen. Als wir wieder oben waren, fing das Monstrum ebenfalls mit nebulösen Anspielungen an. Doch diesmal blieb ich absolut cool, lockte ihn unter einem Vorwand hinter das Regal und erwürgte ihn. Wenn ich es mir recht überlege, war der Kranke der einzige, den ich voller Wonne umgebracht habe. Während ich ihm ganz langsam die Kehle zudrückte, wirkte er ziemlich erstaunt, als sei das *die* Überraschung seines Lebens!

Danach schlich ich mich ins Observatorium. Sie machten einen rührenden Eindruck, wie sie so in einer Runde versammelt waren, Gertie, VS und Edi. Sie hielten sich sogar wie kleine Kinder an den Händen, als ahnten sie, daß der Onkel Doktor sie in Bälde von allen ihren Leiden erlösen würde. Gertie hatte gearbeitet und trug die Aufhängung für den Elektrostift auf dem Kopf. Sie öffnete den Mund, um etwas zu sagen, vermutlich, daß sie wegen der blutigen Wende der Geschichte beschlossen habe, bei der Polizei ein Liedchen vorzutragen. Doch ich hatte nun keine Zeit für überflüssige Worte. Ich riß ihr das Ding vom Kopf und stach es ihr in den Hals. VS brummelte wieder irgendeinen Unsinn und spazierte einfach davon. Er schien die drastische Maßnahme von einem sehr nüchternen Standpunkt aus zu sehen. Kurz bevor er die Tür erreichte, erwischte ich ihn mit dem Lötkolben. Unterdessen irrte Edi unter Schock weinend und am ganzen Leibe zitternd durch den Raum. Merkwürdig, ich hatte ihn noch nie vorher weinen gesehen. Aber auch auf Tränen konnte ich nun keine Rücksicht mehr nehmen. In Ermangelung von Hilfsmitteln fiel seine Ermordung besonders unappetitlich aus. Inzwischen hatte ich mich in eine richtige Raserei hineingesteigert, und erst als ich von Edi abstieg, wurde mir das unglaubliche Ausmaß meiner Taten bewußt. Ich bereute sie nicht, aber sie führten mir schmerzlich vor Augen, wie weit ich mich mittlerweile vom intellektuellen Ideal des perfekten Mordes entfernt hatte. Was soll ich, was kann ich dazu sagen, lieber Daniel? Vielleicht nur, daß es endete wie alles im Leben: schäbig. Diese tiefgründigen Empfindungen wollte ich dir sogleich mitteilen, weil ich mich so schämte. Aber da hattest du schon Verdacht geschöpft und warst unterwegs, um selbst Detektiv zu spielen. Ich verfolgte dich, und oft war ich nahe daran, aus den Schatten zu treten und dir die ganze Wahrheit zu erzählen. Aber im letzten Moment verlor ich den Mut und lief weg. Die ganze Nacht irrte ich durch die trüben Gänge wie ein Gespenst, wie ein verzauberter Jäger durch den versteinerten Wald, von der entsetzlichen Erinnerung geplagt, daß der Wald einmal grün und saftig war und der Jäger selbst lebendig. Und all die Zeit flüsterte ich mir zu: Ich bin verloren! Ich bin verloren! Ich bin verloren!«

Er trat hinter dem Teleskop hervor und schaute an der die Konstruktion umklammernden Riesengabel vorbei zu mir hinüber. Ich sah, daß sein Hemd jetzt vollständig von Schweiß durchtränkt war. Der Fetzen klebte regelrecht an seinem Körper. Die eben noch akkurat gebürstete Frisur hatte sich in einen vom Hurrikan heimgesuchten Landstrich verwandelt und verlieh ihm das Aussehen *des* Geistesgestörten. Ich hatte ihm aufmerksam zugehört, und sämtliche Lücken und Unstimmigkeiten des bluttriefenden Märchens, welche Kasimir gern bereinigt gehabt hätte, schwanden dahin wie der Morgennebel, der von den ersten Sonnenstrahlen des Tages verscheucht wird. Das Geheimnis war nun restlos gelüftet, die Logik hatte wieder einmal triumphiert – doch das Rätsel war immer noch nicht gelöst.

»Dies ist das Ende meiner Geschichte, Daniel«, sagte Sladek und wankte auf mich zu – ein verwundeter Soldat, der sich dem

Feind ergibt. »Jetzt kennst du die ganze Wahrheit. Es gibt keine andere. Ein wenig enttäuschend, wenn das Mysterium sich plötzlich als nüchterne Abfolge von Abscheulichkeiten erweist, nicht wahr?«

»Vielleicht. Aber wie kann ich über das Ende einer Geschichte urteilen, wenn ich nicht den Anfang kenne? Millionen wurden verschoben, Menschen abgeschlachtet. Schön und gut. Aber was war der Grund für den ganzen Wahnwitz?«

»Gute Frage. Doch in diesem Punkt kann ich dir leider kaum mit Logik dienen. Es hat etwas mit mir zu tun, natürlich auch mit dir, aber hauptsächlich mit mir. Im weitesten Sinne geht es auch um Deformationen. Die treten nämlich keineswegs nur äußerlich auf. Innerlich tragen wir unsere Kainsmäler, Daniel, ein jeder von uns, im geheimen, und bespotten doch jeden, dem ein solches auf die Stirn gebrannt ist. Jeder ist behindert, es laufen Milliarden von Kranken durch die Welt, ohne daß sie es ahnen. Ist das nicht lustig, Bruder? Ein Mann fühlt sich abgestoßen, wenn er auf der Straße jemandem ohne Arme und Beine begegnet, oder er freut sich insgeheim über seine eigene Vollkommenheit und dankt Gott, daß ihm ein so furchtbares Schicksal erspart blieb. Und dann rennt derselbe Mann nach Hause und vergewaltigt seine zweijährige Tochter oder quält seinen Hund. Wie findest du das? Vollkommenheit, Unvollkommenheit, wenn man einmal das Wechselspiel zwischen diesen beiden Daseinsformen ergründet hat, ist man erst wirklich frei und kann große Dinge in Angriff nehmen: zum Beispiel Millionen verschieben und Menschen abschlachten.«

Das rechte Augenlid begann wieder hemmungslos zu zukken. Doch statt des Eifers, der stets mit dieser nervösen Erscheinung einherging, verdunkelte ein Schmerz sein verschwitztes Gesicht. Er schlenderte bis zur Schwelle des Galerieeingangs, schloß die Augen, breitete die Arme aus und ließ sich so von der kühlen Brise erfrischen. Mercedes, die jetzt ihren Rundgang beendete, tauchte aus der Finsternis hinter ihm auf, legte ihre Hände auf seine Schultern, schloß ebenfalls die Augen und drückte den Kopf gegen seinen Nacken. Ihre Haare und Kleider flatterten romantisch im Wind. Über dem schönen, bösen Paar in erlesener Pose prunkte der geheimnisvolle, grell leuchtende Himmelskörper wie der Mond so groß. In seinem inneren Glutofen wurden allmählich die Umrisse eines wunderschönen Frauenantlitzes sichtbar. Die Züge dieses Schemengesichts gewannen nur kurz an klarer Kontur, um im nächsten Moment wieder in der Unschärfe zu verschwinden, so daß man geneigt war, hinterher an dem Gesehenen zu zweifeln. Obgleich meine Augen zu schmerzen begannen, vermochte ich den Blick von dem verheißungsvollen Bild nicht abzuwenden. Robert und Mercedes im Windkanal der Seraphim, für immer vereint, und über ihren Köpfen der Heilige Geist.

»Ich bin nicht, der ich bin, Daniel. Ich bin ein ganz anderer Mensch als der, für den ich mich stets ausgegeben habe. Ich interessiere mich weder für Behinderte noch für ihre diversen Gebrechen, noch für den gesellschaftlichen Aspekt dieses Themas. Das Schicksal von kranken Menschen ist mir so gleichgültig wie das von Eintagsfliegen. Und doch leide ich mein Leben lang selbst an einem Gebrechen. Das Gebrechen bist du, Daniel Sladek, mein Bruder, für den ich verantwortlich bin und dessen groteske Existenz in mir seit jeher die grausamsten Schuldgefühle und Selbstvorwürfe ausgelöst hat. Ich bin der Hüter meines Bruders in Reinkultur. Heutzutage können die Leute wenig mit Schuldgefühlen anfangen, weil sie den Bezug zu Schuld gänzlich verloren haben, weil sie sich weder schuldig noch für irgend etwas verantwortlich fühlen. Die Leute leben voneinander isoliert, und wenn sie sterben, erhalten sie für ihren Sarg einen Zuschuß vom Staat, damit ihr Tod die lieben Verwandten in keine finanzielle Bedrängnis bringt. Das ist aus der Welt geworden, Daniel. In ihr weilen keine Kains und Abels mehr, die Gott gefallen wollen und sich deshalb bekriegen. Nein, sie töten ihre Brüder, weil sie auf der Autobahn von einem noch schnelleren Auto überholt worden sind, oder weil ihr Nachbar sich weigert, seinen Rasen zu mähen. Dafür lohnt sich ein Mord! Und soll ich dir was sagen, ich bewundere diese Menschen, ich möchte auch so ein Schuldgefühlfreier sein, die Verantwortung einfach abschütteln und mitfeiern auf der tollen Party. Doch das ist nur ein Traum. Dieses Reich bleibt für mich versperrt. Ich bin ein Ausgestoßener. Das habe ich bereits in sehr jungen Jahren erkannt. An Ausbruchversuchen hat es nicht gefehlt, das kannst du mir glauben. Als Mutter dich auf diesem verfluchten Feld gebar, schwante mir bereits, daß du nicht zu der Sorte von Brüdern gehören würdest, mit der man sich irgendwann nur noch über Weihnachtsgrußkarten verständigt. Nein, ich wußte, daß ich mich um dein Wohl mein Leben lang kümmern mußte. Daß ich dich trösten, dir Zuversicht einflößen, deine Tage irgendwie erträglicher und sinnvoller machen mußte. Ich wußte, daß ich von nun an verurteilt war, für immer und ewig die Karikatur eines liebenden Bruders zu sein. Gleichzeitig wehrte sich in mir etwas gegen diese erschreckende Vorstellung. Ich wollte mein Leben genießen, ein moderner Mensch sein, verantwortungslos, bindungslos. Als der kleine Junge, der damals aus der Vagina seiner Mutter einen unförmigen, blutigen Fleischklumpen herauszog, ahnte ich diese Dinge nur. Doch die Ahnung genügte. Ich wollte dich loswerden. Deshalb lud ich dich vor dem Kirchenportal ab und suchte das Weite. So einfach kann man in der Kinderwelt Probleme lösen. Aber ich blieb leider kein Kind, ich wurde erwachsen, Daniel. Immer öfter und zwanghafter kreisten meine Gedanken um meinen armen Bruder, der ein Leben in der Hölle der Bewegungslosigkeit verbrachte, der die wichtigsten Erfahrungen, die ein Mann in seinem Leben macht, nur im Fernsehen würde bewundern können oder in seinen Träumen, aus denen er immer wieder schluchzend und schreiend aufwachte, der ein verdammter Rumpf war, ein Pausenclown Gottes. Deine Entstellung, Daniel, fraß sich wie eine Säure in meinen Verstand ein und entstellte auch ihn nach und nach. Ich wurde der geistige Rumpf, der zu keiner intellektuellen Bewegung mehr fähig war, als immer nur über dich und dein erbärmliches Schicksal nachzugrübeln. Gleichzeitig fand in meiner Seele ein Kampf der einander unversöhnlich gegenüberstehenden Positionen statt. Einerseits dachte ich, daß du in guten Händen wärest, dich an deinen Zustand längst gewöhnt hättest und auf meinen Beistand verzichten könntest. Aber andererseits folterten mich diese entsetzlichen Schuldgefühle Tag für Tag und Nacht für Nacht und bedrängten mich, für dein Leiden eine radikale Kur zu finden. Ich wurde wahnsinnig, Daniel, als junger Mann schon, ohne daß irgend jemand es merkte, ganz für mich allein, in der Finsternis meines Herzens. Und ich verfluchte unsere Mutter, die mir nur einen verkrüppelten Bruder und dieses blöde Spielzeug hinterlassen hatte.«

Er öffnete die Augen, und ich sah, daß sie in einem See aus Tränen schwammen. Er griff in die Hosentasche und holte den faustgroßen Holzglobus hervor. Ich hatte überhaupt nicht mitgekriegt, wann der Kerl das Ding stibitzt hatte. Und bei dem Gedanken, daß dieser Psychopath in den vergangenen Nächten in meinem Zimmer herumgegeistert war, während ich schlief, wurde mir mulmig. Was hatte er während seiner heimlichen Besuche noch angestellt? Stumm dagestanden und mich angeglotzt? Oder mit sich selber Gespräche über die politische Weltlage geführt? Gottogott!

Er klappte die Kugel am Äquator auseinander und betrachtete bekümmert den nördlichen und den südlichen Sternenhimmel, die liebevoll in die Innenwände gemalt waren. Tränenperlen lösten sich aus seinen Augen und tropften auf das Weltall. Der Verehrungswürdige legte eine lange Pause ein und vertiefte sich intensiv in den Anblick der Reliquie, als sehe er sie zum ersten Mal. Dann hob er langsam den Kopf und schaute mich schluchzend an.

»Ich wollte ein ganz anderer Mensch werden, Daniel. Kein Streber, der sich bereits mit fünfzehn in den Kopf gesetzt hat, ein genialer Wissenschaftler zu werden, der revolutionäre Erfolge in der Dysmelien-Forschung erzielt und am laufenden Band für Therapiesensationen sorgt. Kein Lackaffe, der sich ein maniertes Gehabe und das Image eines Topmanagers zulegen muß, um der Welt da draußen zu beweisen, daß Leute, die mit Krüppeln arbeiten, keineswegs verblödete Albert Schweitzers mit Samaritertick sind, sondern Profis, gerissene Schweine wie du und ich. Ich wollte kein exzentrischer Gottvater inmitten deformierter Schäfchen werden, Daniel, dessen Foto von einer Zeitung in die andere wandert. Und schließlich wollte ich kein Millionenbetrüger und Mörder werden, der all diese scheußlichen Dinge begeht für einen einzigen Menschen. Ich wollte, mein Gott, ich wollte schweben, Daniel, in diesem Kosmos in meinen Händen, wie der Astronaut, der seine Rakete auf den Rücken sattelt und sich immer weiter von seinem Raumschiff entfernt, bis er niemandem mehr eine Rechenschaft schuldig ist, alles hinter sich läßt, Pflicht, Schuld, Bindungen, die ganze beschissene Welt. Doch ich mußte mich verstellen, mir selbst Gewalt antun, damit ich dahin gelangen konnte, wo ich heute bin oder besser gesagt war. Ich heiratete, obwohl ich keine Familie haben wollte. Ich hasse meine Frau, die mich alle naselang fragt, ob sie in diesem oder jenem Fummel besser aussieht, als stünde ihre Versteigerung in einem Edelpuff in Las Vegas bevor, ihr dämliches Geschwätz, ihre tausend stinkenden Cremes und Salben, mit denen sie sich einfettet und beschmiert wie eine Ölsardine. Ich hasse meine unverschämten Kinder, deren Kleider und Urlaube mich im Jahr schon so viel kosten wie ein verdammter

BMW und die schon als Rotzgören davon träumen, bald eine große Nummer zu sein und sich im Jahre 2010 nach Christi Geburt zur Ruhe zu setzen. Ich hasse meine Villa, diesen Knast der Bourgeoisie, besonders wenn die Sonne scheint und wir im Garten dieses übelkeitserregende Ritual zelebrieren müssen, das wir ganz bescheiden als ›draußen essen‹ zu bezeichnen pflegen. Ich hasse mein ganzes trostloses Leben, diese traurige Komödie der Heuchelei und des mechanischen Ehrgeizes, ich hasse meinen Beruf, der unrettbar Verlorenen eine dicke Schminke der Gesundheit aufs Gesicht klatscht, doch außer einer starren Maske nichts zuwege bringt, und ich hasse meine verlorene Weltanschauung, die den Leuten da draußen Krüppel als gepunktete Zebras verkaufen will. Ich hasse mich, den Unglücklichen, der sich im Grunde selbst in sein Unglück hineingeritten hat.

Doch es gibt Wichtigeres im Leben als glücklich zu sein, sagt man. Als in jenen Tagen die Selbstvorwürfe Überhand nahmen, beschloß ich, der beste Bruder eines Behinderten zu werden, den es je gab. Und neben meinen glorreichen Karrieresprüngen, die ich im Sauseschritt absolvierte, beschattete ich dich aus der Ferne und hielt in regelmäßigen Abständen Wache vor dem Haus, in dem du gewohnt hast. Oder ich verfaßte diese lustigen Briefe an die Polizei, die ich mit rätselhaften Hinweisen über deine Herkunft würzte. Ich wollte, daß du weißt, wo du herkommst und wer deine Mutter war. Aber dann bekam ich kalte Füße, weil ich befürchtete, daß man mir dadurch auf die Spur kommen könnte. Es war so seltsam. Obgleich ich mein ganzes Leben zu deinen Gunsten umgekrempelt und dadurch mein wahres Ich ausgelöscht hatte, geriet ich bei dem Gedanken in Ekstase, deine Geschicke aus dem Hintergrund zu lenken, wie eine unsichtbare Macht über dich zu wachen. Aber wie alles im Leben wird auch der Wahnsinn mit der Zeit langweilig, Daniel, laß dir das von einer Koryphäe auf diesem Gebiet gesagt sein.

Der Irre ist der einschläferndste Mensch auf Erden, wenn er sich nicht hin und wieder etwas Neues einfallen läßt. Ich hatte mich inzwischen zu tief in die Materie hineingearbeitet, um mir noch vormachen zu können, daß ich deine Situation durch irgendwelches orthopädisches Brimborium oder eine gepflegte Heimatmosphäre wesentlich zu ändern vermochte. Es gab in Wahrheit nichts, mit dem ich meinen Bruder aus seiner ewigen Verdammnis befreien konnte. Durch diese Erkenntnis steigerten sich die Schuldgefühle und die perverse Anteilnahme an deinem Schicksal ins Unerträgliche, und ich fühlte mich, als sei mein ganzer Körper übersät mit offenen Wunden, in denen man mit giftigen Messern herumstochert.

Bis ich eines Tages eine Erleuchtung hatte. Alles wäre anders, dachte ich, wenn Daniel sich in einen Gott verwandeln könnte, in einen bewegungslosen zwar, aber dafür allmächtigen. Die permanente Selbstzerfleischung, die schlaflosen Nächte würden mit einem Schlag aufhören, wenn ich mir sicher wäre, daß er nur einen Wunsch auszusprechen bräuchte, um ihn im nächsten Moment erfüllt zu bekommen. Daniel sollte Berge erklimmen, in die Tiefen des Meeres tauchen, heiraten und Kinder bekommen, Freunde in sein Haus einladen, meinetwegen sich einen Platz im Spaceshuttle mieten und ins All fliegen, jedenfalls alles möglichst weitgehend so wie ein intakter Mensch erleben und erfahren dürfen. Doch wie wird man heutzutage ein Gott, fragte ich mich.«

»Durch Geld«, antwortete ich. »Durch unvorstellbar viel Geld.«

Er lachte überschwenglich laut auf, und die Schwermut, die wie ein Eisengewicht auf ihm gelastet hatte, verschwand augenblicklich. Dann schüttelte er Mercedes grob von sich, die ihn bis jetzt von hinten umklammert gehalten und sich das Geschwätz mit teils barmherziger, teils verstörter Miene angehört hatte. Sie liebte ihn immer noch. Sie wußte, daß er nicht mehr zu retten war, doch irgend etwas in ihr ließ sie an seinen Spinnereien teilhaben, an sie glauben, machte aus ihr ein verständiges Opferlamm, das freiwillig ins Verhängnis rannte. Daher, so schloß ich, konnte es nur wahrhaftige Liebe sein, die diese außergewöhnliche Frau mit diesem kranken Mann verband, bis zum bitteren Ende.

Wegen der unsanften Behandlung durch den Liebhaber ein wenig gekränkt, wandte sie sich von uns ab und tat einen Schritt nach draußen auf die Galerie. Obgleich sie nun geradewegs auf die Sterne blickte, schien sie den mittlerweile ins Gigantische gewachsenen und wie ein brennender Magnesiumball leuchtenden Meteoriten nicht zu sehen. In seinem Innern bewegte die schemenhafte Geisterschönheit die Lippen, ohne daß ihre Worte zu hören gewesen wären.

»Richtig!« schrie Sladek, als hätte er seinem Schöpfer endlich ins Angesicht geblickt. »Nur durch unermeßlich viel Geld wirst du deine Behinderung wirklich überwinden können, Daniel. Es werden Hunderte von Lakaien um dich herumscharwenzeln, die nur dazu da sind, dir jeden Wunsch von den Augen abzulesen. Du wirst in Palästen wohnen und mit einem Privatjet zu den zauberhaftesten Paradiesen dieser Welt fliegen, wann es dir in den Sinn kommt. Ist das nicht fabelhaft? Du läßt dir Spezialautos bauen von Porsche oder von Jaguar und lenkst deine heißen Flitzer über eigens für dich abgesperrte Straßen. Oder, oder du kannst solche scharfen Frauen wie Mercedes ficken und sie wegjagen, wenn du ihrer überdrüssig geworden bist. Und du kannst Parties veranstalten, so prächtig wie die Feste von Maharadschas, und von deinem goldenen Balkon hinunter auf die Köpfe deiner Gäste pissen, wenn du besoffen bist. Und sie werden dir noch zujubeln dafür, mein Freund, das garantiere ich dir. Diese stinkenden Moralisten haben sich alle geirrt. Mit Geld kann man wirklich alle Probleme lösen! Du kannst alles haben, was du dir je erträumt hast, Daniel. Drogen, Sex, Anerkennung, Besitz, was du begehrst. Denn du bist ab heute ein Gott!«

Er begann heftig zu zittern, so daß ihm der Holzglobus aus der Hand glitt und mit einem Knall auf dem Eisenboden aufschlug. Das Zucken seines rechten Auges breitete sich über das ganze Gesicht aus, welches allmählich das Aussehen der wild flatternden Physiognomie eines Fallschirmspringers annahm. Er weinte wieder, aber diesmal nicht aus Verzweiflung, sondern aus wilder Euphorie, aus naturreinem Wahnsinn, der nun mit Brachialgewalt explodiert war. Ich schüttelte bestürzt den Kopf. Dieser übergeschnappte Kerl sollte mein Bruder sein? Sah mir überhaupt nicht ähnlich.

»Und ich, ich komme mit dir, Daniel!« gellte der Professor, und sein Körper geriet in spastische Zuckungen. »Ich lasse mein ganzes beschissenes Leben hinter mir und folge dir nach Acapulco, auf die Bermudas, wohin du willst. Es gibt nichts mehr, was mich aufhalten könnte. Freiheit ist angesagt, Bruder, und immerwährende Erfüllung. Keine American-Express-Gattin mehr und keine undankbaren Kinder, die ihren eigenen Vater für ein Arschloch halten und die Schwuchtel von ihrem Friseur für einen Propheten. Kein Hund, für den man sich einen ausgefallenen Namen einfallen lassen muß, nie mehr Fitneßcenterstreß, nie mehr dummdreistes Esoterikgequatsche, keine kranken Menschen in der Nähe, die einem den schwarzen Spiegel vorhalten. Und keine Schuldgefühle, keine Verantwortung, keine Lügen mehr, Daniel, nur wir zwei, Bruder und Bruder, Kain und Abel, wenn du so willst. Endlich hat das Leiden ein Ende, und die Verschmelzung zwischen uns beginnt. Wir beide werden von nun an gemeinsam schweben im Kosmos der Pflichtvergessenheit. Wir brauchen niemanden bei unserem Neuanfang. Wir ziehen einfach einen Schlußstrich unter unser beider Vergangenheit und löschen sie aus. Das heißt, ich habe es ja schon getan. Ich bin gestorben und wiedergeboren. Ich beginne jetzt einfach von vorne. Ich bin auf niemanden mehr angewiesen. Schau, nicht mal auf sie . . .«

Er fuhr blitzschnell herum, warf sich von hinten gegen Mercedes und stieß sie mit aller Wucht auf das Außendeck. Sie stürzte schreiend zu Boden, überschlug sich dabei einmal und rutschte knapp über den Rand, so daß sie mit dem halben Körper über dem Abgrund taumelte. Mit den Armen verzweifelt nach einem Halt suchend und mit den Beinen wild strampelnd, versuchte sie in dieser aussichtslosen Lage ihr Gleichgewicht wiederzuerlangen. Doch es war zu spät. In ihrem weißen Kostüm wirkte sie für den Bruchteil einer Sekunde wie ein Papierfetzen, den der Sturm um die eigene Achse wirbelt und nach unergründlichen Gesetzmäßigkeiten der Aerodynamik hin und her prügelt. Dann ein hilfloses Gezappele, ein letztes Aufbäumen, und sie glitt über die Kante hinweg und fiel kreischend in die Tiefe.

Während ihre Schreie noch durch die Dunkelheit hallten, vergaß ich zum ersten Mal in meinem Leben, daß ich keine Arme und Beine besaß. Als sei alles Erlebte nur ein Alptraum gewesen, aus dem ich soeben aufgewacht wäre, sandte ich an meine Phantomglieder automatisch den Impuls, aufzuspringen, dieses bestialische Ungeheuer an seinen Schultern zu packen, ebenfalls an den Rand der Rampe zu stoßen und dort endlich das Ticket für seinen ersehnten Schwebeflug zu lösen. Doch, o Schreck, der Impuls verirrte sich im Labyrinth der Nervenbahnen, klopfte mal an diese, mal an jene verschlossene Tür, verlor sich in schummerigen Kanälen, fand weder Arm noch Bein und erstarb schließlich in meinem Entsetzen. Es war kein Traum. Der Rumpf war eine Realität so wie der definitive Abgang der Frau, die mir künftig jede gottverdammte Nacht als grausiges Gespenst erscheinen würde, jung und blutend an meiner Seite schlafend.

Deshalb schrie ich. Ein schrilles Geheul wie aus der mißgestalteten Kehle des schwerverwundeten Godzillas verließ meinen Körper, prallte an den Eisen- und Glaswänden ab und hallte unfaßbar lange nach. Ich konnte immer noch nicht glauben, daß er seine, meine Lustheilige mit der Plötzlichkeit eines Zaubertricks aus unser beider Leben gezaubert hatte. Nur für Augenblicke schossen mir ihre Worte über die abgrundtiefe Liebe durch den Kopf. Ja, abgrundtiefe Liebe, genau das war es, was ich für diese Frau empfunden hatte, egal, ob sie mich im Moment unserer erzwungenen Hochzeit gehaßt oder nur mitleidig ignoriert hatte.

Weg. Verschwunden. Für immer verloren. Würde ihre Leiche irgendwann wieder aus dem Meer auftauchen als das aufgeblähte, bleiche Zerrbild eines menschlichen Leibes, in den Pathologen ihre Kugelschreiber hineindrückten, um den Zeitpunkt des Todes zu schätzen? Oder würden fleischfressende Fische an ihr knabbern und nagen und für das üppige Mahl ein Dankgebet an Neptun senden? Und würden sie ihre überirdische Schönheit erkennen, von einer merkwürdigen Fischtrauer erfaßt werden und eine Gedenkminute für sie einlegen, bevor sie sich ans Fressen machten? Ich jedenfalls weinte, während ich den Schrei ausstieß, der den ganzen Leuchtturm erzittern ließ. Ich weinte um meine über alles geliebte Mercedes, mit der ich eins war für Augenblicke und doch für die Ewigkeit.

»Du herzloses Schwein!« schrie ich. »Du verdammtes herzloses Schwein! Du blutrünstiges Monstrum!« Dann blies ich in das Steuerungsröhrchen und fuhr direkt auf ihn zu. Mich trennten etwa zehn Meter von ihm, und erst als ich längst gestartet war, dämmerte mir das eigentliche Motiv dieses plötzlichen Aufbruchs . . .

Professor Sladek wandte den Blick von der Galerie ab, die ohne Mercedes so leer und häßlich wirkte wie ein berühmtes Gemälde nach einem Säureattentat, drehte sich mir zu und breitete die Arme aus. Offensichtlich wollte er mich umarmen, sobald ich bei ihm angelangt war. Er hatte sich jetzt vollends in eine Traumgestalt verwandelt und glänzte so bizarr, als sei er zwischenzeitlich mit Silberstaub besprüht worden. Und er lachte ein unwirkliches Lachen, wie jemand, der über seine Tragödie nur noch lachen kann, weil er sonst daran ersticken würde.

»Nur wir zwei, Daniel!« rief der Verrückte, während ich auf ihn zufuhr. »Wir beide in Acapulco, kühle Drinks unter heißer Sonne und Nuttenficken bis zum Abwinken! Na, wie gefällt dir das? O Bruder, erst jetzt sind wir wirklich unzertrennlich. Gegen eine Beziehung wie die unsere ist die Ehe ein Witz . . .«

Ich stieß das Steuerungsröhrchen vom Mund und ließ mich seitlich auf die rechteckige weiße Kunststofftaste fallen, die an der linken Armstütze des Rollstuhls angebracht war. Der gute schießwütige Thaddäus, am Ende war er doch für etwas Vernünftiges von Nutzen gewesen. Sofort drehten die Räder durch, und schwarzer Qualm, gepaart mit einem ekelerregenden Gestank, stieg vom Motor auf. Der Rollstuhl bäumte sich kurz auf, wieherte geradezu und preschte dann mit ungeheuerer Geschwindigkeit vorwärts. Ja, ich würde in wenigen Sekunden sterben, doch ich würde ihn in die Hölle mitnehmen. Dieser Gedanke verschaffte mir unendlichen Trost.

Er schien es gar nicht wahrzunehmen, als der Rollstuhl ihn frontal erfaßte und er vornüber auf den Sitz stürzte. Statt dessen lachte er wieder so albern, als habe er bei einem Geschicklichkeitsspiel Mist gebaut. In dieser diffizilen Lage rasten wir bis zum Rand des Außendecks, er mit den Schuhen geräuschvoll auf dem Boden schlitternd, ich vor Panik laut schnaufend, weil ich den Moment meines Todes für gekommen hielt.

Die Räder meines Turbogefährts stießen gegen die abstehenden Eisenlaschen, die einst als Verankerungen für die Geländerteile gedient hatten, und gleichzeitig damit gaben Motor und Akkumulator ihren Geist auf. Durch den Aufprall richtete sich der ganze Rollstuhl auf, kippte nach vorne, drohte sich zu überschlagen und mitsamt seiner Fracht in die Tiefe zu stürzen. Aber dann sackte er wieder nach hinten und gab Geräusche und Gerüche von sich wie ein alter Mann, der sich in seinen eigenen Fürzen auflöst. Sladek erhielt durch den jähen Stopp einen heftigen Ruck, rutschte an mir hinab, bekam jedoch im letzten Moment die Räder zu fassen, die sich wiederum durch das Gewicht langsam weiterdrehten, und baumelte schließlich in dieser mißlichen Lage über der brausenden See. Dennoch riß er den Kopf hoch und sah lächelnd zu mir auf.

»Scheiße, Bruder, immer kommt etwas dazwischen, wenn wir es uns gemütlich machen wollen. Das nächste Mal planen wir die Sache genauer, damit nichts schiefgehen kann. Ähm, eine blöde Frage: Dein Rollstuhl besitzt nicht zufällig einen Rückwärtsgang?«

Ich sah, daß seine Hände am Gummi der Räder abrutschten und sein Griff sich allmählich lockerte. Er versuchte sich mit aller Kraft hochzuziehen, wobei er vor Anstrengung zu zittern begann. So sportlich, wie er immer den Eindruck vermittelt hatte, schien er also doch nicht zu sein. Bei aller Bedrängnis aber umspielte weiterhin ein sanftes Hohnlächeln sein verzerrtes Gesicht, als veranstalteten wir hier eine Art Ulkolympiade. Gleichwohl erkannte ich hinter dieser lachenden Wahnsinnsfratze die ersten versteckten Ahnungen über die Unabänderlichkeit der Dinge, das Nahen des frostigen Winters trotz der sonnenbeschienenen Herbsttage.

Ich schaute nach oben und visierte den Mammutstern an, in dessen funkelndem Kern das Gesicht der Eiskönigin immer noch schwebte. Insgeheim wünschte ich von ihr einen Ratschlag, der zu dieser abstrusen Situation paßte, irgendeinen Kommentar, welcher die Ereignisse guthieß oder verurteilte. Ich wollte gerichtet werden von ihr. Aber das grelle Etwas, das wohl eine Hervorbringung meiner verwirrten Phantasie war, hatte inzwischen an Leuchtkraft eingebüßt. Es erlosch allmählich. Die Umrisse des Geistergesichts verblaßten immer mehr, verschmolzen mit dem weißen Hintergrund. Unsere Mutter verabschiedete sich von uns, und sie ging, ohne ein Urteil über das Sündentreiben ihrer Söhne abgegeben zu haben. Ihre Lippen waren lediglich ein seelenloser Automat, der sich fortwährend bewegte und irgendwelche Worte hervorstieß. Aber ich hörte diese Worte nicht und war schon zu sehr in die Finsternis verstrickt, um die Sprache des Lichts noch beherrschen zu können. Ich hatte sie einfach verlernt. So wurde der Stern immer fadenscheiniger, das Traumantlitz starrer und die ganze Erscheinung in zunehmendem Maße zur einem realistischen Himmelskörper, vielleicht tatsächlich zu einem Meteoriten, der die Erde streifte, bis er letztlich wie eine Sternschnuppe eine rasche Bewegung abwärts zur Kimmung der See vollführte, gewissermaßen vom Himmel fiel und endgültig entschwand.

»Nein, leider kein Rückwärtsgang«, sagte ich und neigte den Kopf wieder zum Professor, der weiterhin verbissen an den Rädern des Rollstuhls hampelte. »Doch selbst wenn ich einen hätte, würde ich ihn jetzt nicht benutzen, Kain.«

»Kain? Ich dachte, ich sei Abel und *du* wärst Kain. Wie man sich doch irren kann. Für einen leidenschaftlichen Atheisten ist die ganze Geschichte ziemlich verwirrend, Bruder. Sag mal, du glaubst doch nicht allen Ernstes an diesen Quatsch.«

Er begann stoßweise zu atmen, und das hämische Lächeln gefror allmählich zu einer Grimasse der Qual. Seine Hände glitten an den Rädern immer weiter herunter.

»Natürlich!« brüllte ich ihn an. »Ich bin gläubiger Katholik. Ich glaube sogar an den Teufel!«

»Ach, und der bin ich, was? Glaub ja nicht, daß du deinem Gewissen auf so bequeme Weise Erleichterung verschaffen kannst. Doch ich schätze, wir haben uns für eine Bibelauslegung den falschen Zeitpunkt ausgesucht. Nur soviel: Das

Adamsgeschlecht, lieber Daniel, ist mittlerweile so lückenlos von grauen Metastasen überzogen, daß sogar der Chefarzt Schwierigkeiten haben dürfte, die schwarzen und die weißen Pusteln zu orten. Und wenn du Abel bist, dann heiße ich Gustav Gans!«

Er ließ eine Hand los, so daß er nur noch mit der anderen am Rollstuhl hing.

»Aber Schuld existiert«, entgegnete ich ihm, doch in Wirklichkeit sprach ich mehr zu mir selbst. »Das hast du doch am eigenen Leibe erfahren.«

»Schuld? Ein Begriff, der nur noch in der Finanzwelt Verwendung findet. Sinnlosigkeit herrscht. Warum wurdest du als eine Absurdität geboren? Weshalb mußte ich mein Leben in einer anderen Form von Absurdität verbringen? Und warum mußte alles so absurd enden? Kennst du die Antworten? Ich nicht. Der Papst vielleicht. Aber der ist nicht zur Stelle, wie immer, wenn es um brisante Diskurse geht.«

»Das würde dir so passen! Man braucht also einfach Schwarz und Weiß in einen Topf hineinzuwerfen, und schon erhält man eine graue Suppe, die die eigenen begangenen Verbrechen überdeckt. Von wegen. Du hast getötet und wurdest dafür schuldig gesprochen!«

»Schwachsinn! Sinnlos, alles sinnlos. Ich fürchte, wir müssen unser Gespräch auf ein andermal verschieben, denn es sieht verdammt danach aus, als müßte ich bald ein Bad nehmen. Schade, gerade jetzt, wo sich mein intellektueller Horizont richtig zu erweitern begann.«

»Leb wohl, Bruder. Dort, wo du hinkommst, wirst du nach einer kühlen Dusche betteln!«

»Ich bleib' bei einem herzlichen Wiedersehen, lieber Daniel. Scheißdreck, jetzt könnte ich eine helfende Hand wirklich brauchen . . .«

Er fing an, heftig zu strampeln und mit der freien Hand nach dem Rad zu haschen. Aber ich wirkte dem entgegen, indem ich auf meinem Sitz wild hin und her schwang, so daß sich die Rüttelei auf die Räder übertrug. Sein Griff lockerte sich immer mehr, und auf seinem von Furcht gezeichneten Gesicht konnte man den Überlebenskampf ablesen. Schließlich ließ ihn seine Kraft vollends in Stich, und er nahm Abschied von dem Rad.

»Sinnlos!« kreischte er, während er wie eine Fledermaus mit allen von sich gestreckten Gliedern die Reise in Richtung Meer antrat und dann schwebte und schwebte und schwebte. »Sinnlos! So sinnlos! So sinnlos! So sinnlos! . . .«

Die Schreie wurden immer dünner und gespenstischer, und er war nur noch ein weißer Punkt in der Tiefe, bis die rabenschwarze See ihn in einer Schaumrose schluckte. Ich stierte von meinem Thron aus lange auf das Wellental hinab, in der Befürchtung, daß er vielleicht wieder aus dem Wasser auftauchen könnte, mir zuwinkend, sardonisch lachend und mit dem rechten Auge zuckend.

Weder Professor Robert Sladek noch Mercedes wurden je gefunden. Auch hatte der Oberkommissar mir die Wahrheit gesagt und mich als ersten in seine Kombinationskunststücke eingeweiht, so daß der Fall nach seinem Tode trotz der bis dahin erzielten beachtlichen Erfolge nie zur Gänze aufgeklärt werden konnte. Kasimir war halt unersetzlich gewesen. Vor allem Sladeks Ermordung beziehungsweise sein Verschwinden und ebenso das von Hans gingen als ein kaum mehr entwirrbares Rätsel in die Akten ein. In einem skurrilen Sinne war ich insofern aus dem Schneider. Als ein Mysterienspiel hatte die Geschichte ihren Anfang genommen, und als ein solches fand sie auch ein Ende.

In dieser Auffassung wurde ich bestärkt, als ich ein halbes Jahr später – ich war bereits an einem anderen Ort und wurde keineswegs wegen meiner körperlichen Handikaps behandelt –

ein Paket von der Größe einer Schatztruhe von Henriette Sladek zugeschickt bekam. Und als ein wahrer Schatz stellte sich dessen Inhalt in der Tat heraus. In dem Paket befanden sich nämlich eine Unmenge von Fotografien, Tagebuchaufzeichnungen, Fotokopien von behördlichen Schreiben und scheinbar in Anfällen von geistiger Umnachtung chaotisch dahingekritzelte Notizen. Die Fotos erwiesen sich als eine einzige Fundgrube der Nostalgie, ja, eine Art Rumpfarchäologie. Selbstverständlich bestanden sie allesamt aus heimlich aufgenommenen Schnappschüssen. Rumpf als Kleinkind in Marias Armen. Ein verdrießlich wirkender Rumpf in der Weihnachtsmesse, der aus Jupiters Hand die Hostie empfängt. Der pubertierende Rumpf beim Betrachten eines Volksfestumzuges, wie er die Aufmerksamkeit der Zuschauer mehr fesselt als das eigentliche Spektakel. Rumpf beim Eisschlecken, Rumpf im Kaufhaus, Rumpf auf der Schwimmbadwiese, kurzum, Rumpf in allen Lebenslagen. Unfaßbar, der Kerl hatte eine echte Dokumentation meines Lebens erstellt. Was fotografisch nicht zu fixieren gewesen war, hatte er in den Tagebüchern protokolliert wie ein Spion, der irgendwann den öden Auftrag erhielt, über Jahre hinaus immer nur denselben Politiker zu beschatten. Aber so fade hatte Sladek seine Aufgabe offenbar nicht gefunden. Im Gegenteil, er hatte akribisch alles über mich gesammelt, was er irgendwie auftreiben konnte. Von Impfscheinkopien bis zu Belegen für Zeitungsabonnements war alles vertreten, was ein Leben, wenn auch ein junges, urkundlich ausmacht. Daneben befanden sich allerdings auch Schriften, welche sich gewissermaßen mit der philosophischen Perspektive der Rumpfexistenz auseinandersetzten, die allerdings von Mal zu Mal krauser und wahnhafter wurden.

Doch das Beste kommt noch. Die gute Frau unterrichtete mich in einem beiliegenden Brief, der in bemühter Schönschrift verfaßt war, daß sie das sonderbare Archiv nach dem Tod ihres

Gatten stückweise ans Tageslicht befördert habe, als sie ihren Haushalt auflöste. Sie entnehme diesem Album des Irrsinns, daß der Verstorbene mich scheinbar für seinen Bruder gehalten habe, was ihr jedoch nicht so richtig in den Kopf gehen wolle. Sie nämlich kenne Sladeks Eltern und ebenso seinen Heimatort, sogar das Geburtshaus. Auch würden Bilder und Dokumente aus früherer Zeit eindeutig beweisen, daß der Professor weder das Kind einer Flüchtlingsfamilie aus dem Osten noch ein Waisenknabe gewesen sei. Auf Grund dieser sich widersprechenden Fakten erbitte sie eine Erklärung von mir.

Freilich stand ich für eine derartige Erklärung nicht zur Verfügung, fiel ich doch selber aus allen Wolken, als ich die Sichtung des umfangreichen Materials beendet hatte. Zu welcher Schlußfolgerung sollte man denn auch nach all den Ungereimtheiten gelangen? Daß der Professor außer den Finanzen der »Verzauberten Jäger« auch noch seine eigene Vergangenheit manipuliert hatte? Doch welche Vergangenheit genau? Die, welche für Henriette reserviert war, also die Biographie eines Durchschnittstyps, der es durch Begabung und Fleiß zu einer weltweit anerkannten und über Gebühr erfolgreichen Autorität im Behindertenwesen gebracht hatte? Oder die Vergangenheit, die mich betraf, ein Leben in Schuld und Gefangenschaft von Verstrickungen des Schicksals? Verrannte sich der arme Kerl durch die exzessive Beschäftigung mit seinen Krüppeln irgendwann in die kuriose Idee, daß er in einer verhängnisvollen familiären Beziehung zu einem ganz bestimmten Krüppel stand? Oder inszenierte er den Humbug schlicht und ergreifend nur deshalb, weil er bei einer möglichen Ergreifung durch die Polizei ein paar Trümpfe mehr in den Händen halten wollte, von wegen Unzurechnungsfähigkeit, Psychowehwehchen und so weiter?

Ich weiß es nicht. Ich vermag bis heute Henriettes Brief nicht zu beantworten. Jedenfalls war der Mann vollkommen meschugge, das ist so gewiß, wie alles wahr ist, was ich hier in das alte Diktaphon spreche. Es ist auffallend, daß sein ganzes Denken sich um Vollkommenheit und Unvollkommenheit drehte. Wahrscheinlich wollte er wirklich *der* perfekte Mensch sein und war zu Tode enttäuscht, daß das Leben ihm alltägliche Häßlichkeiten zwischen die Beine warf. Oder er wollte seine tausend Neurosen zu einem umwerfenden Drama stilisieren, indem er mein Schicksal in sein eigenes integrierte. Aber jeder Erklärungsversuch scheint zum Scheitern verurteilt.

Damals auf dem Leuchtturm jedenfalls, als der kühle Wind des anbrechenden Tages mir ins Gesicht wehte und ich abwechselnd mal das wogende Meer, mal das sich langsam auflösende Sternenzelt betrachtete, weil mir in meiner ohnmächtigen Situation nichts anderes übrigblieb, trauerte ich um meinen dahingeflogenen Bruder. Und nicht nur um ihn. Ich vermißte nun plötzlich jeden einzelnen von ihnen. Sie fehlten mir irgendwie alle, alle, von denen ich erzählt habe. Sogar dieser eklige Thaddäus und der Kranke. »Die Verzauberten Jäger«, sie haben wirklich existiert, waren nicht nur ein ehrwürdiger Titel gewesen.

Das Blau des Himmels wurde immer blasser, und die Sterne verloren zunehmend an Glanz, bis sie nur noch schemenhaft zu erkennen waren. Dann endlich stieg die Sonne am Horizont empor und blendete mich mit ihrem intensiven Licht. Und genau in diesem Augenblick maßloser Melancholie, keine Ahnung, warum, erinnerte ich mich plötzlich an das vorletzte Gespräch mit Sladek in seinem Büro und daran, was er über die Delphine gesagt hatte. Es hatte sich eindeutig um einen merkwürdigen Vergleich zwischen diesen Tieren und meinesgleichen gehandelt. Insofern konnte man seiner Aussage, daß ihn die Rumpfartigen nie besonders interessiert hätten, wenig Glauben schenken. Im Gegenteil, er schien sich bis zum Exzeß mit ihnen beschäftigt zu haben. Ich erinnerte mich auch noch daran, daß mir durch seine verquasten Anspielungen diese Fernsehserie mit dem berühmten Delphin in den Sinn gekommen war, an dessen Namen ich mich jedoch beim besten Willen nicht erinnern konnte. Nun auf einmal fiel er mir wieder ein. Er hieß Flipper. Ja, nicht nur der Name des Tieres war mir jetzt aus heiterem Himmel präsent, sondern auch jede einzelne Silbe des Titelsongs. Komisch, wenn die Menschen, die einem etwas bedeutet haben, gestorben sind, kann man sich plötzlich an jedes Detail erinnern.

Es war mir beim Anbruch des Tages nach Singen zumute. Und so saß ich in meinem Rollstuhl, ließ mir den Wind durch die Haare wehen, das Gesicht von der aufgehenden Sonne erwärmen und sang:

> Flipper ist unser bester Freund
> Lustig wird's immer, wenn er erscheint
> Spaß will er machen, tolle Tricks
> Er bringt uns Stunden des Glücks
> Man ruft nur Flipper, Flipper
> Gleich wird er kommen
> Jeder kennt ihn, den klugen Delphin
> Wir lieben Flipper, Flipper
> Den Freund aller Kinder
> Große nicht minder
> Lieben auch ihn.

Mitteilung und Danksagung

Der Autor legt Wert darauf, hervorzuheben, daß er während seiner Recherchen zu diesem Buch in Deutschland auf keine einzige Institution für Geistig- und Körperbehinderte gestoßen ist, die auch nur annähernd in derartige Machenschaften verwickelt gewesen wäre, wie sie hier geschildert werden. Vielmehr handelt es sich bei dem Heim »Zu den verzauberten Jägern« und seinen Bewohnern um reine Fiktion, welche in einem Wechselspiel zwischen Inspiration und dramaturgisch bedingter Notwendigkeit entstanden ist.

Bei den Passagen über das Korsakow-Syndrom ist der Autor den Ausführungen von Oliver Sacks in »Der Mann, der seine Frau mit einem Hut verwechselte« verpflichtet. Der Abdruck einzelner Sätze erfolgte mit freundlicher Genehmigung des Rowohlt Verlages.

Der Autor dankt Herrn Jörg Wichmann, der so freundlich war, die Horoskop-Passagen zu diesem Buch zu erstellen. Aus Gründen der Dramaturgie wurden sie leicht abgeändert, so daß Jahreszahlen und ähnliches versetzt oder falsch wiedergegeben sind. Fernerhin darf und kann die Astrologie den Tod eines Menschen natürlich nicht voraussagen. Solche und vergleichbare Manipulationen sind keinesfalls das Werk des Helfers, sondern einzig und allein des Autors.

JOY FIELDING

»An einem Nachmittag im Frühsommer ging
Jane Whittacker zum Einkaufen und vergaß,
wer sie war...«
Blutbefleckt, die Taschen voller Geld und ohne
Erinnerungsvermögen findet sie sich auf den
Straßen Bostons wieder. Ein Alptraum wird wahr,
der teuflischer nicht sein könnte...

GOLDMANN

41333

JOHN SANDFORD

Seit Monaten verfolgen Inspektor Davenport
und seine Männer die gerissene Bankräuberin
Candy. Als sie bei einem Schußwechsel ums
Leben kommt, schwört ihr Mann ewige Rache.

Dieser Thriller jagt Schockwellen
durch den Leser...

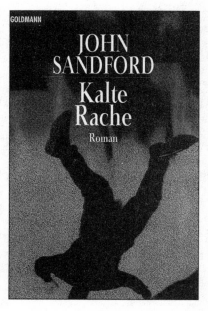

GOLDMANN

43708